Kirchenkunst des Mittelalters

Bernward

Kat.-Nr. 5

Kirchenkunst des Mittelalters

Erhalten und erforschen

Katalog zur Ausstellung
des Diözesan-Museums Hildesheim

Hildesheim 1989

herausgegeben
von Michael Brandt

CIP-Titelaufnahme der Deutschen Bibliothek

Kirchenkunst des Mittelalters: Ausstellung d.
Diözesan-Museums Hildesheim / hrsg. von Michael Brandt. –
Hildesheim: Bernward, 1989
    ISBN 3-87065-528-3
NE: Brandt, Michael [Hrsg.]; Diözesan-Museum
< Hildesheim >; Kirchenkunst des Mittelalters

ISBN 3-87065-528-3
© Diözesan-Museum Hildesheim
1989 Bernward Verlag GmbH, Hildesheim
Gestaltung: Lutz Engelhardt, Hildesheim
Herstellung: Druckhaus Benatzky GmbH, Hannover

INHALT

AUSSTELLUNG

Konzeption und Leitung:
Michael Brandt

Ausstellungsarchitektur:
Heinz Micheel
in Zusammenarbeit mit Helmut Asbach, Köln

Grafische Gestaltung:
Lutz Engelhardt, Hildesheim

Konservatorische Betreuung:
Sabine Heitmeyer-Löns, Havixbeck,
Dr. Detlev Gadesmann, Hannover,
Regula Schorta, Wabern,
Uwe Schuchardt, Hildesheim

Mitarbeit beim Aufbau:
Alfred Golla, Heinz Kraft

Technische Mitarbeit:
Martin Koch

Beschriftung:
Elisabeth Epe, Regula Schorta

Sekretariat:
Karin Grimm, Monika Plitzko, Ingrid Sperlich

Verantwortlich für Werbung und Öffentlichkeitsarbeit:
Margot Rathenow (Hanowerb), Hannover

KATALOG

Redaktion:
Elisabeth Epe

Neuaufnahmen:
Lutz Engelhardt, Hildesheim,
Denis Middelmann, Hildesheim
Ann Münchow, Aachen

Bildredaktion und Layout:
Lutz Engelhardt, Michael Brandt, Elisabeth Epe

Autoren:
Hermann Born (H. B.)
Michael Brandt (M. B.)
Michaela Burek (M. Bur.)
Reiner Cunz (R. C.)
Hans Drescher (H. D.)
Klaus Endemann (K. E.)
Elisabeth Epe (E. E.)
Hans-Georg Gmelin (H.-G. G.)
Sabine Heitmeyer-Löns (S. H.-L.)
Peter Königfeld (P. K.)
Karl Bernhard Kruse (K. B. K.)
Wolfram Kummer (W. K.)
Klaus Niehr (K. N.)
Ursula Pütz (U. P.)
Ernst-Ludwig Richter (E.-L. R.)
Ria Röthinger (R. R.)
Regula Schorta (R. S.)
Hans Jakob Schuffels (H. J. S.)
Michaela von Welck (M. v. W.)

VORWORT

Mit der Aufgabe, Zeugnisse aus der mehr als tausendjährigen Geschichte des Bistums Hildesheim zu sammeln und auszustellen, ist dem Diözesanmuseum zugleich die Sorge um deren Erhaltung und Erforschung aufgetragen. Diese Tätigkeit, die gerade in der Aufbauphase der letzten Jahre einen Schwerpunkt der Museumsarbeit bildete, bleibt einer breiteren Öffentlichkeit für gewöhnlich verschlossen.

So lag es nahe, sie zum Thema einer Sonderausstellung zu machen und dem Museumsbesucher damit Gelegenheit zu geben, sich aus erster Hand über Fragen der materiellen Beschaffenheit, der Herstellung, der Veränderung und Erhaltung der Kunstdenkmäler zu informieren.

Die Verschiedenartigkeit der Bestände ließ die Begrenzung auf eine bestimmte Epoche geraten erscheinen. Da die wichtigsten und ergebnisreichsten Wiederherstellungs- bzw. Konservierungsmaßnahmen der letzten Jahre kirchlichen Kunstwerken aus dem 9. bis 15. Jahrhundert galten, war schon von daher eine Beschränkung auf mittelalterliche Arbeiten nahegelegt.

Im Laufe ihrer langen Geschichte wurden viele dieser Kunstdenkmäler immer wieder überarbeitet. An ihnen läßt sich damit auch ablesen, wie man schon in früheren Jahrhunderten um die Erhaltung bemüht war. Um dies zu verdeutlichen, sind der Ausstellung drei Arbeiten vorangestellt, die davon in besonders anschaulicher Weise Zeugnis geben. Auch bei den übrigen Objekten geht es nicht so sehr darum, Einblicke in heutige Restaurierungstechniken zu vermitteln. Versucht ist vielmehr, dem Entstehungsprozeß der entsprechenden Werke nachzuspüren, sie sozusagen nach ihrer Geschichte zu befragen und sie damit besser verstehen zu lernen.

Ein besonderer Dank gilt in diesem Zusammenhang allen Autoren, Restauratoren und Fotografen, die sich an der »Spurensuche« beteiligt haben: Herrn Peter Bolg (Köln), Herrn Hermann Born (Berlin), Frau Michaela Burek (Stuttgart), Herrn Reiner Cunz (Hannover), Herrn Dr. Hans Drescher (Hamburg), Herrn Klaus Endemann (München), Herrn Lutz Engelhardt (Hildesheim), Herrn Dr. Hans-Georg Gmelin (Hannover), Frau Heide Härlin (Stuttgart), Frau Sabine Heitmeyer-Löns (Havixbeck), Herrn Dr. Peter Königfeld (Hannover), Herrn Karl Bernhard Kruse (Hildesheim), Herrn Wolfram Kummer (Pattensen), Herrn Denis Middelmann (Hildesheim), Frau Ann Münchow (Aachen), Herrn Dr. Klaus Niehr (Berlin), Frau Ursula Pütz (Münster), Herrn Prof. Dr. Ernst-Ludwig Richter (Stuttgart), Frau Ria Röthinger (Köln), Frau Regula Schorta (Wabern), Herrn Uwe Schuchardt (Hildesheim), Herrn Hans Jakob Schuffels (Göttingen) und Frau Michaela von Welck (Köln).

Herzlich gedankt sei auch Herrn Generalvikar Heinrich Schenk für seine verständnisvolle Förderung, ohne die ein solches Unternehmen nicht zu realisieren gewesen wäre. Dank gesagt sei darüber hinaus der katholischen Pfarrgemeinde in Salzgitter-Ringelheim für die großzügige Leihgabe des Bernwardkruzifix, das nun im Rahmen einer umfassenden Untersuchung erstmals unmittelbar mit der bernwardinischen Madonna aus dem Hildesheimer Domschatz verglichen werden kann.

Dank gilt schließlich Herrn Direktor Meyer mit den Kolleginnen und Kollegen der Abteilung Geschichts- und Denkmalpflege im Bischöflichen Generalvikariat für ihre tatkräftige Hilfe, vor allem Frau Dr. Elisabeth Epe für die engagierte Mitarbeit bei der Ausstellungsvorbereitung, und nicht zuletzt Herrn Dr. Arne Eggebrecht, dem leitenden Direktor des Roemer- und Pelizaeus-Museums für die gute Zusammenarbeit »von Haus zu Haus«.

Dr. Michael Brandt
Kustos des Diözesanmuseums

KATALOG

Abb. 1:
Heiligtum
Unserer Lieben Frau,
Hildesheim, Dom

1 Heiligtum Unserer Lieben Frau

Höhe 28,6 cm, Durchmesser (Fuß) 15,8 cm

Reliquienkapsel: karolingisch, 9. Jahrhundert
Silber gegossen, vergoldet, nielliert, ziseliert, punziert, Breite 15,2 cm, Höhe 9,1 cm, Tiefe 5,2 cm

Edelsteinbänder der Fassung: 13. Jahrhundert, 2. Jahrzehnt
Silber gegossen, getrieben, vergoldet, Steinbesatz

Fassung und Fuß: Hildesheim, Ende 14. Jahrhundert
Silber gegossen, getrieben, vergoldet, Steinbesatz

Hildesheim, Hohe Domkirche, Inv. Nr. DS 1

Kopie der Reliquienkapsel wohl Hildesheim, Ende 14. Jahrhundert

Breite 15,2 cm, Höhe 9,1 cm, Tiefe 5 cm, Silber, getrieben, gelötet, ziseliert und punziert, Holzkern

Hildesheim, Hohe Domkirche, Inv. Nr. DS 2

Das eigenartig geformte »Heiligtum Unserer Lieben Frau« (Abb. 1) trägt über seinem kelchförmigen Sockel eine kostbar gefaßte Silberkapsel, die nach alter Überlieferung noch aus der Zeit der Bistumsgründung stammen soll. »Dieses Reliquien-Behältnis ist wegen der Verlegung der Cathedral-Kirche von Elze (Aulica) nach dem Orte der Stadt Hildesheim, deshalb bei dieser Kirche vom Anfange bis auf die gegenwärtigen Zeiten aufs Höchste verehrt worden«, heißt es (nach der Überlieferung von Kratz) in einer Authentik, die 1680 anläßlich einer Wiederherstellung im Reliquiar verschlossen wurde[1]. Damit ist angespielt auf die legendhaft ausgeschmückte Gründungsgeschichte des Bis-

Abb. 2: Tausendjähriger Rosenstock mit dem Heiligtum, Kupferstich von J. L. Brandes (Detail), Hildesheim, um 1724

Abb. 3: Silberne Reliquienkapsel ohne Fassung

Abb. 4 a, b: Kamminschrift der Reliquienkapsel

tums Hildesheim: Ludwig der Fromme – so wird überliefert – habe in Elze einen Bischofssitz einrichten wollen und bei einem seiner dortigen Aufenthalte sei er auch in die Gegend des späteren Hildesheim gekommen. An der Stelle, an der sich heute der Dom erhebt, habe man eine Messe gefeiert und dabei mitgeführte Reliquien an einem Ast aufgehängt. Diese seien dann vom kaiserlichen Kaplan vergessen worden, der den Verlust erst einen Tag später bemerkte.

Voller Sorge habe er die Stelle wieder aufgesucht und die Reliquien am gleichen Ort gefunden, sie aber wunderbarerweise nicht mehr herabnehmen können. Der Kaiser habe darin einen Fingerzeig Gottes gesehen, den Bischofssitz zu verlegen, und auf sein Geheiß sei dort, wo das Wunder sich ereignet habe, eine Kapelle zu Ehren der Gottesmutter errichtet worden[2].

Anknüpfend an die Legende zeigt ein Kupferstich aus dem Anfang des 18. Jahrhunderts das Heiligtum Unserer Lieben Frau in den Zweigen des Tausendjährigen Rosenstocks verfangen, der sich an der Domapsis emporrankt (Abb. 2) und den der Hildesheimer Jesuit Georg Elbers (1607 – 1673) mit dem Baum der Gründungsgeschichte identifizieren wollte[3]. Während diese Gleichsetzung schon aus archäologischen Gründen nicht zu halten ist[4], scheint es nicht abwegig, die Silberkapsel des besprochenen Reliquiars (Abb. 3) mit der Bistumsgründung Ludwigs des Frommen in Verbindung zu bringen.

Bereits die Kamminschrift (Abb. 4) bietet mit ihren »fränkischen Altertümlichkeiten« einen Anhaltspunkt dafür – wie Wilhelm Berges und Hans J. Rieckenberg gezeigt haben[5]. Demgegenüber sieht Victor H. Elbern in der Reliquienkapsel eine – möglicherweise in Hildesheim entstandene – Arbeit des 10. Jahrhunderts, stützt sich dabei allerdings weitgehend auf Vergleiche der Rankenornamentik mit Beispielen aus der sächsischen Buchmalerei dieser Zeit, die ihrerseits in der Tradition karolingischer Vorbilder steht[6].

Wesentlich bessere Vergleichsmöglichkeiten bieten eine Reihe von karolingischen Silberschmiedearbei-

ten, von denen hier nur auf ein reichverziertes Trinkgefäß verwiesen sei, das 1908 im dänischen Ribe gefunden wurde (Abb. 5)[7]. Abgesehen davon, daß es ebenso dickwandig gearbeitet ist wie das erstaunlich massiv gearbeitete Hildesheimer Reliquiar, besteht vor allem in Zeichnung und Ausführung der Rankenornamentik so weitgehende Übereinstimmung, daß einer Datierung der Silberkapsel in die Zeit der Bistumsgründung

Abb. 5: Karolingischer Silberbecher aus Ribe (Dänemark)

815 von dieser Seite nichts entgegensteht. Geht man davon aus, daß die legendhaft ausgeschmückte Gründungsgeschichte des Bistums Hildesheim einen wahren Kern enthält, dann könnte das »Heiligtum Unserer Lieben Frau« tatsächlich von Ludwig dem Frommen nach Hildesheim gestiftet und damit ein seltenes Zeugnis für Reliquienübertragungen aus der kaiserlichen Hofkapelle sein, von denen wir in anderen Fällen nur durch urkundliche Überlieferung wissen[8].

Als Marienreliquiar gibt die Silberkapsel sich mit ihrer Kamminschrift zwar nicht zu erkennen:

»COR[PO]RAS(AN)C(T)OR[VMINPACESE]PVLTASV[NT]«

(= Die Leiber der Heiligen sind in Frieden bestattet) lautet der auf den Inhalt verweisende Text nach Sir 44, 14. Es ist aber überliefert, daß es sich bei den tatsächlich vorhandenen Reliquien in der Mehrzahl um solche der Gottesmutter handelte, die erst 1680 bei einem Diebstahl verlorengingen[9]. Vernietungen haben die Kamminschrift auf beiden Seiten gestört. Hier könnten ursprünglich Aufhängevorrichtungen befestigt gewesen sein, wie sie auch sonst bei frühmittelalterlichen Reliquiaren begegnen. Tatsächlich wird von Kratz überliefert, daß die Bischöfe das Reliquiar noch im 14. Jahrhundert bei feierlichen Prozessionen und Umritten an einem vergoldeten Riemen um den Hals gehängt trugen[10]. Dieser Brauch scheint auch später noch beibehalten worden zu sein, denn noch im Domschatzverzeichnis von 1438, das das Reliquiar bereits mit Fuß beschreibt, wird ein »silbernes Band« aufgeführt, »demme vmme dat hilghedom deyt wen me dar meck riden schal bouen vmme myt eynem vorguldedem ryme ave maria gratia plena«[11]. Von dieser Halterung rühren vielleicht auch die Abtriebsspuren her, die sich ringsum in einer Höhe von 4,5 cm an der Silberkapsel abzeichnen. Die betreffende Notiz erklärt im übrigen, warum das Reliquiar nicht fest mit der bandartigen Einfassung auf dem Fuß verbunden ist, sondern jederzeit herausgenommen werden kann (vgl. Abb. 13).

Erheblich älter als der gotische Unterbau sind die durchbrochenen Zierstreifen auf den Halterungsbändern, die sich mit ihrem Wechsel von Edelsteinen und kleinen Figürchen als eine charakteristische Arbeit aus dem 1. Drittel des 13. Jahrhunderts zu erkennen geben (Abb. 7 – 10). Am besten vergleichbar sind einige Schmuckstücke dieser Zeit, darunter der prachtvolle Onyx von Schaffhausen und der sog. Brustschmuck der Kaiserin Konstanze, der 1781 in ihrem Sarkophag gefunden wurde. Leider ist dieses Kleinod inzwischen verschollen, doch auch der detaillierte Kupferstich, der

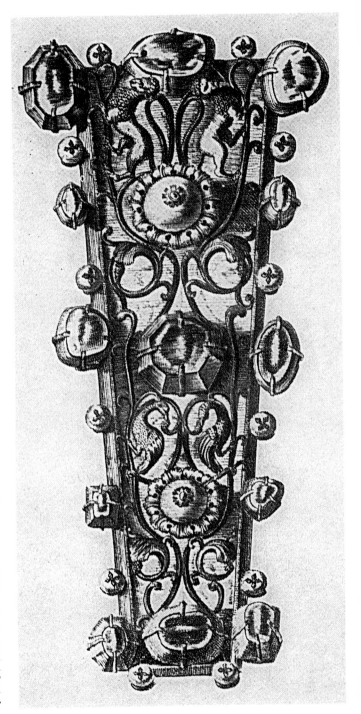

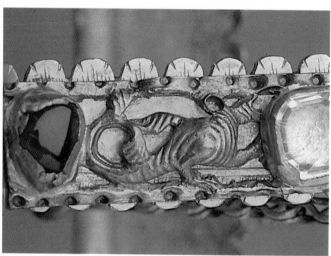

Abb. 7 – 10: Fassung der Reliquienkapsel, Details

Abb. 6: Sog. Brustschmuck der Kaiserin Konstanze, ehem. Palermo, Dom

sich erhalten hat, läßt noch erkennen, daß Adler und Löwen auf der staufischen Spange den Tieren auf der Hildesheimer Fassung sehr nahe kamen (Abb. 6)[12]. Das gleiche gilt für die Einfassung des Onyx, bei dem im übrigen – genauso wie in Hildesheim – die Köpfe einzeln gegossen und den getriebenen und punzierten Tierkörpern aufgesteckt sind[13]. Daß die Hildesheimer Zierleisten von Anfang an für einen kirchlichen Zweck bestimmt waren, wird durch den Engelfries auf einer der beiden Langseiten des Reliquiars nahegelegt, deren auffällig »gerillte« Gewänder an Arbeiten in der Art des Aachener Karlsschreines erinnern und daran denken lassen, daß die Zierleisten ebenfalls aus einer im Westen des Reiches tätigen Werkstatt stammen könnten. Mit einiger Wahrscheinlichkeit sind die Zierleisten immer schon für das Reliquiar gedacht gewesen, denn warum sollte man sie sonst so sorgsam in die gotische Halterung eingearbeitet haben?[14] Vielleicht gehören sie sogar zu einer kostbaren Schenkung Kaiser Ottos IV. (1209 – 1218), von dem überliefert ist, daß er eine goldene Umhüllung (»tegumentum«) für das Reliquiar gestiftet hat[15].

Seine heutige Form hat das Heiligtum Unserer Lieben Frau dann wohl im ausgehenden 14. Jahrhundert erhalten. An der Fassade der 1412 errichteten Nordquerhaus-Vorhalle des Domes wird es bereits so dargestellt. Neben der Gottesmutter sind hier über den Seitenfenstern die beiden Dompatrone Epiphanius und Godehard zu sehen, von denen der letztere das Reliquiar dem Eintretenden wie zur Verehrung entgegenhält (Abb. 11/12). Dem Marienheiligtum wird damit ein besonderer Stellenwert gegeben, wie ja auch schon die voraufgehende Stiftung des Silbersockels mitsamt der neuen Montierung[16] auf eine besondere Wertschätzung des Reliquiars an der Wende vom 14. zum 15. Jahrhundert schließen läßt. Wahrscheinlich erfolgte im Zusammenhang mit der Hinzufügung des Fußes (Abb. 13) auch die Überarbeitung der Unterseite des Reliquienbehälters, bei der die Bodenplatte ihre jetzige Inschrift erhielt und möglicherweise komplett ausgewechselt wurde[17].

»ETVIVENTNOMINA//EORVMINETERNVM« (= und ihre Namen leben fort in Ewigkeit) lautet der hinzugefügte Text, der zwar die Fortsetzung der älteren Kamminschrift bildet, seiner Buchstabenform nach aber erheblich jünger ist. Nach Berges ist das »extravagante Verzierungssystem« (Abb. 14) »in Hildesheim nicht vor 1370 denkbar«[18].

Damit läßt sich die Überarbeitung des Heiligtums Unserer Lieben Frau in eine Zeit datieren, in der eine Reihe bedeutender Stiftungen an den Dom erfolgte. Neben dem vermögenden Domcellerar Lippold von Steinberg war es vor allem Bischof Gerhard (1365 – 1398), der für eine reiche Ausstattung des Domes Sorge trug[19].

Einer alten Überlieferung zufolge soll dieser Bischof mit dem Reliquiar gegen eine Übermacht zu Felde gezogen sein und seine dem Gegner hoffnungslos unterlegenen Mitstreiter damit zum Sieg geführt haben. Die Hildesheimer Bischofschronik weiß davon zwar nichts zu berichten – obwohl sie ausführlich auf die betreffende Schlacht bei Dinklar eingeht, in der sich das Bistum gegen eine welfische Allianz behaupten konnte –, doch ist sich der Chronist zumindest sicher, daß der Sieg nur durch Gottes Hilfe und auf die Fürsprache der Gottesmutter zustande kam. Vor diesem Hintergrund ist gut vorstellbar, daß Bischof Gerhard selbst es war, der die »Restaurierung« des Marienreliquiars veranlaßt hat und dafür Sorge trug, daß man es wie eine Monstranz weithin sichtbar zur Verehrung auf den Altar stellen konnte.

Ein besonders eindrucksvolles Zeugnis dafür, wie sehr man das Heiligtum Unserer Lieben Frau zur damaligen Zeit in Ehren gehalten hat, ist die Tatsache, daß im 14. Jahrhundert sogar eine Nachbildung für den Dom geschaffen wurde (Abb. 15)[21]. Im Gegensatz zu den freieren Nachschöpfungen, die schon im 12. und 13. Jahrhundert nach dem Vorbild der Silberkapsel entstanden[22], handelt es sich hier um eine Kopie im engeren Sinne, die nicht nur die Form des Originals aufgreift, sondern ihm auch im Material – in diesem Fall dünnes Silberblech über einem Eichenholzkern – und

Abb. 12: Hl. Godehard mit dem Heiligtum Unserer Lieben Frau

Abb. 11: Hildesheim, Dom, Nordquerhaus-Fassade

Abb. 13: Heiligtum Unserer Lieben Frau, Fassung und Fuß der Reliquienkapsel

Abb. 14: Unterseite der Reliquienkapsel

in der Ornamentik gleichen soll. Entsprechend bezeichnet es das Domschatz-Inventar von 1409 (vgl. Anm. 16) als »capsam argenteam *ad modum* reliquiarum beate virginis«. Auch diese Kopie enthält Reliquien, die zufällig entdeckt wurden, als unlängst im Zuge einer Konservierungsmaßnahme die stark verrostete Bodenplatte (Eisenblech) abgenommen werden mußte. Darunter kam eine Aussparung im Holzkern zum Vorschein, die nur durch eine eingeklemmte Bleiplatte verschlossen war. Im rechteckig ausgestochenen Hohlraum fanden sich drei kleine Reliquienbündel und eine Authentik (Abb. 16 / 17) mit folgendem Wortlaut:

»In ista capsa continentur reliquie de[a] capillis beate Marie virginis[a], de sancto Nycolae[b], de vestibus Marie virginis, item undecim milium virginum, de sancto Laurencio, item reliquie Cosme et Damiani martirum«. (= Diese Kapsel enthält Reliquien vom Haar der heiligen Jungfrau Maria, vom heiligen Nikolaus, von den Kleidern der Jungfrau Maria, auch von den 11 000 Jungfrauen, vom heiligen Laurentius und von den Märtyrern Kosmas und Damian.)[23]

Darüber, zu welchem Zweck die Kopie geschaffen wurde, sind keine Nachrichten überliefert. Die Detailtreue läßt es aber denkbar erscheinen, daß man die Nachbildung in Auftrag gab, um das kostbare Original zu schonen und nur zu besonderen Anlässen in Gebrauch zu nehmen. Ein ähnlicher Fall ist aus Basel bekannt, wo das Domkapitel aus dem gleichen Grund eine Nachbildung jenes kostbaren Kreuzes anfertigen ließ, das Kaiser Heinrich II. im 11. Jahrhundert dem Münster gestiftet hatte. Und wie in Hildesheim sind auch in diese Kopie Reliquien eingelassen.[24]

Abb. 15: Kopie der Reliquienkapsel, Hildesheim, Dom

Abb. 16: Kopie; Unterseite des Holzkerns mit Verschlußplatte aus Blei (links), Reliquienbündeln und Authentik im Fundzustand

Abb. 17: Reliquienauthentik nach der Konservierung

Abb. 15

Abb. 16

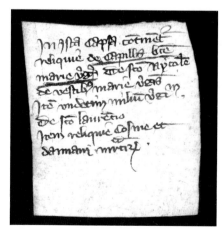

Abb. 17

19

Anmerkungen:

[1] Kratz 1840, S. 10.

[2] Zur Gründungsüberlieferung neuerdings: H. Goetting, Die Hildesheimer Bischöfe von 815–1221 (1227), Berlin/New York 1984 (= Germania Sacra. NF 29), S. 35–45.

[3] Vgl. H. Seeland, Der tausendjährige Rosenstock vom Dom zu Hildesheim, Hildesheim 1947, S. 50–54. Der Kupferstich des Hildesheimer Goldschmiedes J. L. Brandes dürfte durch die betreffende Studie von Elbens angeregt sein.

[4] Wie die Grabungen von J. Bohland gezeigt haben, reichte der karolingische Dom mit seiner Außenkrypta weit über die jetzige, im 12. Jahrhundert errichtete Apsis hinaus; vgl. zusammenfassend: Vorromanische Kirchenbauten. Katalog der Denkmäler bis zum Ausgang der Ottonen. Bearb. v. F. Oswald, L. Schaefer, H. R. Sennhauser, München 1966, S. 117 f.

[5] Berges/Rieckenberg 1983.

[6] V. H. Elbern 1969.

[7] Vgl. D. Wilson, The Fejö cup, in: Acta Archäologica 31, 1960.

[8] Vgl. Berges/Rieckenberg 1983, S. 27–29.

[9] Vgl. Kratz, S. 9 f. Die früheste Beschreibung des Reliquieninhaltes überliefert das Domkapitelgedenkbuch im Zusammenhang mit der Neuweihe der Krypta-Altäre 1206 (Notae Ecclesiae Maioris Hildesheimensis, ed. A. Hofmeister, MGH SS 30, 2 (1926), S. 765.

[10] Kratz S. 10 f.

[11] Hildesheim, Dombibliothek, Hs 272 d.

[12] Abb. nach: F. Daniele, I regali sepolcri del Duomo die Palermo, Napoli 1784, Tav. M.

[13] Zum Onyx vgl. D. Kötzsche im Katalog zur Ausstellung »Die Zeit der Staufer. Geschichte – Kunst – Kultur«, Stuttgart 1977, Bd. I, S. 481 f., Bd. II, Abb. 424.

[14] In diesem Zusammenhang fällt auf, daß die beiden Langseitenstreifen, die jeweils in einem Stück gearbeitet sind, in der Breite sehr gut zur Silberkapsel passen.

[15] Hildesheim, Dombibliothek, Hs. 123 b. Eine ausführliche Bearbeitung dieser unveröffentlichten Handschrift durch H. J. Schuffels/Göttingen ist in Vorbereitung.

[16] Der silberne Fuß ist erstmals in einem Schatzverzeichnis von 1409 nachzuweisen; vgl. R. Doebner, Schatzverzeichnis des Doms zu Hildesheim aus dem Jahre 1409, in: Studien zur Hildesheimer Geschichte, Hildesheim 1902, S. 115–122

[17] Zumindest muß das Material an dieser Stelle völlig überarbeitet sein.

[18] Berges S. 39 f.

[19] Von ihm stammt z. B. auch, wie man dem Inventar von 1409 entnehmen kann, der sog. Bernwardskelch (Elbern, Engfer, Reuther S. 25 f).

[20] Vgl. M. Hamann, Die geschichtliche Bedeutung der Schlacht bei Dinklar. 3. September 1367, in: Die Diözese Hildesheim in Vergangenheit und Gegenwart 35, 1967, S. 2–32, hier besonders S. 30 f.

[21] Die im Domschatzkatalog von Elbern, Engfer und Reuther (S. 16) als verschollen bezeichnete Kapsel ist vor einigen Jahren wieder aufgefunden worden. Der Hinweis im o. a. Katalog, sie sei erst 1680 nach einem Diebstahl angefertigt, stützt sich auf die entsprechende Angabe im Domführer von R. Herzig (Der Dom zu Hildesheim und seine Kunstschätze, Hildesheim 1911), bei der es sich um bloße Spekulation handelt.

[22] Vgl. M. Brandt, Studien zur Hildesheimer Emailkunst des 12. Jahrhunderts, Braunschweig, Techn. Universität, phil. Diss. 1986 (Hildesheim 1987) S. 34–37.

[23] Pergament: ca. 5,9 x 5,3 cm. a-a unterstrichen; ob nach mittelalterlicher Weise zur Tilgung oder nach neuzeitlicher Weise zur Hervorhebung des Textes, steht dahin. b) so! Geschrieben in Hildesheim im 14. Jahrhundert. (Transkription, Übersetzung und Datierung: H. J. S.)

[24] Zu den Kreuzen: R. F. Burckhardt, Der Basler Münsterschatz (Die Kunstdenkmäler des Kantons Basel-Stadt), Bd. II, Basel 1933, Nr. 2 und Nr. 36.

Literatur: W. Berges, Die älteren Hildesheimer Inschriften bis zum Tode Bischof Hezilos († 1079). Aus dem Nachlaß herausgegeben und mit Nachträgen versehen von H. J. Rieckenberg, Göttingen 1983, S. 23–40 und S. 167–170, Taf. 1–3; W. Berges, Ein Kommentar zur Gründung der Hildesheimer Kirche, in: Historische Forschungen für W. Schlesinger, Köln 1974, S. 86–110; V. H. Elbern, H. Engfer, H. Reuther, Der Hildesheimer Domschatz, Hildesheim 1969, S. 15 f.; V. H. Elbern, Eine Inkunabel der ottonischen Goldschmiedekunst, in: Niederdeutsche Beiträge zur Kunstgeschichte VIII, 1969, S. 61–76; J. M Kratz, Der Dom zu Hildesheim, seine Kostbarkeiten, Kunstschätze und sonstige Merkwürdigkeiten, Hildesheim 1840, S. 3–12.

M. B.

Hildesheim, um 996,
(eingefaßte Quadratfelder auf den Kreuzbalken)
und um 1150

Eichenholz, Gold, Silber vergoldet,
Kupfer vergoldet und graviert,
Filigran, Steinbesatz
H (ohne Dorn) 48 cm, B 37 cm, T 2,5 cm

Hildesheim, Kath. Pfarrkirche St. Magdalenen

Einige Jahre vor Gründung der Michaeliskirche, die er zu seiner Grablege bestimmte, ließ Bischof Bernward von Hildesheim im Bereich des späteren Klosterbezirks eine Kapelle errichten, die er am 10. September 996 einweihte und dem »lebensspendenden Kreuz« widmete. Der Anlaß dazu dürfte die Schenkung einer Kreuzpartikel gewesen sein, für die Bernward ein kostbares Kreuzreliquiar stiftete, aus reinem Gold und besetzt mit Edelsteinen. Diese »theca« habe der Bischof eigenhändig geschaffen – heißt es in seiner Lebensbeschreibung dazu weiter. Und schon die Vita weiß von zahlreichen Wundern zu berichten, die durch die Kreuzreliquie bewirkt worden seien.[1]

Das sog. Bernwardskreuz aus dem Kirchenschatz von St. Michael (Abb. 2) wird seit Jahrhunderten mit jener Reliquienlade identifiziert, von der in der Vita die Rede ist. Den ersten sicheren Beleg dafür bietet eine Reihe von Darstellungen aus dem frühen 15. Jahrhundert, die den 1193 heiliggesprochenen Bernward mit dem betreffenden Kreuz in der Hand zeigen (vgl. Abb. 1).[2] Tatsächlich birgt das Bernwardskreuz unter seinem Vierungskristall Kreuzpartikel, die mit der kaiserlichen Schenkung identisch sein könnten. Ob die Goldschmiedearbeit selbst allerdings mit der theca Bernwards gleichgesetzt werden darf, ist zu bezweifeln.

Die gravierte Rückseite des Kreuzes (Abb. 3) hat schon Stephan Beissel 1895 in die »nachbernwardinische Zeit« versetzt.[3] Wie berechtigt diese Datierung ist, zeigt ein Vergleich mit der Kreuzigungsminiatur aus einem Evangeliar des Hildesheimer Kreuzstiftes (Abb.

4), die in der ersten Hälfte des 12. Jahrhunderts entstanden sein muß.[4]

Aber auch die edelsteingeschmückte Vorderseite des Kreuzes scheint größtenteils jünger zu sein, als die fromme Überlieferung es nahelegt. Hermann Schnitzler hielt sie ebenfalls für eine Arbeit des 12. Jahrhunderts[5], während Martin Gosebruch sich neuerdings wieder mit Nachdruck für eine Datierung des Kreuzes in die Bernwardszeit ausgesprochen hat.[6] Zumindest

Abb. 1: Hl. Bernward mit Bernwardskreuz, Hildesheim um 1400; Hildesheim, St. Michael (Krypta)

21

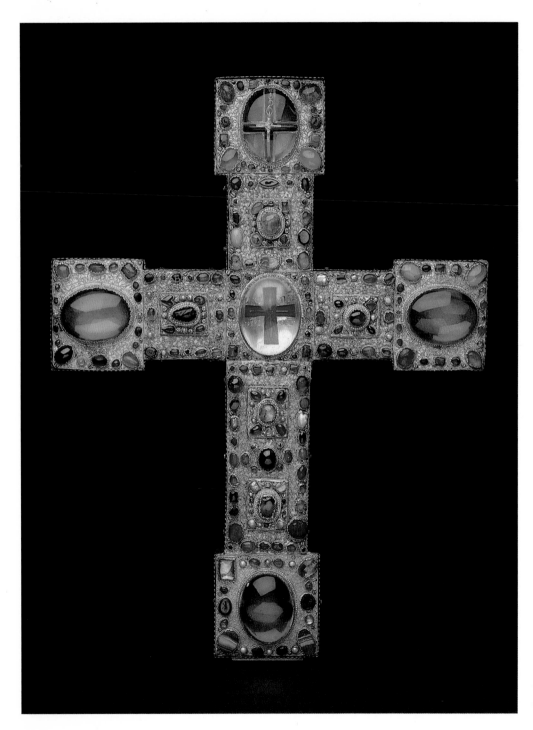

Abb. 2:
Bernwardskreuz,
Vorderseite

Abb. 4:
Kreuzigung, Einzelblatt aus einem
Evangeliar, Hildesheim,
1. Hälfte 12. Jh.; Privatsammlung

Abb. 3: Bernwardskreuz, Rückseite

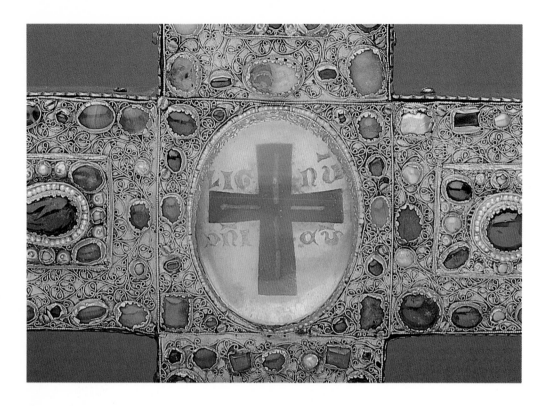

die gravierte Inschrift unter dem Mittelkristall (Abb. 5) ist davon auszunehmen, die von der Buchstabenform her frühestens gegen Ende des 12. Jahrhunderts entstanden sein kann[7]. Ein Sonderfall ist auch das kleine Goldkreuzchen unter dem Kristall am oberen Ende des Längsbalkens, das Gosebruch mit dem Gekreuzigten auf der Bernwardstür verglichen und als bernwardinisch erkannt hat (Abb. 6/7)[8]. Nun ist u. a. dem Restaurierungsbericht von 1787 zu entnehmen, daß nicht nur unter dem großen Kristall der Vierung, sondern auch unter den drei anderen Bergkristallen Reliquien geborgen waren. Mit ziemlicher Sicherheit wird das Goldkreuzchen also ebenfalls als Reliquie gegolten haben und muß somit erheblich älter sein als das »Bernwardskreuz«. Es liegt nahe, das kleine Goldkreuz – ebenso wie die Kreuzpartikel der Vierung – mit Bernward selbst in Verbindung zu bringen. Sollte der Bischof es also zu Lebzeiten getragen haben? Dann müßte es Abriebspuren geben, doch das ist nicht der

Fall. Oder wurde das Kreuz vielleicht im Sarkophag gefunden?[9]

Die offizielle Erhebung der Gebeine erfolgte zwar erst ein Jahr nach der päpstlichen Kanonisation von 1193, aber schon 1150 war dem Konvent von St. Michael gestattet worden, Bernward kirchlich zu verehren und an seinem Grab einen Altar zu errichten. Bei dieser Gelegenheit muß man auch den Sarkophag geöffnet haben, denn schon 1186 ist im Zusammenhang mit der Weihe eines neuen Hochaltares ganz selbstverständlich von Bernwardsreliquien die Rede.[10] Möglicherweise ist auch das Bernwardskreuz selbst mit dem Erlaß von 1150 in Verbindung zu bringen, der für den Konvent offenbar gleichbedeutend mit einer Heiligsprechung war. Die Rückseite des Kreuzes kann durchaus um 1150 entstanden sein, und es ist nicht einzusehen, warum die Hauptschauseite anderthalb Jahrhunderte zuvor entstanden sein sollte. Die flach aufliegenden großen Kristalle, die das Kreuz akzentuieren

24

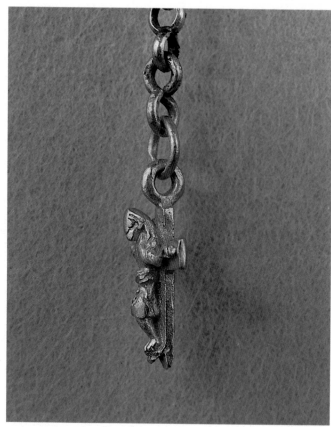

Abb. 6, 7: Vorderseite, kleines Goldkreuz unter dem Bergkristall im oberen Kreuzarm

(Abb. 8), sind für eine Arbeit der Zeit um 1000 jedenfalls völlig untypisch und erinnern mitsamt ihren Fassungen eher an Arbeiten in der Art der Hildesheimer Scheibenkreuze aus den 30er Jahren des 12. Jahrhunderts.[11] Um so auffälliger ist es, daß die Mittelsteine der fünf Quadratfelder auf den Kreuzbalken durch Arkadenfassungen hervorgehoben sind (Abb. 9/10), wie man sie bei einem frühmittelalterlichen Prunkkreuz vor allem an den Enden und im Zentrum der Vierung erwarten würde[12]. Tatsächlich scheint es sich in diesem Fall um bernwardinische Spolien zu handeln, denn soweit es den Arkadenaufbau betrifft, besteht völlige Übereinstimmung mit den ältesten Zierbeschlägen der »Goldenen Madonna« (Abb. 11), die auch den gleichen spiralig gedrehten Filigrandraht haben[13], während er sonst am

»Bernwardskreuz« nur geperlt auftritt. Selbst für die aus Filigrandraht gearbeitete Halterung des Edelsteins, wie sie die Thronfassungen der »Goldenen Madonna« zeigen, gibt es unter den Spolien eine Entsprechung (vgl. Abb. 9)[14]. Auffällig ist darüber hinaus, daß die quadratischen Zierfelder genauso von Edelsteinreihen umkränzt werden wie die mit Reliquien unterlegten Kristalle und damit die Gliederung des Kreuzes ganz wesentlich bestimmen. Man wird in ihnen also wesentliche Bestandteile jener »theca« sehen dürfen, von der die Bernwardsvita berichtet.

Im Zusammenhang mit der 1150 einsetzenden kultischen Verehrung ihres Klostergründers haben die Mönche von St. Michael dieses vermutlich relativ

25

Abb. 8:
Vorderseite,
unterer Kreuzarm
mit Kristallfassung,
Detailansicht von links

Abb. 9:
Vorderseite, Quadratfeld
unter der Vierung,
Ansicht von links

Abb. 10: wie Abb. 9, Aufsicht

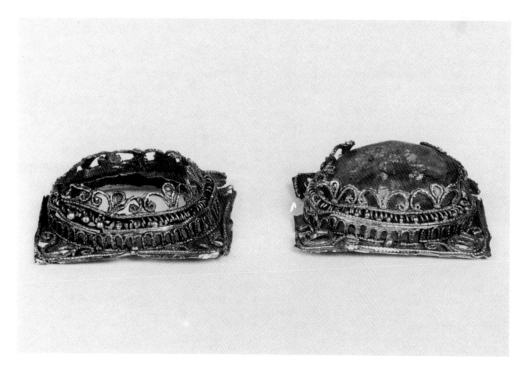

Abb. 11:
Steinfassungen vom Thron der
»Goldenen Madonna«
(Kat.-Nr. 4)

kleine Reliquiar dann wohl zu jenem prachtvollen Gemmenkreuz umgearbeitet, das noch heute als Bernwardskreuz verehrt wird.

Dieser jahrhundertelangen Verehrung vor allem ist es zu verdanken, daß die kostbare Goldschmiedearbeit sorgfältig gehütet wurde und als vermeintlich eigenhändige Arbeit des hl. Bernward unverändert blieb. Vor diesem Hintergrund erklärt sich auch die erstaunliche Sorgfalt, mit der man das zerbrochene Kreuz 1787 wiederhergestellt hat. Der detaillierte Restaurierungsbericht (Abb. 12) ist glücklicherweise erhalten und wird nachstehend in vollem Wortlaut zitiert.

Bericht von dem Kreuze des H. Bernwards. [15]

Der Heilige Bernward hat mit / eigenen Händen [ein] kostbares Kreuz / verfertiget, zu dessen Ehre Er / im Jahre 996 eine auf einem außer / der Stadt Hildesheim gegen Norden / belegenen Hügel erbaute Kapelle / eingeweiht hat.

Die Beschaffenheit dieses Kreuzes / ist aus folgender Beschreibung / wahrzunehmen.

Die Höhe des Kreuzes hält 20 Zolle, / der Querbalken $1^{1}/_{2}$ Zoll, die Breite / beyder Balken 3 Zolle, die Dicke / der Balken 1 starker Zoll. Die vier / Endungen sind 1 Zoll brei-/ter, als die Balken in der Mitte / des Kreuzes sind. Dieses Kreuz ist / aus Eichenholz gemacht, und auf / folgende Art bekleidet.

Der Hintertheil des Kreuzes ist / mit einer kupfernen Platte wie / auch die vier Endungen mit kupfer-/nen Platten bedeckt. Auf der / langen Platte ist das Bildniß / des Heilandes, und auf den vier / Endungen die Sinnbilder der 4 Evan-/gelisten eingestochen. Der ganze / Hintertheil ist stark vergoldet. Die / 1 Zoll dicken Nebenseiten sind mit / dünnen Goldplatten belegt gewesen, / welche aber durch die Länge der Zeit / und durch öfteres angreifen so ab-/geschlißen sind, daß hie und wieder / das bloße Holz hervorscheint.

Der Vordertheil des Kreuzes ist mit / 9 goldenen bey nahe viereckigten Platten / belegt und mit vielen Edelsteinen / ausgeschmückt. Zwischen den Gehäusen / der Steine sieht man Verzierungen aus dünnen Goldfäden; diese Art / der Arbeit wird in Französischer Sprache / *filagrain* genennet (auf Lateinisch wird diese Arbeit opus filatim / elaboratum von Hn. Hofrath Henr. Jung / in Designification antiquaria edita 1783 benamset). Das Gold am Vor/dertheile wiegt $24^{1}/_{2}$ Loth. Unter den / Edelsteinen sind 10 Stücke einge-/schnitten, deren Namen und Figu-/ren ich hiehersetze.

N. 1. Ein Smaragd mit einem Füllhorn /

N. 2. Ein Topas mit einer Person, welche / in beiden Händen ein Blatt von / Weinreben hält.

N. 3. Ein Pyrop / mit der Bildniß des an die Säule / gebundenen Heilandes.

N. 4. Ein / Onix mit einem Rehe.

N. 5. Ein Onix / mit einem Fische.

N. 6. Ein Sardonix / mit Troghern.

N. 7. Ein Onix mit einem / Papillon.

N. 8. Ein Sardonix mit einem / Ochsen.

N. 9. Ein Smaragd mit einer / Büste, die einen Hahn trägt.

N. 10. / Ein Sardonix mit einer Person, welche / einen Hahn trägt, und hinter sich / eine hohe Säule hat.

Die übrigen / Steine sind theils Amethisten, / Rubinen, Granatschalen, Chyropra-/sen, und Opalen und Perlen. Auf den / 4 Endungen, wie auch in der / Mitte sieht man ovalrunde erha-/bene Crystalle. Der Crystall an / der obersten Endung hat in / der Mitte ein eingeschlißenes / Kreuz, in welchem man ein / kleines vergoldetes Crucifixbild / an einer vergoldeten Kette hängen / sieht. Hinter den dreyen übrigen / Endungs Crystallen sind Reliquien / von Heiligen befindlich, deren Namen, / auf drey ovalrunden Stücken von / bläulichem Pergament geschrieben / aber nicht mehr zu lesen sind. Die / Endungskapseln der dreyen Crystallen / sind im Jahr 1733 den 15. Septemb. / eröffnet worden, wie die darin / gelegte Handschrift sel. des P. An/geli Florchen bezeugt durch folgen-/den Inhalt:

1733. 15. Septemb. haec Crystallus aperta / fuit. Reliquiae SS. sub ea inclusae com- / minutae et confractae apparuerunt. hinc iterum / schedulae inclusae sunt, pergamenae iis / affixae prae nimia vetustate fugientes / legi non poterant, videntur tamen / esse de sanctis.

Diese Handschrift leuchtete durch die Crystalle / hervor, und machte das Alterthum des / Kreuzes verdächtig.

Da aber das Kreuz im Jahre 1787 im / Septemb., ich weiß nicht wie, in der / Mitte bey der Zusammenfügung / zerbrochen ward, zeigte ich solches / Sr. Hochwürden unsers Hn Abts / Gabriel, und begehrte, daß dieselben / dieses herrliche Denkmal unsers / heiligen Stifters wieder erneuern / lassen mögten, bekam ich den / Auftrag, diese Sache zu besorgen.

Ich ließ deshalben alsbald den / Goldschmied Ludolph Meyer berufen, / nahm mit Ihm die goldenen Platten / vom Vordertheile ab, welcher mit / sehr harten Nieten angeheftet / war. Ich ließ darauf sogleich / ein neues Kreuz von Eichenholz / in der nämlichen Form machen, / an Statt der dünen hie und wieder / zerbrochenen Goldplatten, mit welchen / die Nebenseiten des Kreuzes belegt / waren, silberne Platten zur Be-/kleidung der Nebenseiten verfertigen / und vergolden. Mit diesen silbernen / Platten wurde nun die / von allen Seiten durch Löcher / verletzte Kupferplatte so verlöthet, / und mit $^{1}/_{8}$ Zoll dick übergedrückten / Silberplatte so bedeckt, daß die / Nietlöcher nicht mehr bemerkt / werden können. Die Kupferplatten / so wohl als die Silberplatten / wurden stark vergoldet. In dieses / vergoldete Gehäuse ward nun das / hölzerne Kreuz eingelegt, und

28

/ mit vergoldeten Silberschrauben / geheftet, damit es im Notfalle / bequemer herausgenommen / werden kann.

Die oben bemeldeten Goldplatten / wurden nun nach ausgehoben / Edelsteinen durchs Feuer gereinigt, / die Steine vom Schnitzer gesäubert / und alle Stücke in voriger Ordnung / wieder aufgelegt. Unter die vier / Endungs Crystalle wurde hellgelber / Atlas gelegt, womit die Hand- / schrift des sel. P. Angeli Flöchen / bedeckt ward, damit sie nicht durch- / scheine.

Unter den in der Mitte des Kreuzes / befindlichen Crystall wurden die Partikeln / des H. Kreuzes so wieder eingelegt, daß / sie, wie vorhin durch den Crystall, wieder / gesehen werden können. Um diese Par- / tikeln ist eine vergoldete Platte gelegt, / auf welcher die Worte eingegraben sind:

Lignu Dni Cr.

An dieser Platte ist nichts verändert; sie / ist nur von neuem vergoldet. Alle / Stücke sind wieder so genau angebracht, / daß man nicht die mindeste Änderung / bemerken kann, wenn ich nur allein / die Schrauben und die Vergoldung / ausnehme.

Das Silber an den Nebenseiten / wiegt 36 Loth. Das Gold zur Vergoldung / der kupfernen und silbernen Platten / hält 1 Loth. Die goldenen Platten / am Vordertheile des Kreuzes halten / $24^1/_2$ Loth. Das Arbeitslohn für den / Goldschmied beträgt überhaupt 22 Rth. (?) / 24 Groschen. Den Wehrt der Steine kann / ich nicht bestimmen. Mithin ist der / Wehrt des Kreuzes ohne die Steine / folgender.

	Rth (?)	Gr	(?)
36 Loth Silber per Loth 22 Gr.	22	–	–
1 Loth Gold zum Vergolden	12	–	–
$24^1/_2$ Loth Gold per Loth 12 Rth (?)	294	–	–
Arbeitslohn für den Goldschmied	22	24	–
Summe	350	24	–

An der Erneuerung des Goldes und / Wiedereinsetzung der Steine habe / ich mit dem Goldschmiede Ludolph / Meyer und J. Mahrken $2^1/_2$ Tag zu- / gebracht. Der Anfang war den / 21.t November und deren Vollendung / geschah um Mittag des 23ten / 1787.

T. Petrus Schlüter

Transkription E. E.

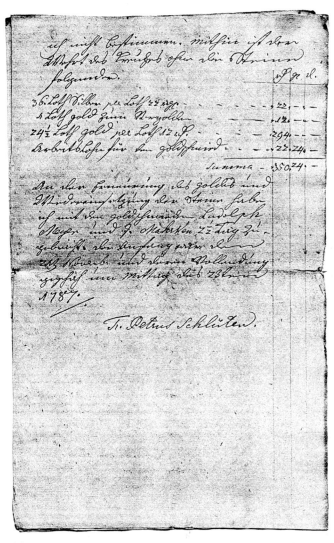

Abb. 12: Restaurierungsbericht von 1783, letzte Seite; Hildesheim, Dombibliothek, Best. C Nr. 102

Anmerkungen:

[1] MGH SS IV, Kap. 8 f

[2] Das Kreuz selbst ist nach Kratz (S. 30) schon auf Abtssiegeln des 14. Jahrhunderts abgebildet.

[3] St. Beissel, Der heilige Bernward von Hildesheim als Künstler und Förderer der deutschen Kunst, Hildesheim 1895, S. 15

[4] dazu Verf. in: J. Zink, M. Brandt, J. Asch, U. Römer, Die Kirche zum Heiligen Kreuz in Hildesheim, Hildesheim 1978/79, S. 154 – 156.

[5] H. Schnitzler, 1957

[6] M. Gosebruch, 1979

[7] In diesem Fall wäre die Heiligsprechung Bernwards 1193 ein denkbarer Anlaß.

[8] wie Anm. 6, S. 13

[9] Im Grab des 1193 verstorbenen Bischofs Bernhard von Hildesheim fand sich ein kleines silbernes Brustkreuz, das leider nicht näher beschrieben wird und inzwischen verschollen ist (vgl. K. Henkel, Bischof Bernhard von Hildesheim. Der Erbauer der Godehardikirche, in: Unsere Diözese in Vergangenheit und Gegenwart 7, 1933, S. 1 – 18, hier: S. 14 f.).

[10] Urkundenbuch des Hochstifts Hildesheim und seiner Bischöfe 1, hrsg. v. K. Janicke 1896, Nr. 441

[11] zu den Scheibenkreuzen zuletzt: Verf., in: Katalog zur Ausstellung »Stadt im Wandel. Kunst und Kultur des Bürgertums in Norddeutschland 1150 – 1650«, Stuttgart 1985, Bd. 2, Nr. 1041

[12] vgl. T. Jülich, 1986/87

[13] vgl. Kat.-Nr. 4 (Beitrag Brandt)

[14] Daß nur die Zierplatte unter der Verzierung des »Bernwardkreuzes« eine solche Fassung zeigt, während die Mittelsteine auf allen anderen Quadratfeldern von einer gelochten Palmettenreihe aus Goldblech gehalten werden, wie sie auch sonst am Kreuz begegnet, mag auf eine Reparatur im Zusammenhang mit der vermuteten Neumontage dieser Teile zurückzuführen sein.

[15] Hildesheim, Dombibliothek, Best. C, Nr. 102

Literatur: J. M. Kratz, Der Dom zu Hildesheim, seine Kostbarkeiten, Kunstschätze und sonstige Merkwürdigkeiten, Teil 2, Hildesheim 1840, S. 26 – 31; F. J. Tschan, Saint Bernward of Hildesheim, His works of art, Notre Dame (Indiana), 1951, S. 85 – 95; H. Schnitzler, Das sog. große Bernwardskreuz, in: Karolingische und Ottonische Kunst. Werden – Wesen – Wirkung, Wiesbaden 1957, S. 382 – 394. M. Gosebruch, Die Braunschweiger Gertrudiswerkstatt. Zur spätottonischen Goldschmiedekunst in Sachsen, in: Niederdeutsche Beiträge zur Kunstgeschichte, 1979, S. 9 – 42; T. Jülich, Gemmenkreuze. Die Farbigkeit ihres Edelsteinbesatzes bis zum 12. Jahrhundert, in: Aachener Kunstblätter 54/55, 1986/87, S. 99 – 258.

M. B.

3 KASEL, STOLA UND MANIPEL FÜR DIE »GOLDENE MESSE«

Köln und Norddeutschland,
gestiftet 1315,
umgearbeitet 1748

Kasel (Abb. 1)

Rückenhöhe 116 cm, Breite 72 cm

Hauptstoff (um 1748): Damast (5bindiger Kett- und Schußatlas). Kette (Seide, S-Drehung, weinrot), 165–170 Fäden/cm. Schuß (Seide, weinrot) 38–42 Einträge/cm. Rapporthöhe 63 cm.

Ausschmückung: 12–14 cm breite Stäbe, Seidensatin, grün. Querunterteilungen 2,5 cm breite Seidenbändchen (Leinwandbindung, lachsrot) mit goldenen Buchstabenapplikationen. Stäbe und Halsausschnitt eingefaßt mit 4,5 cm breiter gewebter Goldborte, Randeinfassungen 1,5 cm breite gewebte Goldborte. Mit Seidenstickgarn (Zwirn S aus zwei Fäden Z, lachsrosa, grau) bestickte Wappenapplikationen, Seidensatin, beige.

Perlstickerei mit Vorzeichnung auf Pergament (Flußperlen, Korallen, Goldperlen; Glasperlen grün, schwarz, violett, türkis; vergoldete Silberbuckel in 2 Größen / um 1315, Neumontage 1748). Stickmaterial Leinenzwirn (S-Drehung aus zwei Fäden Z; rohweiß, rot, gelb, grün, dunkelbraun/schwarz).

Stola und Manipel (Abb. 2/3)

Gesamtlänge Stola 235 cm
Gesamtlänge Manipel 116 cm

Borte (Köln, vor 1315): gemusterter Samit mit drei Schußsystemen (1. und 2. farbig gestreift, das 3. nur streifenweise eingewebt), Köper $^1/_2$ Z-Grad. Kette: Hauptkette (Leinen, Zwirn S aus zwei Fäden Z, rohweiß) zu Bindekette (Seidenzwirn, S-Drehung, rosa). = 2 zu 1. 20 Hauptkettfäden/cm, 10 Bindekettfäden/cm. Schuß: 1 Schuß I (gestreift: Seide, grün bzw. rot) zu 1 Schuß II (gestreift: Seide, weiß bzw. Leinen, Zwirn S aus zwei Fäden Z, rohweiß) zu 1 Schuß III (nur streifenweise eingewebt: Seide, rot). 27–33 Passées/cm. Webekante ohne besondere Merkmale, Webbreite ca. 6,4 cm.

Trapezförmige Enden (Norddeutschland, H. 6,5 cm, B. 7 cm/9 cm) Perlstickerei auf Pergament (Flußperlen, Korallen, Goldperlen, blaue Glasperlen, vergoldete Silberbuckel). An den Enden Fransen (5 cm, Seidenzwirn S aus zwei Fäden Seide Z, grün und rot).

Alle Randkanten eingefaßt mit 2 x 2 parallel gelegten Goldfäden (Häutchengold Z um Leinenseele S), die durch Aufnähen mit Leinenzwirn (S-gedreht aus 2 Fäden Z) einen zopfartig wirkenden Abschluß bilden.

Seidenfutter: Leinwandbindung, Kette (Seide, S-gedreht, dunkelrot) 34–36 Fäden/cm. Schuß (Seide, dunkelrot) 28–31 Einträge/cm. Futter: Leinen (Leinwandbindung, rosa, geglänzt).

Hildesheim, Hohe Domkirche, Inv.-Nr. DS 108 a–c

Die Kasel ist ein charakteristisches Beispiel für den Umgang des 18. Jahrhunderts mit verehrten und erhaltenswerten Objekten. Sie zeigt anschaulich den Wandel, der in der Behandlung historischer Paramente inzwischen eingetreten ist. Während man heute anstrebt, das Objekt in seiner Ganzheit zu erhalten und gerade bei Textilien geneigt ist, sich zugunsten der originalen Substanz im Hinblick auf eine Weiterverwendung für den gottesdienstlichen Gebrauch einzuschränken, verbindet sich in dieser historischen Umarbeitung der Wunsch nach Modernisierung und Gebrauchstauglichkeit mit der Wertschätzung historischer und künstlerischer Aspekte: Das neue Meßgewand ist bezüglich Form, Material und Verarbeitungsweise typisch für die Mitte des 18. Jh.; die für wertvoll und erhaltenswert erachteten Teile der Vorgängerkasel wurden in zentraler Stellung auf der neuen Kasel angebracht.

Die Kasel besteht aus weinrotem Seidendamast mit groß angelegtem symmetrischem Muster aus üppigen Zweigen mit Blüten und Früchten auf feingemustertem Grund. Auf Vorder- und Rückseite ist sie mit je einem senkrecht verlaufenden Stab versehen, dessen kupfergrüner Grund durch lachsrote Bänder vorne in fünf, leicht hochrechteckige, hinten in acht, querrechteckige Felder eingeteilt wird. In diesen sind als Perlstickereiapplikationen das Lamm Gottes, Halbfiguren von zehn Aposteln sowie von zwei Bischöfen eingefügt. Die freie Fläche des Seidendamasts schmücken, paarweise gegenübergestellt und in senkrechter Reihenfolge alternierend, ein großes Wappenschild mit Turnierkragen (Grafen von Woldenberg) und ein Topfhelm mit Federzier (Altes Haus Braunschweig-Lüneburg).

Der Apostelreihe ist auf der Rückseite das Lamm Gottes vorangestellt, das mit Kreuznimbus, Siegesfahne und blutender Seitenwunde (der das Blut aufnehmende Kelch fehlt heute) auf den Opfertod Christi

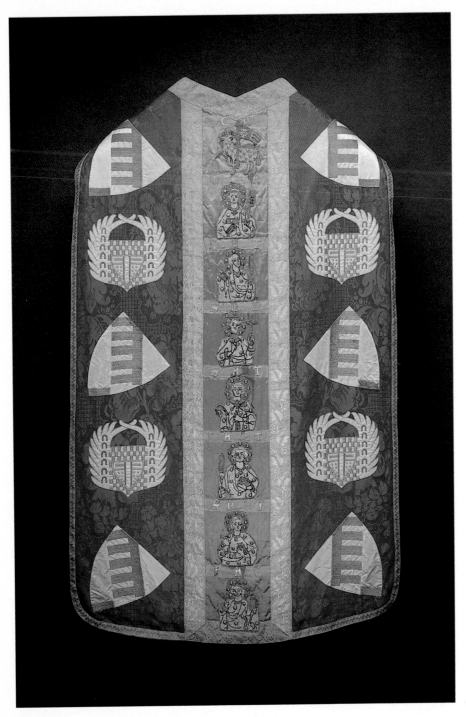

Abb. 1: Kasel für die »Goldene Messe«

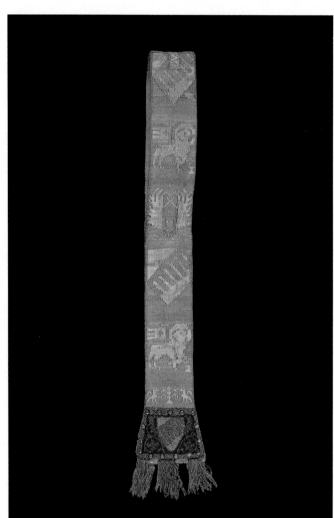

Abb 3: Manipel

Abb. 2: Stola

Abb. 4: Kasel, Vorderseite, Detail mit Darstellung des hl. Bernward

verweist. Die folgenden Apostel Petrus, Paulus, Andreas, Jakobus Maj. und Bartholomäus sind durch Attribute gekennzeichnet, während sie bei den beiden übrigen verlorengegangen sind.

Die Vorderseite zeigt Johannes Ev., zwei weitere, nicht mehr identifizierbare Apostel und zwei Bischöfe, die durch die aufgenähten Buchstaben BER und GOD als hl. Bernward (Abb. 4) und hl. Godehard kenntlich gemacht sind. Die übrigen Buchstabenkombinationen über den Feldern geben nur teilweise einen Sinn (möglicherweise bei der Neumontage achtlos zusammengesetzt), dürften ursprünglich aber zur namentlichen Kennzeichnung gedient haben.

Trotz der im Detail zu beobachtenden Unterschiede bezüglich Materialverwendung und technischer Ausführung in der Perlstickerei bleibt der einheitliche Eindruck gewahrt. Die Lebendigkeit in Körperhaltung und -drehung, die Geste, mit der Attribute und Bücher gehalten werden und die differenzierte Wiedergabe einzelner Gewandteile und Faltenwürfe machen den hohen Stand dieser Perlstickereien deutlich. Neben den Apostelbrustbildern aus dem Halberstädter Dom (vgl. Kat. »Stadt im Wandel«, Braunschweig, Bd. 2, Nr. 1057), die stilistisch byzantinischen Vorbildern nahestehen, können die Hildesheimer Stickereien eher mit dem Halberstädter Marienkrönungsantependium in Verbindung gebracht werden. Hier wie da ist in der Figurenauffassung wie im Faltenduktus das Vorbild französisch-gotischer Formen deutlich zu spüren.

Die Perlstickereien stammen von einem Meßgewand, das, als Geschenk Bischofs Otto II., Graf von Woldenberg, aus dem Jahre 1315, nur einmal jährlich bei der von ihm gestifteten »Goldenen Messe« getragen wurde. Nachdem es sich im 18 Jh. in einem sehr schlechten Zustand befunden haben muß, beschloß man 1748, ein neues Gewand anfertigen zu lassen und das mittlere Stück, die Perlstickereien, wiederzuverwenden. Gleichzeitig sollten zum Andenken des Stifters die Woldenbergschen Wappen darauf angebracht werden.

Soweit bislang die Ansicht geäußert wurde, die Kasel müsse noch ein zweites Mal umgearbeitet worden sein, dürfte sich diese Annahme auf die stilistischen Merkmale der Wappenapplikationen gründen, die mit ihren harten Begrenzungen, ihrer Symmetrie und Glattheit eher dem 19. Jh. mit seiner Idealisierung mittelalterlicher Stilformen anzugehören scheinen als dem verspieltere Formen bevorzugenden Rokoko. Technische Indizien (Material, Originalzustand der Nähte, Verbindung der Wappenapplikationen ausschließlich mit dem Obermaterial) sprechen allerdings dafür, daß die Wappen, wie 1748 beschlossen, schon bei der Herstellung der neuen Kasel angebracht wurden. Vermutlich sollte damit wenigstens in Grundzügen das ursprüngliche Erscheinungsbild der Kasel gewahrt bleiben, auf die sich der folgende Eintrag im Domschatzinventar von 1438 (Hildesheim, Dombibliothek, Hs 272 d) beziehen läßt: »Item eyn rod syden casule de is *beneyet* myt golde unde *myt der woldenbergischen wapene*«. Einen weiteren Anhaltspunkt für das ursprüngliche Aussehen der Kasel gibt die Form der gestickten Halbfiguren, die eine Begrenzung zumindest nach unten fordert. Dies legt nahe, daß sich die Figuren auch vorher in abgeschlossenen Feldern mit den Buchstaben als oberem Abschluß befanden. Durchaus möglich erscheint deshalb die Anordnung dieser Felder in senkrechten Besätzen (auf einer der Glockenkasel noch sehr verwandten längeren Kasel), zumal das Protokoll von 1748 die Perlstickereien als »mittleres Stück« ausweist.

Im Zusammenhang mit den perlgestickten Besätzen der Kasel, die Bischof Otto II. von Woldenberg als Ausstattungsstücke der von ihm gestifteten »Goldenen Messe« um 1315 hat anfertigen lassen, werden in der Literatur stets Stola und Manipel genannt. Als feste Bestandteile dieses Ornats wurden sie bei der Umarbeitung der Kasel um 1748 mit dem gleichen Leinenfutter versehen, sind aber ansonsten original erhalten.

Beide Teile bestehen aus gerade gewebten Borten, die in alternierender Folge Wappen (lachsrot und weiß auf grünem Grund) und das Lamm Gottes (weiß auf lachsrotem Grund) zeigen. Den Abschluß an den unteren Enden der Borten bildet ein schmalerer grüner Streifen, auf dem ein Baummotiv von zwei gegenständigen Vögeln flankiert wird (weiß auf grünem Grund).

Die gut erhaltene Perlstickerei auf den trapezförmigen Enden beider Teile wiederholt eines der Wappen. Auf der Spitze stehend und in der Fläche axial ausgerichtet, liegt es weiß/rot vor blauem, mit goldenen Weinranken überzogenem Grund. Der roten Rahmung sind in regelmäßigen Abständen vergoldete Silberbuckel eingefügt, die den schillernden Charakter der Perlstickerei durch ihr eigenes Oberflächenlicht noch zu steigern vermögen.

Neben dem dekorativen Charakter, der sich aus dem Farbwechsel auf den Borten ergibt, wird gleichzeitig auf den inhaltlichen Unterschied der Darstellungen hingewiesen: dem Lamm mit Siegesfahne und eucharistischem Kelch als christlichem Symbol stehen als profane Symbole zwei Wappen niedersächsischer Adelsgeschlechter gegenüber, von denen sich eines auf den perlgestickten Enden wiederholt (Topfhelm mit Federzier, Herzöge des Alten Hauses Braunschweig-Lüneburg; Turnierkragen schräglinks, Grafen von Woldenberg).

Die gewebten Borten sind als typisches Beispiel der frühen, sich im 13. Jh. entwickelnden, überaus reichen Bortenproduktion in Köln anzusehen. Es haben sich nur wenige Borten dieses Alters bis heute erhalten (vgl. Kat. Ornamenta Ecclesiae, Nr. F 82). Sie sind gekennzeichnet durch die Verwendung individueller Wappen als dem vorherrschenden dekorativen Element, das sie zudem als Auftragsarbeiten kennzeichnet. Die sich aus dem heraldischen Inhalt der Ausgestaltung wie auch aus der für das frühe 14. Jh. typischen Trapezform der Enden ergebende Datierung bestätigt die Übereinstimmung mit dem quellenmäßig belegbaren Ornat.

Der gute Erhaltungszustand der gewebten Borte wird lediglich durch den Zerfall des rohweißen Seidenschußfadens eingeschränkt, so daß Kettfäden innerhalb der weißen Partien in den Wappen offenliegen. Um diese sichern zu können, wurde bei der Restaurierung eine Stoffunterlage zwischen Borte und Leinenfutter eingeschoben. Deshalb war es unerläßlich, Teile jeweils einer Randnaht, mit der im 18. Jh. das Leinenfutter befestigt wurde, zu öffnen. Es stellte sich heraus, daß sich an den unteren Enden der Stola auf einer Länge von 59,5 cm bzw. 60 cm das originale rote Seidenfutter befindet. Hinter dessen wenigen Fehlstellen wurde zudem eine beschriebene Pergamenteinlage sichtbar. Ihr willkürlich beschnittener Text läßt darauf schließen, daß ausgesonderte Pergamente hier als Versteifung der Stolaenden weiterverwendet wurden.

Literatur: G. v. Bock, Perlstickerei in Deutschland bis zur Mitte des 16. Jahrhunderts, Diss. phil. Bonn 1966, Kat.-Nr. 46; J. M. Kratz, Der Dom zu Hildesheim, seine Kostbarkeiten, Kunstschätze und sonstige Merkwürdigkeiten, Hildesheim 1840, S. 259. Zum Vergleich ferner: J. Flemming, E. Lehmann, E. Schubert, Dom und Domschatz zu Halberstadt, Wien/Köln 1974, S. 234, Kat.-Nr. 162, 163; Katalog zur Ausstellung »Ornamenta Ecclesiae. Kunst und Künstler der Romanik in Köln«, Köln 1985, Bd. 2, Nr. F 82; Katalog zur Ausstellung »Stadt im Wandel. Kunst und Kultur des Bürgertums in Norddeutschland 1150 – 1650«, Braunschweig 1985, Nr. 1075 und 1082.

S. H.-L./U. P.

4 GROSSE GOLDENE MADONNA

Hildesheim, um 1010 - 1015 (Abb. 1)

Hildesheim, Hohe Domkirche, Inv. Nr. DS 82

Restaurierung und Untersuchungsergebnisse
Professor Hilde Claussen zum siebzigsten Geburtstag

1. Einleitung

Richard Hamann, der 1924 den eindrucksvollen Gero-Kruzifixus als Werk eines ottonischen Meisters erkannte[1], hat mit dieser Feststellung die kunstgeschichtliche Forschung zur Skulptur des frühen und hohen Mittelalters enorm beflügelt. Unter dem Eindruck der »Entdeckung« einer schon im 10. Jahrhundert voll entwickelten monumental-plastischen Kunst war die These von der kontinuierlichen Entwicklung aus »primitiven romanischen« Urformen zu entwickelteren Ausdrucksweisen zu überdenken[2]. Die gebändigt expressive Sprache dieser ottonischen Skulptur forderte nun nicht mehr nur die Lösung der historischen und stilkritischen Fragen; auch neue Antworten zum Verhältnis von Form und Inhalt waren zu finden, mit der Folge, daß auch für das »blockhaft Primitive« der romanischen Kunst nach neuen Erklärungen gesucht werden mußte. Inzwischen ist die Forschung zur frühen Bildkunst ein etablierter Zweig der Kunstgeschichte. Quellenkenntnis[3] und ein sensibilisierteres form- und stilkritisches Instrumentarium haben die Grundlagen wesentlich verbessert[4].

Trotzdem, die geringe Zahl der erhaltenen bzw. inzwischen als ottonisch oder karolingisch wiedererkannten Denkmäler erschwert ihre Deutung. Bis heute immer noch diskutiert wird zudem die Frage, wie trotz der begründeten Bilderfeindlichkeit in nachtheodosianischer Zeit im 10. Jahrhundert, eventuell sogar schon vor den karolingischen Rechtfertigungsbemühungen[5], eine sakrale Bildkunst überhaupt entstehen konnte. Impulse für die Abkehr vom totalen Bilderverbot sind aus den Formen des Reliquienkultes mit seiner enormen Bedeutung für die diesseitige und jenseitige Heilserwartung wie für die Kirchenpolitik der nachantiken und frühmittelalterlichen Jahrhunderte abgeleitet worden. Bildhaftere, der sinnlichen Vergegenwärtigung förderlichere Gestaltung der Behältnisse für die »heiligen Leiber« seien Ausdruck und Folge der steigenden Bedeutung des Reliquienkultes für die Liturgie.

Die ersten Skulpturen – Kultbilder – seien einzig durch ihre Funktion als Reliquienträger legitimiert, stellt Harald Keller fest und nennt als Beispiele in diesem Zusammenhang die noch erhaltenen Statuen der hl. Fides in Conques (Auvergne), eine Büste des hl. Chaffre in Le Monastier (Haute Loire) sowie die goldenen Madonnen von Essen und Paderborn[6]. Mit zahlreichen Schriftquellen zu heute verlorenen Bildwerken untermauert er seine These von den Skulpturen als einer entwickelteren Form des »redenden Reliquiars«[7]. Ohne Zweifel hat Keller damit eine der Wurzeln, die die plastische Bildkunst wiederbeleben und vom Verdacht der Idolatrie befreien konnte, aufgedeckt.

Daß es daneben auch noch andere Beweggründe gegeben haben muß, außer dem gekreuzigten Christus plastische Bilder der Gottesmutter und der Ortsheiligen zu dulden und ihre Aufstellung im Kirchenraum zu rechtfertigen, ist heute unbestritten. Eine neue Heiligenauffassung sowie veränderte, auf einem neuen Menschenbild gründende Formen der Heiligenverehrung findet Hubert Schrade in seiner Erwiderung auf Kellers These[8] und weist auf die fast parallel sich entwickelnde, früher im Kirchenraum undenkbare Grabplastik hin.

Und schließlich werden immer wieder Verbindungen zur spätantiken Kunst vermutet, die nie ganz unterbrochen gewesen sein[9]. Auch wenn ein völliges Abreißen zur christlichen Spätantike schwer vorstellbar ist; wirklich überzeugend sind m. W. tradierte Elemente spätantiker Kunst, die *nicht* als ein suchendes Wiederaufnehmen antiken Formengutes aus der damals noch allenthalben erhaltenen römischen Hinterlassenschaft begriffen werden müssen oder die durch Byzanz vermittelt wurden, noch nicht nachgewiesen[10]. Festzustehen scheint heute, daß voneinander unabhängige lokale Entwicklungen im Rheinland, in

Abb. 1:
Große Goldene Madonna
nach der Restaurierung 1977
mit ergänzten Köpfen.
Hildesheim, Domschatz.

der Auvergne, in Südengland und Norditalien plastische Kultbilder hervorbrachten, während gleichzeitig andere Landschaften offenbar nur das plastische Bild Christi am Kreuz kannten[11].

Ausgangspunkt wissenschaftlicher Arbeit muß die möglichst genaue Kenntnis *auch* der materiellen und handwerklichen Seiten der Werke sein. Für die Diskussion wenig erforschter Gebiete wie z. B. des hier angesprochenen ist m. E. jede Auskunft, die die Objekte selbst geben können, unverzichtbar. Viele Spekulationen der Vergangenheit hätten so vermieden werden können.

Trotzdem werden Bestandsanalysen und Untersuchungen zum handwerklichen Schaffensprozeß, auch die schon publizierten, durchaus noch nicht selbstverständlich in die kunstwissenschaftliche Arbeit einbezogen[12]. Nur in Ausnahmefällen wurden in Deutschland solche Untersuchungen als Grundlage für Forschungsvorhaben gefordert[13]. Kaum ein mittelalterliches Kunstwerk ist aber ohne Alterungsspuren und nachträgliche Veränderungen auf uns gekommen. Seine Formensprache zu lesen und zu interpretieren, setzt zumindest voraus, daß exakt definiert ist, was ursprünglich und was historisch sekundär ist[14]. Nicht weniger wichtig ist es allerdings zu wissen, wie es nach dem Willen seiner Schöpfer und Auftraggeber ursprünglich aussehen sollte. Gerade bei Skulpturen, aber auch bei anderen Kunstgattungen und selbst bei der Architektur erlaubt in den meisten Fällen erst die Kenntnis ihrer ursprünglichen Farbigkeit *und* Oberflächenerscheinung als wesentlicher Ausdrucks- und Bedeutungsträger eine schlüssige Formen- und Motivanalyse, ganz abgesehen von Aussagen zur Ikonographie, Ästhetik usw. Hier ist unser Wissen seit den fundamentalen Arbeiten von Johannes Taubert[15] und Ernst Willemsen[16] enorm gewachsen. Wir haben etwas vom Wesen und der in den verschiedenen Epochen recht unterschiedlichen Auffassung vom Bildwerk dazugelernt. Weiterer Fortschritt auf diesem Weg er-

Abb. 2: Große Goldene Madonna, Holzkern von allen späteren Zutaten befreit.

Abb. 3: Blick von oben auf den völlig freigelegten Holzkern. Zu erkennen sind das Reliquienrepositorium im Körper des Christuskindes und das nicht verwendete Zapfloch für ein Attribut in seinem linken Oberschenkel. Außerdem die Bohrlöcher in der Enge zwischen Mutter und Kind sowie – an den Radialrissen – die Markröhre des Stammes.

fordert auf der Grundlage eines möglichst umfassenden Wissens die feste Verankerung dieser für das plastische Bildwerk wesentlichen Dimension in der Kunstgeschichtsschreibung[17].

Genaue Materialangaben, Beobachtungen zur Verarbeitung, zum Entwurf, zur Werkstattorganisation und zur handwerklichen Ausführung erweitern unseren Einblick in die Bedingungen und das Verhältnis einer Zeit zur Kunst ganz allgemein. Wir erfahren Aufschlußreiches für unser Verständnis, und nicht selten liefern solche Beobachtungen sogar die entscheidenden Hinweise für die Beantwortung kunstwissenschaftlicher Fragen. Die zu Vorstellbarem zusammengefügten Informationsfetzchen technischer Untersuchungen ermöglichen neue Aspekte. Aus vielen, anfänglich vereinzelt stehenden und daher als »Informationen ohne Wert« übergangenen Beobachtungen fügen sich im Kontext plötzlich ganz neue Orientierungsmarken. Einmal auf eine uns zufällig erscheinende handwerkliche Technik aufmerksam geworden – z. B. die Art eine Farbe zu vermalen, eine Figur auszuhöhlen oder ein Schnitzeisen zu verwenden –, begegnet man ihr von da an immer wieder und erkennt in ihr schließlich Zeittypisches. Da der schöpferische Wille sich seine Mittel und Ausdrucksmöglichkeiten sucht, falls nötig auch erfindet – nicht umgekehrt, dürfen Material, handwerkliche Realisierung sowie die Zufälligkeiten zeitgebundener Handwerkstradition nicht als belanglose Gegebenheiten beiseite gelassen werden. Wenn z. B. zu einer bestimmten Zeit in einer Gegend immer wieder die gleiche Holzart vorkommt, so sucht man dafür nach Erklärungen. Es könnte sich um eine handwerkliche »Mode« handeln, es können aber auch örtliche Vorschriften zur Qualitätsgarantie[18] oder rein praktische Erwägungen dahinterstehen[19]. Ausnahmen hingegen erlauben eher auf den Einzelfall bezogene Rückschlüsse. Sie können auf eine andere Handwerkstradition verweisen, aus der ein z. B. zugezogener Künstler stammt, oder auf den Import des Werkes selbst[20]. Sie können aber auch auf besondere Absichten des Künstlers schließen lassen. Häufig ist der Bruch mit den handwerklichen Traditionen charakteristisch für Zeiten der Neuerung, des Stilwandels, wenn die Künstler auf der Suche nach neuen Ausdrucksmöglichkeiten die gewohnten Pfade verlassen. In jedem Fall sind auch diese Feststellungen instruktiv, wenn nicht signifikant. In diesem Sinn will die nachfolgende Darstellung Beitrag und Hilfe zur Forschung sein.

2. Material, Technik und Arbeitsprozeß

Holzkern: Die Figur, als Torso ohne Kopf heute nur noch 56,6 cm hoch[21], besteht in allen noch erhaltenen Teilen aus Weichholz[22] (Abb. 2). Rosenholz fand sich

Abb. 4, 5: Holzkern von allen späteren Zutaten befreit.

41

bei den neuerlichen Untersuchungen nicht, auch keine Rosenholzpfropfen, von denen Wesenberg[23], gestützt auf Angaben von Dr. Bohland jr., berichtet. Verwendet wurde ein kleiner Stamm, der die Ausmaße der Figur gerade einschloß; seine Markröhre liegt auf der Linie der Innenkante des Rückseitenverschlusses leicht nach links aus der Achse gerückt (Abb. 3). Das Holz war auch noch ganz frisch, als die Figur geschnitzt wurde, sonst wären Radialrisse unvermeidlich gewesen. Gestützt wird diese Annahme auch durch den erkennbaren beträchtlichen Materialschwund aller Teile[24] (Abb. 4/5).

Zusammen aus dem Stammumfang geschnitzt und noch erhalten sind heute nur noch die Füße des Christuskindes. Ursprünglich waren auch der ganze Thron mit durchlaufendem Bodenbrett[25] (Abb. 4 und 6), der rechte Tunikaärmel der Marienfigur und beide Arme des Kindes aus dem gleichen Werkstück gearbeitet. Während Thron und Plinthe im Laufe der Zeit – weil morsch – abgebrochen sind bzw. für die Befestigung der barocken Thronummantelung beschnitten wurden (Abb. 7), hat schon der bernwardinische Künstler selbst den rechten Tunikaärmel herausgeschnitten (Abb. 8) und durch einen neuen ersetzt, der, bei horizontal verlaufender Faserrichtung, mit breitem Zapfen in den Oberarm eingelassen ist. Wir können nur vermuten, daß er mit dieser Operation das Anlegen der Bleche in der tiefen Hinterschneidung zwischen Kind und Ärmel erleichtern wollte. Die Seitenansicht ohne den eingesetzten Ärmel zeigt durch den erhalten gebliebenen »Sockel« deutlich, daß der Ärmel hier vorher schon einmal ausgeführt war (Abb. 9).

Vermutlich – nicht sicher – wurden aus dem gleichen

Abb. 6: Blick in den ausgehöhlten Thronsitz der Madonnenfigur. Am unteren Bildrand erkennt man die Kante der abgebrochenen Bodenplatte, die Vorderwand zeigt die starken Einschläge des Balleisens mit den dazwischen herausgesprengten Holzspänen.

Abb. 7: Blick auf die rechte Thronwange nach Entfernung aller späteren Zutaten. Im Streiflicht ist zu erkennen, wieweit die obere Thronkante beschnitten wurde. Nur das Pfeilerkapitell und der Bogenansatz zeigen noch die alte Oberfläche.

Grund auch die beiden Arme des Kindes wieder abge-
trennt (vgl. Abb. 2). Beim rechten deutet allein das qua-
dratische Zapfloch [26] auf eine ursprüngliche Situation.
Auch die ungewöhnliche, den Verbindungen von
Ärmel und Madonnenkopf (s. u.) ähnliche Manier der
Holzfügung am linken Arm, wo die Anstückung außer

Abb. 9: Detail von der Großen Goldenen Madonna unter dem
(abgenommenen) Tunikaärmel. Die Parallelschnitte zeigen,
wie sich der Schnitzer der endgültigen Form genähert hat.
Am unteren Rand die mit Schusterstiften verschlossenen
Nagellöcher der Restaurierung von 1954.

Abb. 8: Holzkern von allen späteren Zutaten befreit. Der noch
erhaltene Tunikaärmel hier abgenommen.

Abb. 10: Linker Arm des Christuskindes mit dem stufenförmigen Lager für die Unterarmbefestigung. Auf der Schulter die Kerbe vom Abschneiden des Goldblechs.

einer gleichartigen quadratischen Zapfverbindung zum Oberarm auch noch in ein rechteckig ausgehobenes Lager greift, spricht kaum für eine spätere Reparatur (Abb. 10). Möglicherweise war hier aber auch noch eine Änderung Anlaß für den Eingriff, denn im Oberschenkel des Kindes befindet sich ein ursprünglich quadratisches Befestigungsloch, für das der heutige Befund keine Erklärung liefert, weil es durch das originale Goldblech völlig verdeckt wird. Das Loch könnte der Befestigung eines Attributs gedient haben, das durch eine neue Konzeption geändert wurde (Abb. 3).

Ursprünglich separat geschnitzt waren beide Köpfe, beide Hände der Marienfigur und die Rückenplatte. Erhalten sind davon heute noch die linke Hand (Abb. 11) (heute auf neuem Dübel, siehe Anm. 26) und die Rückenplatte (Abb. 5). Diese greift mit abgeschrägten Seiten in entsprechend ausgehobene Führungen am Korpus ein, so daß sich die Platte nur von oben wie ein Kastendeckel herausziehen oder einschieben läßt (Abb.12). In der mittelalterlichen Plastik ist diese Form für einen Rückseitenverschluß ungewöhnlich und läßt sogleich an die von Johann Michael Kratz[27] überlieferte Mitteilung denken »...; beide Figuren sind mit Heiligtümern angefüllt«.

Wo das Verschlußbrett auf dem Thron aufsitzt, befindet sich ein kleines, querrechteckiges Loch (5 mm x 2 mm), das mit einem entsprechenden in der Rückenplatte korrespondiert. Es handelt sich wohl um die originale Deckelsicherung (Abb. 3)[28]. Die Aushöhlung wurde vom Halsansatz her schichtweise mit dem Balleisen ausgestemmt und zu den Seiten begradigt. Auf saubere Flächen wurde nicht sonderlich geachtet. Aus dem Befund läßt sich aber nicht ableiten, ob die Aushöhlung holztechnische Gründe hatte oder ob der Hohlraum zur Aufnahme von Reliquien bestimmt war[29].

Wirklich empfindlich ist der Verlust, der durch das Herausschneiden des Pallaumschlags am Hals der Marienfigur entstanden ist (Abb. 2). Zwar lassen sich die Faltenverläufe aus den Ansätzen noch annähernd zweifelsfrei erschließen, schwieriger ist es heute aber, Sitz und Befestigung des Madonnenkopfes einwandfrei zu rekonstruieren. Nur bei genauer Beobachtung unter verschieden gerichtetem Streiflicht läßt sich noch ausmachen, daß ein oberer Abschluß vor dem Zapfloch für den Kopf vorhanden gewesen sein muß, der erst nachträglich bei einer der größeren Renovierungen herausgeschnitten wurde[30] (Abb. 13). Die leider nur unsicheren Anhaltspunkte an den Schnittflächen lassen eine nach vorn schräg unterschnittene

Abb. 11: Holzkern von allen späteren Zutaten befreit.

Abb. 12: Das einschiebbare Rückenbrett ist herausgezogen.

Abb. 13: Detail vom Hals der Großen Goldenen Madonna. Kleine Unebenheiten der Seitenwände des Ausschnitts deuten die Breite der ehemaligen Verbindung zwischen den Schultern an.

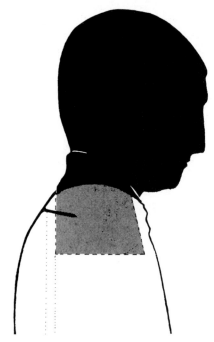

Abb. 14: Ursprüngliche Kopfbefestigung der Großen Goldenen Madonna im Profilschnitt.

Abb. 15: Detail von der Tunika unterhalb der Knie der Madonnenfigur mit den Vorritzungen für den Faltenverlauf.

Ausnehmung für den Kopfzapfen vermuten. Stimmen die Rückschlüsse aus unseren Beobachtungen, dann wäre der Kopf wie bei einem Steckbaukastensystem nach dem Einschieben des Rückenbrettes ohne Leim und Nägel fest arretiert gewesen (Abb. 14). Die Ähnlichkeit dieser Befestigungsmechanik zu den oben beschriebenen, für Holzverbindungen ebenfalls eher untypischen, stützt die Vermutung, daß es so gewesen sein könnte [31].

Ob die beiden schräg von den Schultern nach innen führenden, gebrannten Löcher ursprünglich sind und

Abb. 16: Detail vom linken Ellenbogen der Madonnenfigur mit den Vorritzungen für Staufalten, die nicht ausgeführt wurden.

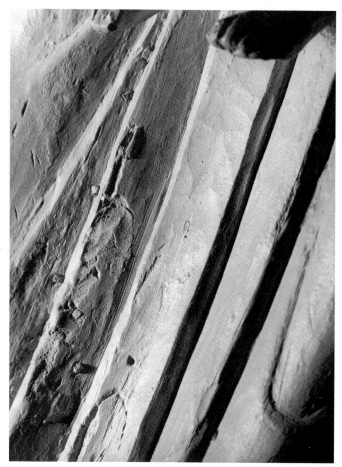

Abb. 17: Detail von den Tunikafalten unterhalb der Füße des Christuskindes mit den deutlichen Spuren der Schnitztechnik.

ob sie, wie anzunehmen, der zusätzlichen Sicherung dienten, war nicht zu beweisen (Abb. 13) [32].

Schnitztechnik: Die Arbeitsweise des Schnitzers entspricht einer Praxis, die durch die ganze romanische Epoche bestimmend blieb und die erst von den gotischen Steinbildhauern wieder aufgegeben wurde: Die Gestalt wurde in geschlossenen Formen ohne jede Binnenstruktur – einem ägyptischen Würfelhocker ähnlich – herausgearbeitet und geglättet. Alle Modellierung und die Faltenverläufe wurden in diese »Ur-

form« eingetieft, woraus sich die klare Konturierung vorgotischer Skulptur ergibt. Das Vorgehen des Hildesheimer Meisters läßt sich auch heute noch genau verfolgen. Im Zustand der »Urform« waren alle groben Arbeiten wie z. B. das Aushöhlen (vgl. Abb. 6/18) usw. erledigt. Die Figur diente in diesem Zustand sozusagen als Modell, auf dem die weitere Durchgestaltung skizziert werden konnte. Der endgültige »Entwurf« wurde mit einem scharfen Messer oder Balleisen eingeritzt. Nirgendwo, wo diese Ritzung auf den Faltenstegen oder Gewandkanten erhalten blieb, sind verwackelte Linien, Neuansätze oder Korrekturen zu

47

Abb. 18: Blick in die Rückenaushöhlung der Madonnenfigur, Werkzeug- und Arbeitsspuren.

Abb. 19: Detail vom Rückenverschluß der Madonna. Im Streiflicht sieht man die Spuren der schartigen Schnitzereien und die vom Andrücken der Bleche rundpolierten Faltengrate.

entdecken. Auch in Bögen oder den engen Kurven der Falten auf den Unterschenkeln laufen diese Linien in makellosen Schwüngen (Abb. 15 u. 16). Die hinterher ausgeschnittenen Falten erscheinen dagegen vergleichsweise laienhaft. An einer Stelle, unter dem linken Ellenbogen der Marienfigur, sind die vorgeritzten Falten nicht ausgeschnitten worden; dort ist die »Urform« noch erhalten geblieben (Abb. 16).

Das Herausschneiden der Figur läßt – die gleichmäßigen, oft langen Schälschnitte zeigen es – eine gewisse Übung im Schnitzen erkennen (Abb.17). Weniger souverän, manchmal sogar fast unbeholfen erscheinen dagegen die ausgeschnittenen Faltenzüge (Abb. 4 u. 11). An schwer zugänglichen Stellen wie in dem engen Raum zwischen Mutter und Kind lassen die Schnippelspuren in der Tiefe erkennen, daß es mühsam war, solche Tiefen mit nur geradem Werkzeug[33] herauszustechen. Durch Bohrungen von oben her hat der Schnitzer hier deshalb schon Holz weggenommen (Abb. 3).

Geglättet wurde die Oberfläche fast ausschließlich

Abb. 20: Detail vom rechten Knie des noch unbemalten Abgusses von der Madonnenfigur mit den deutlich erkennbaren Spuren vom Abziehen und Glätten der Holzoberfläche.

Abb. 21: Tunikafalten unterm rechten Knie der Großen Goldenen Madonna (Detail). Die Kerbschnittechnik der Falten und die Schälschnittglättung auf der Mittelfalte sind gut zu erkennen.

durch flache Schälschnitte (Abb. 19), nur an den ausgeprägten Wölbungen der Knie und Schultern ist mit aufrecht gestelltem Balleisen abgezogen worden (Abb. 20). Schleif- oder Feilspuren fanden sich auf original erhaltenen Flächen nirgends.

Holzfigur und Goldblechbekleidung wurden nicht getrennt nacheinander ausgeführt (s. u.); hier werden die Arbeitsgänge aber der Übersichtlichkeit halber hintereinander beschrieben. Die »Schichtfalten« entstanden wie beim Kerbschnitt durch einen steil geführten

Einschnitt entlang der Ritzlinie, gegen den das Holz schräg abgeböscht wurde (Abb. 15 u. 19). Geglättet wurden die so entstandenen Binnenflächen nur auf der Vorderseite in der beschriebenen Weise (Abb. 21).

Als Besonderheit bleibt noch das Zapfloch für die Befestigung des Christuskopfes zu erwähnen (Abb. 3). Es ist ebenfalls nahezu quadratisch (21 mm x 22 mm) und bis zu 68 mm tief. Nach ungefähr 20 mm paralleler Wandung weitet sich die Öffnung nach unten um ca. 10 mm nach jeder Seite, so daß fast die doppelte Weite

49

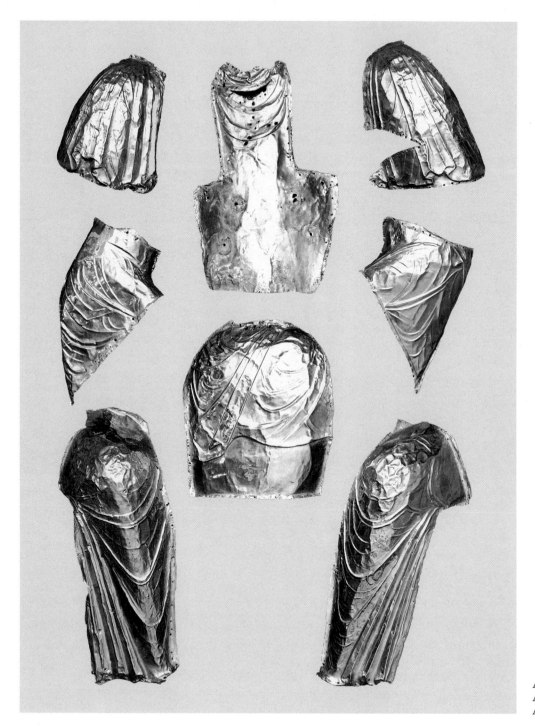

Abb. 22, 23:
Abgenommene Goldbleche,
Aufnahme um 1968

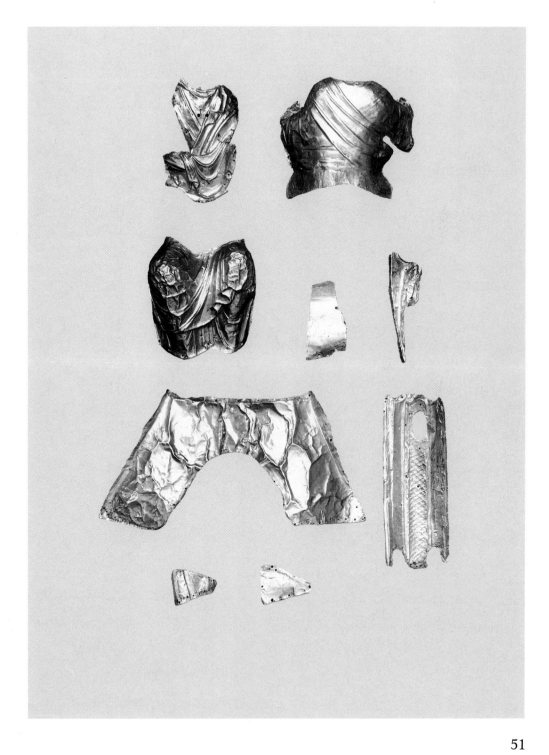

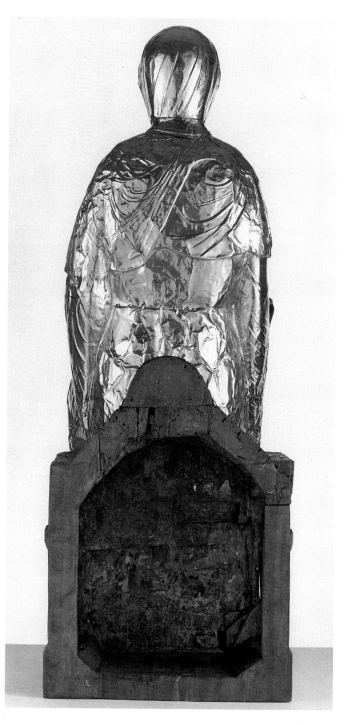

Abb. 24–27: Zustand nach der Restaurierung 1977 (Abb. 25 und 26 mit ergänzten Köpfen).

erreicht wird. Um das Holz ausnehmen zu können, wurden 4 Löcher mit zwei verschiedenen Durchmessern gebohrt (ca. 7 mm ⌀ und ca. 9 mm ⌀ Löffelbohrer), wie man am Grund des Loches noch feststellen kann[34]. Von links hinten war der Kopf durch einen Stift, der unter dem Blech unsichtbar war, gesichert.

Die untere Erweiterung und die Tiefe des Zapfloches legen die Vermutung nahe, daß der 40 x 40 x 45 mm messende Hohlraum unter dem Kopfzapfen ein Repositorium war. Aufzeichnungen aus älteren Schatzverzeichnissen oder Visitationsprotokolle, aus denen Rückschlüsse für diese Frage gezogen werden könnten, existieren nach heutiger Kenntnis leider nicht mehr. Über den möglichen Inhalt und die Frage, ob auch zwei Reliquienbehälter in einer Figur denkbar wären, bleiben wir vorerst auf Vermutungen angewiesen[35].

Die Goldblechbekleidung: Der größte Teil, nämlich 19 Platten der ursprünglichen Goldhülle, sind noch erhalten (Abb. 22 u. 23)[36]. Ein kleines Dreieck aus weißlicherem Goldblech, mit dem eine Fehlstelle auf jenem Pallaende ausgebessert ist, das der Marienfigur über die linke Schulter und Brust herabfällt, ist sehr wahrscheinlich Teil einer Reparatur, die im 13. Jahrhundert Schäden von einer versuchten Beraubung beseitigen sollte[37].

Erhalten hat sich auch – zur Zeit der Restaurierung 1972 - 1975 aber nicht bekannt – ein Teil der Saumborten und Schmuckbeschläge, von Michael Brandt jüngst publiziert (siehe Anm. 37).

Aus den Werkspuren können wir Arbeitsgänge und Ablauf der Goldschmiedearbeit recht genau rekonstruieren[38]. Die stark gewölbten Bleche für Schultern, Beine, Arme usw. wurden separat in die körpergerechte Form getrieben. Dieser Vorgang erforderte ein ständiges Anpassen auf der Figur, weshalb es sehr wahrscheinlich ist, daß die Figur bei diesem Arbeitsgang noch die »Urform« zeigte. Lagen die Bleche gut an und waren die Gewandsäume ausreichend überdeckt, wurden die Bleche den vorgesehenen Nähten folgend beschnitten[39].

Erst in diesem Stadium wurden die Falten in den Holzkern geschnitten, die – vergleicht man die Goldhülle – nur die Grundakkorde einer viel reicheren Komposition bilden. Dieses Liniengerüst wurde anschließend von außen in die wiederaufgelegten Bleche eingedrückt[40]. Der Vergleich von Holzkern und Goldfigur zeigt einige Akzentverschiebungen sowie konzeptionelle Abweichungen von der vorgegebenen Linienführung[41], die erkennen lassen, daß das Übertragen der Formen auf die Goldhülle kein mechanischer Akt war (Abb. 1/2). Ihre endgültige Gestalt erhielten die Bleche zuletzt auf dem Treibpech. Die vielen zusätzlichen Falten und Fältchen sind ausnahmslos von innen gedrückt (getrieben) und dann von außen wiederum konturiert (ziseliert)[42].

Betrachtet man die bekleidete Figur einmal von vorn und hinten (Abb. 24/25) und anschließend von den Seiten (Abb. 26/27), fallen nicht nur Unterschiede in Faltenstil und -duktus auf, sondern auch eine – so glaubt man zu erkennen – Unsicherheit in der Linienführung und Anordnung. Als habe der Künstler unterschiedliche Vorbilder benutzt, unterscheiden sich die beiden Ansichtspaare: vorn und hinten fließt der Stoff »organisch«. Die Faltenzüge und -schwünge folgen nicht nur einem genau komponierten Rhythmus, auch ihr forte und piano, um im Bild zu bleiben, wirkt klassisch, abgewogen, zeugt von Meisterschaft (Abb. 28). Anders die Seiten, besonders die Flächen der Tunikaärmel: man spürt in den Hauptfalten zwar das Bemühen um rhythmische Komposition, sie gelingt aber schon im Holz nicht in so suggestiv harmonischen Bögen. In der Goldfassung sind zudem die Zwischenräume, wie vom *horror vacui* getrieben, gleichmäßig mit Faltenlinien gefüllt, so daß der schon nicht dominante Grundrhythmus fast völlig untergeht. Hier finden sich auch die sonst in diesem Stil fremden Hakenfalten (Abb. 29).

Der Prozeß des Formfindens und Gestaltens war nicht auf die Entwurfsphase beschränkt, wie man nach dem bisher Gesagten meinen könnte, Eindeutig läßt sich beweisen, daß auch an der fast fertigen Figur noch geändert und ergänzt wurde. Auf dem Rücken in der Höhe des rechten Schulterblattes bilden die Falten der

Abb. 28, 29: Zustand nach der Restaurierung (Details)

Palla einen Wirbel. Ob der Entwurf hier Ähnliches vorsah, wir wissen es nicht. Jedenfalls sind die starken Falten in das Holz erst, als dieses bereits grundiert (s. u.) und das Blech offenbar schon weitgehend fertig war, eingeschnitten worden, was durch die nur hier in die Holzporen eingedrungene Wachshinterfüllung zu beweisen ist[43] (Abb. 30). Eine solche Arbeitsspur läßt sich auch am vorderen Thronpfosten neben dem linken Unterschenkel der Madonna erkennen, wo das

ursprünglich hier vorhandene Kapitell – die Kontur ist noch ablesbar – kurzerhand weggeschnitten wurde, um das Blech anbringen zu können (Abb. 31). Das Blech ist an der besagten Stelle nicht ausgeschnitten, womit auch dieser Eingriff sicher ursprünglich ist[44].

Die Bleche sind nach einem überlegten System appliziert (Abb. 32/33). Zum einen sind die Nähte tunlichst in Vertiefungen und Absätze gelegt, und

55

Abb. 30: Zustand der Großen Goldenen Madonna nach Abnahme der Goldbleche 1954. Die nachträglich eingeschnittenen Falten rechts auf dem Pallaumschlag erscheinen vom in die Holzporen eingedrungenen Wachs dunkler.

Abb. 31: Thronpfeiler neben dem linken Unterschenkel der Madonnenfigur. In Höhe des Kämpfers erkennt man die Kontur des Kapitells, das vorn abgeschnitten wurde, als die Bleche angepaßt wurden.

Abb. 32, 33: System der Nagellöcher. Die dreieckigen Markierungen bezeichnen sekundäre Nagelungen (Reparaturen), die u. U. aber auch ursprüngliche Nagelpositionen überlagern können. Die dunklen Flächen bezeichnen die zuerst angelegten Bleche.

die Bleche überdecken sich gegenseitig so, daß der Betrachter nicht in offene Nähte hineinschaut (Schindeldeckung). Zum anderen erfordert diese Montage die wenigsten Nägel, weil möglichst immer steife Bleche (das sind getriebene) labile an den Rändern überdecken. Zuerst wurden die Platten für Brust und Beine, für das untere Rückenteil sowie das Rückenblech des Kindes befestigt, sodann der getriebene Unterkörper des Kindes und seine Armbleche, dann die Platte für den Oberkörper des Kindes und die Bleche für die Tunikaärmel sowie den oberen Rückenteil der Marienfigur und schließlich beide Schulterbleche. Während die zuerst aufgelegten Platten nur an wenigen Stellen geheftet waren, zeigen die überlappenden Bleche eine möglichst sparsame Nagelung. Wo stark getriebene Bleche genügend Eigenfestigkeit hatten, sind Abstände von 2 cm bis 10 cm zu beobachten, während z. B. das überhaupt nicht getriebene untere Rückenblech in Abständen von 0,5 cm bis 1 cm genagelt war[45].

Die Nägel, von denen noch sieben im Holz steckten[46], waren aus Goldblechstückchen gedreht und haben umgeschlagene Köpfe.

Der Thron war ursprünglich mit vergoldetem Silberblech beschlagen. Winzige Fetzchen davon fanden sich noch an der Thronvorderseite, gehalten von Nägeln aus gleichem Blech, die in derselben Art wie die goldenen gefertigt waren. Kupfernägel mit vergoldeten Köpfen im Innern des Throns nahe den Bögen könnten zu einer weniger kostbaren Innenauskleidung oder aber zur Befestigung von Verschlußblechen (Transennen) gehört haben. Ihr Alter ließ sich nicht sicher feststellen, es spricht aber nichts gegen ihre Ursprünglichkeit.

Es ist anzunehmen, Indizien sprechen dafür (Anm. 43), daß der Hohlraum zwischen dem präparierten Holz (s. u.) und dem Goldblech ursprünglich mit Wachs o. ä. ausgefüllt war[47].

Die Fassung: Bevor die Goldbleche aufgenagelt wurden, erhielt das Holz eine dünne, unter Vergrößerung schaumig wirkende Leimgrundierung[48], die sichtlich den Zweck hatte, die bei dünnen Goldblechen übliche

Abb. 34: Fuge zwischen Rückenbrett und Figurenkorpus. Deutlich zeichnet sich noch ab, wieweit der weiße Isoliergrund in die Fuge gestrichen wurde.

Abb. 35: Schnitt durch die Fassungsschichten an den Füßen des Christuskindes. H = Holz; G_1 = ursprüngl. Grundierung; G_2 = Grundierung der 1. Überfassung; F_1 = Inkarnat der ursprüngl. Fassung; F_2 = Inkarnat der 1. Überfassung; F_3 = Ölvergoldung der 2. Überfassung.

Abb. 36: Schnitt durch die Fassungsschichten zwischen den Schuhen der Madonnenfigur. H = Holz, F = Isoliergrund; F_1 = ursprüngliche Farben; F_2 = Farben der 1. Überfassung; F_3 = Farben der 2. Überfassung (Ölvergoldung); G_1 = ursprüngl. Grundierung; G_2 = Grundierung der 1. Überfassung; L = Leimlösche; Fü = Füllmasse.

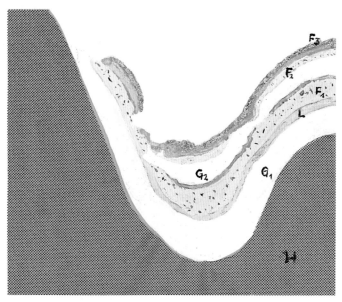

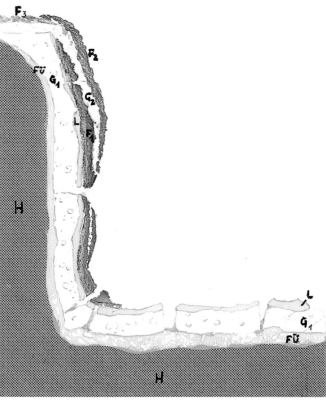

Wachshinterfüllung nicht ins Holz einziehen zu lassen (Abb.34). Die Inkarnatpartien blieben davon – absichtlich oder versehentlich ist an den winzigen Resten nicht zu entscheiden – teilweise ausgespart. Inkarnate, Schuhe und Plinthenoberseite wurden mit einem dichteren Weißgrund (Kreide) grundiert und auf den Inkarnatflächen mit Öl, die übrigen Flächen mit einem relativ starken Leim gelöscht. Die erhaltene Hand der Marienfigur und die Füße des Christuskindes zeigen auf dieser Präparierung liegend eine Ölfarbe in warmem, hellem Rosa, wiederum überdeckt von einer unpigmentierten Ölschicht, die als Firnis interpretiert werden kann (Abb. 35) [49].

Die Schuhe zeigen eine scharfrote Lüstrierung in öligem Bindemittel auf einer Blattversilberung, die vermutlich auf der oben erwähnten Leimlösche angeschossen ist [50]. Nur an einer winzigen Stelle, aber beweiskräftig von der zweiten Rotschicht überdeckt (und deshalb ursprünglich), fand sich zwischen den Schuhen ein kühles Grün, ebenfalls noch auf Silber liegend (Abb.36). Der Aufbau und die ungestörte Verbindung zum Untergrund lassen keinerlei Zweifel zu, daß es sich bei den Farben um die ursprüngliche, starkfarbige Vollendung des Gesamtbildes handelt. Ob auch die Gesichter von Maria und Christuskind farbig waren, läßt sich heute zwar nicht mehr beweisen, glaubhaft scheint die von Kratz [51] überlieferte Bemerkung des Jesuitenpaters Georg Elbers aber nicht, die »Verschönerung« von 1664, bei der die Köpfe beider Figuren erneuert worden sind, sei erfolgt, weil sich der Kanonikus Franz Anton von Wissoque »an der Goldmaske mit den starrenden Augen« gestört habe [52].

3. Ergebnisse

Wir wissen heute genug, um uns die *imago major Beatae Virginis Mariae* so vorstellen zu können, wie sie wohl Bischof Bernward gesehen hat. Die mit Steinen und Gemmen besetzten Schmuckborten (die sie hoffentlich bald wieder zieren werden) ließen die Skulptur weniger gestreckt erscheinen. Die linke Hand Mariens umfaßt das Kind, ohne es zu berühren, die 1976 ergänzte rechte aber – so erfahren wir aus einem

Schatzverzeichnis von 1409[53] – hielt statt des Apfels ein Kreuz mit vier Gemmen. Ein goldenes Kreuz hielt auch der Christusknabe – ich vermute, in seiner linken Hand. Noch unklar ist dagegen wie »... *sub alia manu unum boch aureum*« zu übersetzen ist[54]. Von dem erwähnten Schmuck scheint mir, außer den vielleicht ursprünglichen Kronen von Mutter und Kind[55], vor allem die Adlerbrosche für unser Bild erwähnenswert.

Schon die älteste Abbildung der Großen Madonna, ein Kupferstich aus dem 1. Drittel des 18. Jahrhunderts, zeigt sie auf der Brust des Kindes (Abb. 37). Die detailliertere Wiedergabe des aufrecht stehenden Vogels im Tafelwerk von Kratz (Abb. 38), der auf die Brosche noch eigens hinweist[56], läßt vermuten, daß sie jener geglichen haben könnte, die die Essener Madonna auf der Brust trägt.

Für unsere Vorstellung von den Proportionen müssen wir uns den sehr architektonischen Thronsitz mit offenen Rundbögen zwischen quadratisch gedachten Pfeilern gedanklich rekonstruieren. Die Pfeiler zeigen zum Schaft hin abgefaste Blockkapitelle (Abb. 7) mit wahrscheinlich ebensolchen Basen. Den oberen Abschluß des Stuhls bildete ein einfaches, flach brettchenartiges Profil[57]. Die Plinthe, heute rechteckig ergänzt, wird auch ursprünglich etwa diese Form und Ausmaße gehabt haben[58].

Wesentlich haben die einstmals kräftigen Farbakzente das Bild mitbestimmt! Die rosa Inkarnate, fast kreuzförmig auf dem Goldhintergrund verteilt, sprachen stärker mit, als das bei den bronzefarbenen Holzflächen jetzt denkbar scheint (Abb. 1). Wenn die rot gelüsterten Schuhe auf dem scharfen, kühlen Grün der Bodenfläche keine die Leuchtkraft brechenden Ornamente trugen – darüber können wir heute leider keine Auskunft mehr geben –, dann waren starkfarbene Steine im Goldschmuck ein notwendiges Gegengewicht.

Entwerfen, Schnitzen und schließlich die Goldschmiedearbeit sind als Einzelleistungen nicht streng

Abb. 37: Kupferstich aus Gloriosa Antiquitas Hildesina (18. Jh.)

Abb. 38: Kupferstich aus Johann Michael Kratz 1840 (Tafelwerk)

Abb. 39:
Die Große Goldene Madonna
im Zustand der Veränderung
von 1664, Aufnahme von
Bödeker, um 1900.

voneinander zu trennen, wie wir gesehen haben. Alle Schaffensphasen sind vielmehr bis zuletzt eng ineinander verflochten. Ein anfänglicher Entwurf (s. o.) blieb zwar verbindlich, war aber bis zuletzt für Ausgestaltungen offen. Kann man daraus den Schluß ziehen, das Kultbild sei in allen Schritten von einem Künstler geschaffen worden? Woher stammt die praktische Erfahrung für eine solche Aufgabe, wo ist der handwerkliche Boden für die sehr verschiedenartigen Leistungen zu suchen?

Mir will scheinen, als seien – ersten eigenen Vermutungen zum Trotz – doch verschiedene Hände am Werke gewesen, aber nicht klar nach Holz- und Goldschmiedearbeit, sondern eher nach Entwurf (die bildhauerische Anlage der Figur event. eingeschlossen) und Ausführung zu trennen. Sind figürliche Kompositionen und plastische Volumina überzeugend komponiert und das Lineament der Falten auf Vorder- und Rückseite in seiner strengen, leicht asymmetrischen Regelmäßigkeit eindrucksvoll, so wollen die stellenweise recht laienhaft eingeschnittenen Faltenkerben und das weniger harmonisch scheinende Lineament der Seitenansichten dazu nicht so recht passen. Die getriebene Goldhülle weist ebensolche Unterschiede auf. Die tiefgetriebenen Teile, vor allem die Beinpartie des Christuskindes und die Beinbleche für die Marienfigur verraten Könnerschaft in diesem Handwerk. Trotzdem hat der Künstler an der immerhin recht gut einzusehenden Ecke vor dem Sitzkissen auf beiden Seiten Stauchfalten in Kauf genommen (Abb. 29). Das viel schwierigere, weil tief getriebene Blech für den Unterleib des Christuskindes zeigt solche technischen Mängel aber nicht. Die Falten auf den Blechen für die Tunikaärmel sind überhaupt nur gedrückt und fallen deshalb gegen die getriebenen Teile ab. Ähnliche, wenn auch nicht so deutliche Unterschiede im Anspruch lassen auch die wenigen noch erhaltenen originalen Appliken erkennen [59].

Über die Unterschiede zwischen Entwurf und geschnitzter Durchführung wurde schon gesprochen, er läßt sich auch noch anders fassen. Die kleine Skulptur wirkt erstaunlich, ja geradezu aktiv plastisch. Be-

sonders deutlich wird dies, wenn man sie umschreitend von allen Seiten betrachten kann. In ihrer vornehmlich durch konvexe Formen bestimmten Plastizität ist sie dem großen Ringelheimer Kruzifixus (Kat.-Nr. 5) auffällig verwandt [60]. Dagegen steht, anders als beim Kruzifix, das graphische Faltensystem mit seinen scharfkantigen geometrischen Formen, die, zumal in der Frontansicht, das füllig Plastische fast vergessen machen. Erklären lassen sich die divergierenden stilistischen Tendenzen wie auch die auffälligen Unterschiede im Handwerklichen wohl kaum mit verschiedenen Händen. Wesenberg bezeichnet es geradezu als charakteristisch für die bernwardinische Kunst, lernend und kompilierend die vorbildlichen Strömungen der zeitgenössischen Kunst aufzunehmen und zu verarbeiten. Er sieht Bernwards Einfluß auf die Künste und Künstler wesentlich im Vermitteln von empfangenen Eindrücken seiner zahlreichen Reisen zu den Zentren der Macht und der Künste – möglicherweise durch eigene Zeichnungen. Überzeugend weist er für etliche Werke bernwardinischer Kunst vorbildliche Arbeiten ganz verschiedener Herkunft und Gattungen nach. Stilistische und kompositionelle Ungereimtheiten seien – so Wesenberg – im 11. Jahrhundert, besonders in Hildesheim, nicht in jedem Fall als Indiz für verschiedene Hände zu sehen. Unterschiedlichste Vorlagen – sicherlich z. T. auf ausdrücklichen Wunsch und Anweisung Bernwards verwendet – prägten das Bild dieser Kunst ganz wesentlich.

Der stilistische Befund stützt den aufgrund der handwerklich technischen Erkenntnisse gewonnenen Eindruck, daß ein Bildhauer vom Schlage des Ringelheimer Meisters den Holzkern und vielleicht auch – fußend auf Vorlagen – die Faltenzeichnung lieferte und daß ein Goldschmied, dessen besondere Fähigkeiten wohl eher in dem schönen Brustschmuck zu erkennen sind, den Goldmantel herstellte und dafür auch die Faltenkerben, dem jeweiligen Arbeitsstand entsprechend, in den Holzkern schnitt.

Für unsere Beobachtungen zu den handwerklichen Techniken läßt sich Vergleichbares nur im Westen (Conques, Essen) finden. Die wenigen aus dem Frühmittelalter erhaltenen Edelmetallfiguren sind, soweit Aussagen darüber im aktuellen Zustand überhaupt möglich, technisch sehr verschieden. Als älteste, wenngleich zeitlich schwer bestimmbar, hat sich in Conques die Statue der hl. Fides erhalten; sie wurde 1954/55 anläßlich ihrer Restaurierung untersucht[61]. Der Holzkern ist dort aus zwei miteinander verdübelten Eibenholzscheiben äußerst grob zugeschnitten (Taralon: nach Holzschuhmacherart) und durch Überraspeln in einfache Grundformen geglättet. Falten sind nur durch wenige, roh mit dem Stechbeitel ausgestemmte Kerben, z. B. zu seiten der Mittelfalte zwischen den Unterschenkeln, angedeutet. Die Form des ursprünglichen Throns, eines lehnenlosen, vierbeinigen Hockers, ist der der Essener Figur vergleichbar. Mit unserer Madonna verbindet die Beobachtung, daß der ursprüngliche Thron mit der Figur aus einem Stück geschnitzt wurde (für den noch erhaltenen der Zeit um 1000 n. Chr. beseitigt). Die wenigen erhalten gebliebenen Teile der ursprünglichen Goldhülle[62] zeigen eine Goldschmiedearbeit, die der des Hildesheimer Meisters ähnlicher scheint als die Technik an der Essener Madonna: Die Bleche wurden in großen Formen passend für den Holzuntergrund getrieben, danach das Faltensystem von innen her gedrückt und von außen konturierend ziseliert. Bei der Essener Figur sind die Bleche kleiner und weitgehend so gelegt, daß sie ohne Knautschfalten über dem detailliert ausgearbeiteten Holzkern »gezogen«, d. h. angedrückt werden konnten. Getrieben sind hier vor allem die Gesichter und Hände[63]. Zusammenfassend kann man Gemeinsamkeiten und Unterschiede vielleicht so herausstellen: In Conques war der Künstler ein Goldschmied, der sich seine hölzerne Substruktion anfertigen ließ oder vielleicht selbst herstellte – ohne künstlerischen Anspruch. Die Essener Figur ist dagegen von der bildhauerischen Gestaltung des Holzkerns bestimmt, für den das Goldblech nur eine besonders kostbare Art der Fassung war. Die Hildesheimer ist m. E. zweifelsfrei von einem als Plastiker arbeitenden Künstler konzipiert, sie ist durch die mitgestaltende Arbeit eines Goldschmieds aber mitgeprägt worden. Allen drei Werken – für uns besonders gut bei der Hildesheimer Figur zu beobach-

ten – haftet etwas Erstmaliges an, als seien vorhandene, an anderen Arbeiten bewährte Fähigkeiten auf eine neue Aufgabe gelenkt worden[64].

Einen interessanten Vergleich bieten die beiden Kruzifixe aus Pavia und Vercelli (Lombardei), von Adriano Peroni mit guten Gründen in das letzte Viertel des 10. Jahrhunderts datiert[65]. So verschieden die Bildwerke von Conques, Essen und Hildesheim in technischer wie stilistischer Hinsicht auch sein mögen, im Vergleich mit den beiden lombardischen Kruzifixen wirken sie wie Geschwister. Hier bleibt die überhaupt nur ganz allgemeine Vergleiche zulassende Gestaltung der Kruzifixe unbeachtet, wir wollen nur die Handwerkstechnik und ihre Materialien betrachten. Beide Kruzifixe sind als Hochrelief ganz aus Silberblech getrieben. Der Korpus von Pavia – aus einem einzigen kreuzförmigen Blech von mindestens 127 cm x 110 cm – ist auf einen Kreuzbalken aus Nußbaumholz von 201 cm Höhe und 156 cm Breite genagelt. Der Hohlraum zwischen Kreuzbalken und geformtem Blech ist mit einer Schmelze aus Pech, Harz (Kolophonium?), etwas Wachs, Mehl und gemahlenem Ziegel (über einer durchlaufenden Bleifolienabdeckung des Holzes?) ausgegossen. Die Köpfe beider Figuren sind aus je zwei starken Blechen vollrund getrieben und in sich wie auch mit dem Korpus verlötet[66]. Die Rückseiten der Kreuze sind mit Bleiblech beschlagen, die Lendentücher vergoldet.

Spontan fällt die Ähnlichkeit der beiden Christusköpfe mit dem spätantiken Portraitkopf der hl. Fides auf. Die Verwandtschaft liegt aber weniger im formal Stilistischen als im Technischen der Treibarbeit begründet. Die Beschreibung der Goldschmiedearbeit bei Taralon (Anm. 61) könnte wörtlich für den Kopf aus Pavia übernommen werden. Hier wird m. E. tatsächlich eine lebendig gebliebene und weiterentwickelte antike Tradition sichtbar, während der Norden die althergebrachten germanischen Techniken – Goldblech auf Holz – für neue Aufgaben zu beleben sucht.

Rudolf Wesenbergs Datierung »vor 1015« und seine Einbindung der »Großen Goldenen Madonna«

in die bernwardinische Kunst[67] war nie umstritten und findet durch die vorliegende technische Untersuchung allenfalls eine bestätigende Ergänzung. Dem handwerklichen Ablauf nachspürend, erfahren wir zudem etwas über die Arbeitsweise der Künstler, sehen, wie sie, gebunden an eine dominierend vorbildliche Hofkunst, dennoch neue Tendenzen mitprägten. Wir können erkennen, daß es zwar schon ein erprobtes handwerkliches Fundament gab, nicht aber die auf komplexe Arbeiten eingespielten Werkstätten, wie wir sie aus dem späteren Mittelalter kennen. Bei aller verfeinerten Endgültigkeit des Entwurfs, die viel Übung und ein entwickeltes Formbewußtsein voraussetzt, haftet der Umsetzung handwerklich und formal etwas Autodidaktisches an.

4. Die Restaurierung

Ältere Maßnahmen: Von einer größeren Reparatur im 13. Jahrhundert wissen wir durch den Eintrag im Domnekrolog (Beitrag Brandt/Anm. 91). Die Nachricht wird durch die Spuren bestätigt; es scheint sich aber damals nur um Maßnahmen an der Goldblechhülle und den Schmuckborten gehandelt zu haben. 1664 folgt eine tiefgreifende Veränderung, veranlaßt durch den Domkleriker Franz Anton von Wissoque, der die originalen Köpfe durch moderne mit natürlichen Haaren ersetzen und den Hocker zum Cherubimthron umwandeln ließ (Abb. 39/40).

Der Thron wurde dabei mit vergoldetem Silberblech verkleidet, auf das man ältere Steinfassungen applizierte. Zumindest bei zweien dieser Bleche

Abb. 40: Restaurierungszettel von 1664

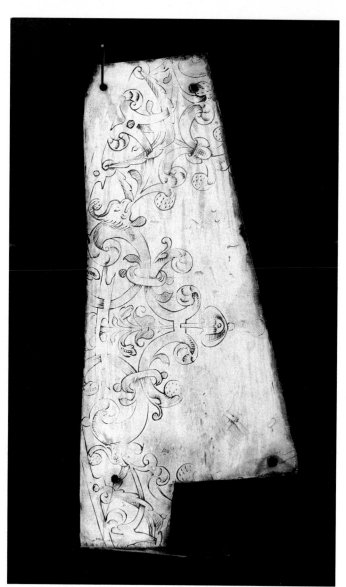

Abb. 41: Silberblech von der Thronummantelung des 17. Jahrhunderts, Rückseite.

64

Abb. 42: Die Große Goldene Madonna
mit den zu Beginn des 20. Jahrhunderts
erneuerten Köpfen.

liegt eine Zweitverwendung vor: auf der Rückseite ist jeweils ein angeschnittenes Ornament zu sehen (Abb. 41). *[M. B.]*

Die Goldblechhülle der beiden Figuren wurde wohl auch bei dieser Renovierung nicht abgenommen, allenfalls teilweise geöffnet und aufgebogen, um besser arbeiten zu können[68]. Verschiedene zusätzliche Reparaturnagelungen mögen damals gemacht worden sein, ganz gewiß sind solche Sicherungen aber auch bei anderen Gelegenheiten vorgenommen worden, beispielsweise beim Anbringen zusätzlicher Schmuckstücke und Votivgaben, wie sie das ganze Mittelalter hindurch gestiftet wurden[69]. Größere Eingriffe mit folgenden Reparaturnagelungen wird auch die Krönung 1645 verursacht haben, bei der zumindest eine neue Hand für das große Szepter und die Stabilisierung der labilen Armmontage nötig waren[70].

Vermutlich im Zusammenhang mit der Neuaufstellung des Domschatzes um 1890 wurden die Wissoque'schen Köpfe gegen geschnitzte und vergoldete ausgetauscht. Über diese, nur durch Fotos überlieferte Maßnahme (Abb. 42) existiert keinerlei Nachricht[71]. 1954/55 wurde eine tiefgreifende Renovierung durch Dr. Joseph Bohland jr. begonnen, bei der alle geschnitzten späteren Zutaten und auch die Goldblechbekleidung abgenommen wurden (Abb. 43–45). Grund waren, wie bei Wesenberg (S. 171) referiert, konservatorische Maßnahmen gegen akuten Schimmelbefall. Das Bildwerk blieb in der Folge mit dem seinerzeit ergänzten Thron und einigen Reparaturen als Holzskulptur in der Domschatzkammer; die Goldbleche und der abgenommene Schmuck wurden getrennt aufbewahrt[72]. Die Köpfe sind seither verschollen, während die barocken Stuhlwangen (Abb. 46), aber auch die Rosenholzpflöckchen und andere Teile unlängst wieder aufgefunden wurden[73]. Ende der 60er Jahre erhielt der Kevelaerer Bildhauer H. Dierkes den Auftrag, neue Köpfe und Hände zu schnitzen, weil die Figur nach dem Wunsch des Bischofs wenigstens bei besonderen Anlässen wieder im Kult verwendet werden sollte. Mit diesen Ergänzungen wurde die Figur im März 1972 in die Werkstatt des Landeskonservators von Westfalen-Lippe gegeben (Abb. 47).

Ein Arbeitsvorschlag des Amtes war Grundlage für ein in Verhandlungen mit dem Diözesankonservator Pfarrer Engfer in mehreren Schritten festgelegtes Restaurierungskonzept. Außer der genauen Untersuchung und Bestandsaufnahme sollte eine Form der Wiederherstellung gefunden werden, die auch den kultischen Gebrauch der Figur ermöglichen sollte[74]. Alles zum ursprünglichen Bestand Gehörige, aber auch

Abb. 43:   Abnahme der Thronummantelung 1954.

Abb. 44, 45: Zustand der Großen Goldenen Madonna nach Abnahme der Goldbleche 1954.

Abb. 46:
Thronkasten und Wange,
Zustand 1989.

alles, was die ältere Geschichte dokumentiert, sollte erhalten bleiben bzw. wenn arbeitsbedingt demontiert, wieder an seinem Platz, wie vorgefunden, angebracht werden. So wurden auch die nachträglich gezogenen Gold- und Silbernägel wieder an ihre ursprüngliche Stellen mit den Blechrestchen eingesetzt, originale Sperrgrund- und Hinterfüllungsreste wurden belassen, soweit sie irgend bei der Abnahme des Dispersionsüberzugs erhalten werden konnten.

Vorzustand: Außer den Köpfen, der rechten Hand der Marienfigur und beiden Armen des Christuskindes fehlten die beiden hinteren und Teile der vorderen Thronpfosten mit den hinteren Bogenhälften und der Bodenplatte (Abb. 2, 4, 5 u. 11)[75]. Am Thron war das Fehlende einschließlich der 1664 abgesägten Profile durch aufgeleimte Eichenholz- und Lindenbrettchen komplettiert[76]. Die durch Anobien oder Fäulnis verursachten Ausbrüche im unteren Bereich waren mit Nitrozelluloseholzkitt überbrückt[77]. Am stark geschwundenen Rückenbrett hatte Bohland seitlich einen Lindenholzstreifen angeleimt, um das Herausfallen aus der Schwalbenschwanzführung zu verhindern. Von ihm rührt wohl auch die Begradigung am Halsausschnitt her, wo das Foto von 1954 (Abb. 44) noch Faltenansätze des Pallaumschlags zeigt. Zerbrochen und mit Dispersionsleim verleimt waren das Rückenbrett in Höhe des Gürtels, gleich zweimal der eingesetzte rechte Tunikaärmel sowie die hintere linke Thronecke.

Zu den historischen Schäden mit Informationswert zählen die Schnittspuren auf den Pallasäumen auf der Brust (Abb. 2) und der Ovalschnitt unten auf der Tunika, wo Goldblech ausgeschnitten wurde (Abb. 21), um Steinfassungen oder Borten vernieten zu können. Auch eine Anzahl weiterer Nagellöcher im Halsumschlag der Palla, auf der Brust von Marienfigur und Kind, zwischen den Füßen des Kindes und auf dem Mittelstreifen der Tunika rühren von solchen Montagen.

Jüngere Schäden stammen von der Abnahme der Bleche, wo etliche Eindrücke im Holz zeigen, wie die festsitzenden Nägel herausgehebelt worden sind und

Abb. 47: Die Große Goldene Madonna, Holzkern mit den Kopfergänzungen von Dierkes, Kevelaer.

dabei auch oft Holz ausgerissen haben. Auf der Schulter im Rückenbrett sind Eisennägel auch mit schmalen Hohleisen ausgestochen worden.

An der Thronlehne ist ein Riß, vermutlich seit 1664, gespänt; die Ausstiftung der Nagellöcher stammt von 1954. Fraßschäden von altem Anobienbefall an der Oberfläche waren gering und auf den unteren Teil der Figur bis etwa Kniehöhe beschränkt. Nur so weit reichten auch die Fäulnisschäden, weshalb das Holz von Bodenplatte und Thron teils abgebrochen, teils zu verschiedenen Zeiten zurückgeschnitten worden war. In den oberen Partien waren Fäulnis- bzw. Pilzschäden zwar nicht sichtbar, an Kanten und vorstehenden Partien war das Holz aber oft nicht mehr abriebfest. Die Ursache für einige Flecken (Oberschenkel Marienfigur, Abb. 10) wurden nicht geprüft, andere sind durch Rosthöfe von Nägeln entstanden.

Die Throninnenseite und die Lehne trugen flächige Reste eines dunkel ockerfarbenen Ölfarbenanstrichs unbekannter Entstehungszeit[78] über den schwarzbraunen wachshaltigen Resten der Hinterfüllmasse. Von den ehemals gefaßten Händen, den Füßen und Schuhen waren alle Farbschichten – auch die originalen – bis auf spärliche Reste an den weniger gut zugänglichen Abseiten abgeschabt worden. Die Farbverluste auf der Plinthenoberseite sind dagegen wohl zu einem nicht geringen Teil auch von unten eingezogener Feuchtigkeit und Holzfäule zuzuschreiben. Die fäulniszernarbte Standfläche der Figur ist seit 1954 mit einem kolophoniumhaltigen Holzschutzpräparat gefestigt; wohl gleichfalls aus dieser Zeit stammte der gelblich milchige Dispersionsüberzug (Caparol?) auf der gesamten Figur[79].

Maßnahmen: Nachdem der Einlieferungszustand untersucht, fotografisch dokumentiert und auf dem Abguß farbig kopiert worden war, wurde der Dispersionsfilm zusammen mit der vorher aufgetragenen Abgußisolierung aus Wachs, eingebackenem Schmutz und allerlei Flecken mit Azeton, teils auch mit Methylenchlorid oder Dioxan abgenommen. Die Nitrozellulose-Holzkittungen lösten sich ebenfalls leicht mit Azeton. Die fortlaufend während der Arbeit gemachten Beobachtungen wurden notiert und fotografiert.

Alle gut sitzenden älteren Leimungen wurden belassen. Sie zu lösen, hätte für das nicht mehr gesunde Holz eine riskante Strapaze bedeutet. Gelöst und mit Warmleim neu verleimt wurde aber die hintere Thronecke, nachdem das hier relativ morsche Holz nach Abnahme aller Thronergänzungen von 1954 nur noch labil verbunden war. Abgelöst wurden auch die von Bildhauer Dierkes angeleimten Ärmchen des Christuskindes sowie alle nicht fest eingeschlagenen Schusterstifte[81].

Gereinigt und von Ergänzungen befreit, erhielt das Holz einen Überzug von dünnem, heißem Leimwasser, das in das gelockerte Fasergefüge einzog und so eine leichte Verfestigung bewirkte. Dieser Leim wurde anschließend im Formaldehyddampf gehärtet, womit gleichzeitig Pilzsporen oder Fäulnisbakterien unschädlich gemacht wurden[82].

Wo die verbliebenen Schusterstifte über die Oberfläche hinausstanden, wurden sie zurückgeschnitten. Alle offenen Nagellöcher und Ausrisse wurden, nachdem die ursprüngliche Stelle des Nagelloches mit einer Nadel markiert war, mit eingefärbtem Holzkitt[83] fest ausgedrückt und die Überstände, wenn völlig durchgetrocknet, auf das Holzniveau zurückgeschnitten. Um Schwundrisse zu vermeiden, wurde die Kittung so oft wiederholt, bis kein Haarriß mehr sichtbar blieb. Die nachgeschnittenen Kittungen wurden ihrer Umgebung in Farbe und Struktur mit Aquarellfarbe angepaßt.

Ein neuer Unterbau für den Thron war erforderlich, damit die Figur überhaupt stehen kann; er wurde aus Lindenholz den zufälligen Bruch- und Schnittlinien so angepaßt, daß er ohne Leimung hält und jederzeit abgezogen werden kann[84]. Notwendig, in Haltung und Formfindung glücklicherweise aber unproblematisch, waren auch die Arme des Christuskindes zu ergänzen; die Goldbleche wären sonst ohne Unterstützung frei in den Raum gestanden. Die Hände mit den Attributen sind abnehmbar gehalten, so daß die Figur auch ohne diese stark mitsprechenden Ergänzungen gezeigt werden kann[85].

Der Kopf für die Marienfigur ist mit einem rechteckigen Büstenstück so geschnitzt, daß er genau in die Ausnehmung zwischen den Schultern paßte (Abb. 50/51). Die Verbreiterung unter der schmalsten Stelle des Halses wurde anschließend abgespalten und die Späne wieder zu einer Hohlform zusammengeleimt, die wie eine profilierte »Führung« genau um den verbliebenen Halszapfen paßte. Mit fünf Klebepunkten wurde diese Hohlform im Halsausschnitt der Figur mit Warmleim befestigt, so daß der Kopf in die unregelmäßige enge »Führung« eingeschoben bzw. herausgezogen werden kann. Die eingeleimte Hohlform ist zur Unterstützung der originalen Bleche dort unverzichtbar[86].

Abb. 50, 51: Die Große Goldene Madonna, Zustand nach der Restaurierung 1977 mit den neuen Ergänzungen.

Der Tunikaärmel wurde mit flachen Holzkeilen festgesetzt und durch die Brandbohrung mit einem konisch angepaßten Dübel arretiert. Die verbliebene breite Fuge zum unteren Zipfel wurde wie die breite, schwundbedingte Fuge zwischen Rückenbrett und Führung mit Holzkitt über Aluminiumfolie geschlossen und so quasi verkeilt. Alle Ergänzungen können problemlos und ohne Schäden für das Original wieder gelöst werden.

Mit Rücksicht auf das Gesamtbild wurden von den einsehbaren Flächen der ehemals farbigen Inkarnate und Schuhe verschmierte Farbe und Ölgoldreste teils mit Lösemitteln, teils mit dem Skalpell entfernt. Zu hell herausstechende Flecken der originalen und der historischen Überfassung wurden mit Aquarellfarbe leicht bräunlich lasierend gebrochen.

Die Bekleidung mit den Goldblechen brachte gewisse Schwierigkeiten, da der Holzkern beträchtlich geschwunden war und deshalb die Einzelbleche häufig nicht mehr auf ihre zugehörigen Holzformen paßten (Abb. 29). So wurde zwar versucht, die Platten unter Verwendung der alten Löcher in Holz und Blech wieder zu applizieren, einige Abweichungen waren aber unvermeidlich. So mußten z. B. das Brustblech für das Christuskind über der rechten Schulter etwas höher auf das Rückenblech hinaufgezogen und damit zwei neue Nagellöcher in das Rückenblech gestochen werden, weil sonst das Brustblech zu einem »Gänsebauch« hätte gestaucht werden müssen. So ist auch das Schulterblech links leicht gebaucht worden, um die alten Nagellöcher wieder benutzen zu können und hier das unterliegende Blech nicht noch einmal perforieren zu müssen. Das Blech für den linken Ärmel ist – anders als ursprünglich – heute unter das angrenzende Rückenteil gelegt, weil so das durch zahlreiche ausgerissene Löcher geschwächte angrenzende Blech besser gehalten wird. Aus den gleichen Gründen ist die Überlappung zwischen dem Ärmelfutter des rechten Arms und dem Beinblech jetzt umgekehrt worden; das dünne Futterblech ist so weniger gefährdet.

Anstelle der 1975 noch verschollen geglaubten Borten sind Goldblechstreifen mit dünnen begleitenden Randgraten unterlegt worden [87]. Mit Rücksicht auf ein geschlossenes Gesamtbild wurden auch alle alten Blechausschnitte und Fehlstellen hinterlegt. Die erforderlichen Nägel wurden aus Golddraht neu angefertigt, alle Goldblechergänzungen sind mit einer kleinen Stempelsignatur als solche gekennzeichnet.

Die wieder mit ihrer Goldhülle bekleidete Figur ist äußerst empfindlich, weil den dünnen Blechen der feste Rückhalt fehlt. Da das Bildwerk künftig in seiner Vitrine in der Schatzkammer bleiben soll, ist die Goldhülle nicht, wie sonst üblich, mit Pech oder Wachs hinterfüllt worden. Eine solche Hinterfüllung wäre fast irreversibel und deshalb schwer zu verantworten gewesen. Für den kultischen Gebrauch wie für auswärtige Ausstellungen soll heute die genaue Kopie dienen (Abb. 48, 49).   *K. E.*

5. Saumborten und Schmuckbeschläge [88]

Als hochverehrtes Gnadenbild war die »Goldene Madonna« schon im Verlauf des Mittelalters über und über mit Votivgaben behängt. Mehr als hundert Ringe, Ketten und sonstige Schmuckstücke werden allein im Domschatzverzeichnis von 1438 aufgeführt, dem wir auch entnehmen können, daß die Madonna damals »myt eynem syden mantele . . . myt finen parlen, myt manigerleye belden« bekleidet war, an dem 25 Ringe hingen [89].

Eine der ältesten Votivgaben dürfte der große Adlerfürspan gewesen sein, der noch zu Anfang des 19. Jahrhunderts auf der Brust des Kindes befestigt war (vgl. Abb. 37 / 38). Allem Anschein nach handelte es sich um eine Arbeit vom Anfang des 13. Jahrhunderts [90].

Einige Jahrzehnte jünger ist die aus Mittelstein und Ringbrosche bestehende Agraffe, die von der Brust der Madonna stammt und ursprünglich sicher ebenfalls als profanes Schmuckstück gedient hat (Abb. 52).

Abb. 48, 49: Kopien des Holzkerns und der restaurierten Madonna.

Abb. 54: Ziernägel vom Gewand der Madonna.

Abb. 53: Bergkristall in Zacken-
fassung vom Gewand
der Madonna.

den vier Ziernägeln, die hinter dem Christuskind auf der Goldenen Madonna befestigt waren (Abb. 54), gehört er vielleicht zu einer umfassenderen Ausschmückung des Gnadenbildes, die – nach den Schmuckformen zu urteilen – etwa um 1400 erfolgt sein könnte.

Handelt es sich bei den eben besprochenen Schmuckbeschlägen um spätere Hinzufügungen, so sind die prächtigen Saumborten offensichtlich von Anfang an vorgesehen gewesen. Besonders deutlich wird dies an den Ärmeln der thronenden Madonna, wo schon im Holzkern bei der Faltenführung ein entsprechender Randstreifen ausgespart blieb (Abb. 55). Die hier erhaltenen Filigranstreifen sind in dieser Form (Abb. 56) allerdings erst im 13. Jahrhundert denkbar. Der widersprüchliche Befund findet seine Erklärung in jenem Ereignis, das ein Schreiber im 2. Jahrzehnt des 13. Jahrhunderts im Gedenkbuch des Hildesheimer Domkapitels vermerkt hat, um es für alle Zeiten in Erinnerung zu halten.

Der große Kristall, der ganz unmaßstäblich zwischen die Beine der Marienfigur gesetzt war und dabei ein feinliniges Rautenmuster überschnitten hat (Abb. 39/53), stammt vermutlich erst aus dem späteren Mittelalter. Zusammen mit den vier gleichartig gefaßten Bergkristallen von der Vorderseite des Thrones und

Abb. 56:
Saumborten von den Ärmeln
der Madonna.

Abb. 55:
Holzkern, Detail des linken
Ärmels der Madonna.

Von einem schweren Einbruch in den Dom ist dort die Rede, der wie durch ein Wunder in letzter Minute vereitelt werden konnte. Um ein Haar wären ihm zwei der größten Heiligtümer des Domes zum Opfer gefallen, das Kopfreliquiar des hl. Oswald und die Goldene Madonna, von der die dreisten Diebe schon Teile der Verkleidung heruntergerissen hatten[91].

Es liegt nahe, daß die Einbrecher sich zunächst an den wertvollsten Beschlägen zu schaffen machten und dabei z. T. die edelsteinbesetzten Säume herausbrachen. Neben den Ärmelbesätzen ist ihnen dabei offenbar auch eines der Beschlagstücke von den Rändern des Kopftuches der Thronenden zum Opfer gefallen. Der vom Betrachter aus rechte Zierstreifen (Abb. 57) stimmt jedenfalls hinsichtlich seiner Fassungen, der Montierung mit verdeckt unter den Steinen eingearbeiteten Befestigungsnägeln und der Beschaffenheit des Filigrandrahtes so genau mit den silbervergoldeten Ärmelbesätzen überein, daß er aus derselben Werkstatt stammen muß. Die formalen Unterschiede finden ihre Erklärung in dem Bemühen um Angleichung an das ältere Gegenstück.

Von den originalen Saumbesätzen ist also lediglich der linke Streifen der Palla enthalten (Abb. 56). Im Gegensatz zur jüngeren Ergänzung besteht dieses Teil aus Gold, ebenso wie das halbmondförmige Halsgeschmeide der Madonna, das genau in den Faltenverlauf eingepaßt ist. Aus Gold sind schließlich auch die beiden mittleren Steinfassungen von der barocken Verkleidung des Thrones (Abb. 58 / 59), die – wie bei der Essener Madonna – ursprünglich auf den Thronpfosten gesessen haben könnten. Alle diese Teile haben außerdem die gleichen spiraligen Filigrandrähte und übereinstimmende Grundmuster an Saumbesatz und Halsgeschmeide. Auch die Arkadensockel der beiden Goldfassungen vom Thron und der Filigrankuppeln am halbmondförmigen Schmuckstück (Abb. 60) sind vollkommen deckungsgleich, so daß an der Zusammengehörigkeit dieser Teile kein Zweifel bestehen kann[92]. Als meisterhafte Zeugnisse ottonischer Goldschmiedekunst stehen die Thronfassungen und das Halsgeschmeide einigen Stücken des in Mainz gefundenen »Kaiserinnenschmuckes« erstaunlich nahe[93].

Wie beim Mainzer Tasselpaar scheinen z. B. auch die Filigranbuckel in Hildesheim mit Perlen durchsetzt gewesen zu sein[94]. Besonders typisch für die Schmuckkunst der Ottonenzeit ist ferner die transparente Stufung der Fassungen am Thron. Der »Lilien«-Kranz, der den Edelstein umschließt, ruht hier sogar gleichsam freischwebend auf einer umkränzenden Goldspirale, wie es sonst m. W. nirgends überliefert ist.

»Ars clusoria«, die Kunst, Steine zu fassen, gehörte zu jenen künstlerischen Fertigkeiten, mit denen schon der junge Bernward sich auf der Hildesheimer Domschule vertraut machte und die er auch später nachdrücklich förderte[95]. Die Zierbeschläge der Goldenen Madonna sind in ihrem ältesten Bestand ein anschauliches Zeugnis für die außerordentliche Kunstfertigkeit der Hildesheimer Werkstätten auf diesem Gebiet.

M. B.

Anmerkungen:
[1] R. Hamann, Grundlegung zu einer Geschichte der mittelalterlichen Plastik Deutschlands. in: Marburger Jahrbuch für Kunstgeschichte Bd. 1 1924. Die von Hamann darin noch erwogene Datierung des Gerokreuzes in den Anfang des 11. Jahrhunderts (S. 18) wurde von ihm selbst in »Studien zur ottonischen Plastik« im Städel-Jahrbuch 6, 1930 auf die heute allgemein akzeptierte und inzwischen auch naturwissenschaftlich untermauerte Datierung (hierzu siehe Anm. 12) in die Regierungszeit Erzbischof Geros (979 bis 976) präzisiert.
[2] R. Hamann wie Anm. 1 a.a.O., S. 4 »Der Primitivität des 12. Jahrhunderts geht eine Reife voraus mit allen Merkmalen einer Spätkunst.« H. Belting, Beobachtungen an vorromanischen Figurenreliefs aus Stein. in: Kolloquium über frühmittelalterliche Skulptur. Mainz 1969, S. 47 grenzt den Stilbegriff »romanisch« gegen die Vorläufer ab. Der Begriff vorromanisch sei ein negativer Stilbegriff, er dürfe nicht im Sinne von »noch nicht romanisch« mißverstanden werden und das »Romanische« sei *keine* Entwicklung aus dem »Vorromanischen«.
[3] Die materialreichsten Zusammenstellungen bieten H. Keller, Zur Entstehung der sakralen Vollskulptur in der ottonischen Zeit. in: Festschrift H. Jantzen, Berlin 1951 und Chr. Beutler, Bildwerke zwischen Antike und Mittelalter. Unbekannte Skulpturen aus der Zeit Karls des Großen. Düsseldorf 1964, S. 23 ff.

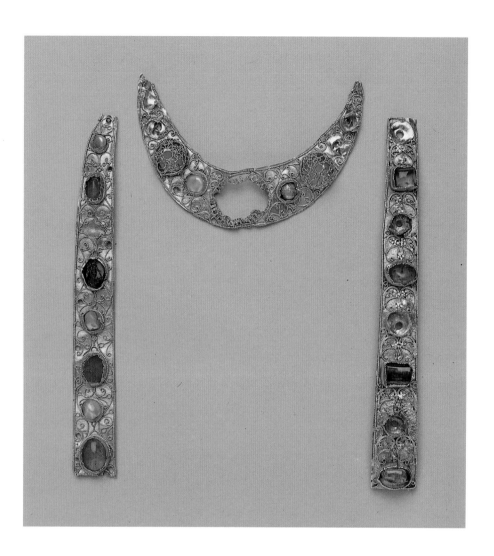

Abb. 57:
Saumborten von der Palla
und Halsgeschmeide der
Madonna.

[4] Siehe vor allem R. Wesenberg, Frühe mittelalterliche Bildwerke. Die Schulen rheinischer Skulptur und ihre Ausstrahlung. Düsseldorf 1972 (Besonders erläutert an den Beispielen Gero-Kruzifix, S. 14 f und Figurenfragmente aus St. Pantaleon, S. 23 f) Fakten und Materialien zur genaueren Stilanalyse bieten auch mehrere Beiträge der beiden »Kolloquien über spätantike und frühmittelalterliche Skulptur« Mainz 1968 und 1970. Einzelne Beiträge daraus werden jeweils im Zusammenhang genannt.

[5] Zu den theologischen Auseinandersetzungen um die Zulassung sakraler Bilder siehe die hierzu zusammengestellten Quellen bei H. Keller und Chr. Beutler (wie Anm. 3) sowie R. Haussher, Die Skulptur des frühen und hohen Mittelalters an Rhein und Maas. in: »Rhein und Maas«, Kunst und Kultur 800 bis 1400. Berichte,

Beiträge und Forschungen zum Themenkreis der Ausstellung und dem Katalog, Köln 1973, S. 387–406.

[6] H. Keller (wie Anm. 3). Für die Essener Madonna nimmt Keller einen Reliquienbehälter an, dieser sei jedoch nicht mehr nachweisbar, weil der Holzkern 1906 entfernt worden sei. So auch J. Braun, Die Reliquiare des christlichen Kultes und ihre Entwicklung. Freiburg 1940 und andere Autoren.

Tatsächlich wurde der schwammartig zerfressene Holzkern entwest und mit einer Masse aus Leim, Kreide und Harz zur Verfestigung ausgegossen. Die sehr anschauliche und informative Beschreibung dazu von P. Clemen in: Berichte über die Tätigkeit der Provinzialkommission für Denkmalpflege in der Rheinprovinz XI, 1906, S. 11.

[7] Tatsächlich enthalten etliche der figürlich als Gliedmaßen, als Kruzifixe oder Madonnen gestalteten Reliquienträger gar keinen auf die Darstellung bezogenen Inhalt, wie ein Blick auf Reliquienverzeichnisse lehrt. Mehrere Autoren weisen auf dieses Faktum hin z. B. D. Frey, Kunstwissenschaftliche Grundfragen. Prologomena zu einer Kunstphilosophie, Wien 1946 S. 109; H. Schrade (wie Anm. 8), S. 51 und H. Claussen, in: H. Claussen und K. Endemann, Zur Restaurierung der Imad-Madonna, in: Festschrift Cl. Honselmann, Münster 1971, S. 88, ein Klärungsversuch zur Wertigkeit des »Realitätsbezuges« bzw. zum hierarchischen Unterschied zwischen »redenden Reliquiaren« und Skulpturen mit Reliquiendepot wurde m. W. bisher nicht versucht. Hierzu siehe auch J. Taubert, Reliquien und Reliquienrepositorien in Skulpturen, in: Farbige Skulpturen. München 1978, S. 28 f.
Bei der Diskussion um das Kultbild und seinen Reliquiarcharakter im frühen Mittelalter ist zu bedenken, daß darin deponierte Reliquien immer völlig unsichtbar untergebracht waren. Ab dem 13. Jahrhundert werden dagegen, analog zu der Tendenz Reliquiare als Ostensorien zu gestalten, Reliquien auch bei Holz- und Steinfiguren gerne hinter einem Glas oder Bergkristall gezeigt. Neben den reliquientragenden Figuren muß es aber auch solche ohne Reliquien gegeben haben (Hierzu siehe die Befunde zum Gerokruzifix: Chr. Schulze-Senger u. a., wie Anm. 12). Wie anders wäre es zu vestehen, daß selbst edelmetallbekleidete Figuren in historischen Quellen nicht für reliquientragend gehalten werden konnten, wenn kein Repositorium gefunden wurde (siehe oben H. Claussen S. 88).

[8] H. Schrade, Zur Frühgeschichte der mittelalterlichen Monumentalplastik, in: WESTFALEN 35, 1957. Hier besonders S. 62 f.

[9] Chr. Beutler (wie Anm. 3); ders., in: Statua. Die Entstehung der nachantiken Statue und der europäische Individualismus, München 1982. Auch R. Haussherr (wie Anm. 5), S. 389 und R. Wesenberg (wie Anm. 4) schließen eine Kontinuität nicht aus.

[10] R. Wesenberg (wie Anm. 4), versucht m. E. am konsequentesten das Antike in frühmittelalterlichen Skulpturen herauszuarbeiten. Seine Herleitungen ottonischer Körperlichkeit und Statuarik aus provinzialrömischer Kunst sind mir dennoch nicht selbstverständlich nachzuvollziehen (S. 14 f). Auch sie enden letztlich meist bei Motivanalogien und belegen damit nur, daß es sich bei dem Antiken in frühmittelalterlicher Plastik eben nicht um Tradiertes und Weiterentwickeltes, sondern um Adaptiertes handelt. Erfolg bei der Suche nach verborgenen Verbindungen zur Spätantike kann m. E. erst erwartet werden, wenn die Frage beantwortet ist, wie es zu verstehen sei, daß die sich aus den Trümmern des römischen Imperiums neu formierenden Staatengebilde bei ihrem Bemühen um künstlerische Selbstdarstellung die allenthalben vorhandenen römischen Vorbilder so konsequent ignorierten. Von Rom und den unter direktem byzantinischem Einfluß stehenden Gebieten Italiens abgesehen, ist vom 6. bis ins 8. Jahrhundert selbst in den an Denkmälern reichen ehemaligen römischen Provinzen der Bruch mit der Antike vollkommen. Das betrifft alle Kunstgattungen einschließlich der Architektur. Über-

nommen wurden allenfalls Versatzstücke (im wirklichen wie im übertragenen Sinne) oder einzelne technische Lösungen. Erst wenn die Gründe für das Desinteresse der Erben bekannt sind, scheint es mir möglich, das dennoch Übernommene zu identifizieren. Es ist dies ein kulturhistorisches Phänomen, das sich bei ähnlichen Konstellationen in der Geschichte immer wieder feststellen läßt.

[11] Zuletzt R. Haussherr, (wie Anm. 5), S. 390. Noch einmal sei hier auf das in diesem Zusammenhang oft zitierte *Liber miraculorum Sancte Fidis* verwiesen, in dem der Chartreser Domscholaster Bernhard von Angers beschreibt, wie er bei einer Reise durch die Auvergne zu Beginn des 11. Jahrhunderts zuerst mit Erstaunen und Befremden goldene Statuen der Ortsheiligen in den Kirchen sah, ein Brauch, in dem *er* direkte heidnische Tradition erblickte. Aus seinen Äußerungen ist eindeutig zu schließen, daß in Nordfrankreich zu seiner Zeit Kultbilder in den Kirchen, mit Ausnahme des gekreuzigten Christus, unbekannt waren.

[12] P. Philippot, Polychromie und Realitätscharakter in der Entwicklung der mittelalterlichen Plastik, in: Österreichische Zeitschrift für Kunst und Denkmalpflege XLII, Heft 1/2 1988, S. 48: »... und bisher wurden nur sehr wenige Versuche unternommen, die Farbdimension systematisch in eine Stilgeschichte der Plastik einzubauen«.
Üblicherweise werden die Ergebnisse technischer und naturwissenschaftlicher Untersuchungen als Folge von Restaurierungen heute protokolliert, vielfach auch veröffentlicht. Als Beispiele für »beachtliche Konsequenzen und Revisionen der Kunsthistorie« (A. Legner) als Folge des Erkenntniszuwachses seien aus dem hier behandelten Themenkreis genannt: 1. Der Gero-Kruzifixus, bei dem der Befund die Diskussion um die Ikonographie beendete und der als einer der frühesten und wichtigsten Zeugen für Kellers Theorie vom Reliquiarcharakter sakraler Skulpturen ausfiel. (Siehe Chr. Schulze-Senger, B. Matthäi, E. Hollstein und R. Lauer, Das Gero-Kreuz im Kölner Dom. Ergebnisse der restauratorischen und dendrochronologischen Untersuchung im Jahr 1976, in: Kölner Domblatt 41, 1976). .2. Die Imad-Madonna, bei der die Entdeckung der polychromen Erstfassung der These widersprach, das Kultbild des Mittelalters habe sich aus dem mit Goldblech bekleideten Figurenreliquiar entwickelt. (Siehe Anm. 7, H. Claussen und K. Endemann).

[13] Im m. W. einzigen Beispiel wurde für die Erforschung des Frühwerks von Tilmann Riemenschneider eine gründliche technische Bestandsanalyse vorausgeschickt. Hierbei wurden alle zugeschriebenen Werke von einem eigens dafür zusammengestellten Restauratorenteam untersucht (siehe Katalog: Tilman Riemenschneider – Frühe Werke. Würzburg 1981). Normalerweise fallen technische Beobachtungen als Nebenprodukt bei Restaurierungen ab.

Abb. 58: Schmuckbeschläge vom Thron, Seitenansicht.

Abb. 59: Schmuckbeschläge vom Thron, Draufsicht.

Abb. 60: Halsgeschmeide der Madonna, Seitenansicht.

[14] Als m. W. erster Bestandskatalog eines Museums in der Bundesrepublik, in dem auch technische Daten referiert und in die wissenschaftliche Bearbeitung mit fruchtbaren (aber noch keineswegs ausgeschöpften) Ergebnissen einbezogen wurden, ist soeben, von A. Legner herausgegeben, erschienen: Das Schnütgenmuseum. »Die Holzskulpturen des Mittelalters 1000 – 1400«, Köln 1989. In diesem Sinne als Pionier vorausgegangen war der Katalog der Ausstellung »Christus im Leiden« des Landesmuseums Stuttgart, bearbeitet von H. Meurer und H. Westhoff.

[15] J. Taubert, Farbige Skulpturen, Bedeutung, Fassung, Restaurierung, München 1978.

[16] H. P. Hilger und E. Willemsen, Farbige Bildwerke des Mittelalters im Rheinland, in: Die Kunstdenkmäler des Rheinlandes, Beiheft 11, Düsseldorf 1967.

[17] P. Philippot (wie Anm. 12) S. 48 f.

[18] M. Hasse, Maler, Bildschnitzer und Vergolder in den Zünften des späten Mittelalters, in: Jahrbuch der Hamburger Kunstsammlungen 21, 1976, Anm. 8. In Hamburg, Lübeck und anderen Hansestädten war für Kirchenskulpturen Eichen- oder Nußbaumholz vorgeschrieben.

[19] Die oft fast lebensgroßen Vesperbilder vom Typ der Scheuerfelder Pietà, von der es – sieht man von der niederdeutschen Tiefebene ab – Verwandte in ganz Deutschland gibt, sind sämtlich aus Pappelholz geschnitzt und sehr weitgehend ausgehöhlt. Neben der praktischen Erwägung, daß Pappelholz nicht so leicht reißt, mag auch ein Grund gewesen sein, daß die Bilder in Prozessionen mitgetragen wurden und deshalb nicht so schwer sein sollten. Auffällig ist, daß das bis etwa 1430/40 bevorzugte Weiden- und Pappelholz ganz plötzlich überall von Lindenholz verdrängt wird. (In Wirklichkeit ist das Bild vielschichtiger und komplizierter. Hier soll nur am Beispiel gezeigt werden, daß solche technischen Daten zu Provenienz- oder Datierungsfragen durchaus mit herangezogen werden können.)

[20] Auch zur Erkennung von Fälschungen werden Vergleiche mit zeittypischen Handwerkstechniken erfolgreich verwendet.

[21] Mit dem ergänzten Kopf, der die ursprüngliche Höhe einigermaßen genau erreicht, ist die Figur einschließlich Sockel 69 cm hoch. Die heutige Breite mißt an der weitesten Ausladung des Throns, dessen obere Zarge für die barocken Ergänzungen allerdings beschnitten wurde, 25,5 cm. Die Tiefe, gemessen von der Thronlehne bis zu den Knien des Kindes, beträgt 25,2 cm.

[22] Eine anatomische Holzartenbestimmung wurde nicht durchgeführt, es handelt sich, nach der Faserstruktur zu urteilen, aber um Weide, eventuell auch Pappelholz.

[23] R. Wesenberg, 1955, S. 171. Daß die Figur »... quae dicitur de ligno Roseti miraculos« der Überlieferung nach aus dem Holz des wundertätigen Rosenstocks geschnitzt sei, berichtet u. a. auch die Urkunde von 1664, die bis 1954 im Thron der Statue angesiegelt war. (Nicht zu verwechseln mit dem »Rosenholz« für Furniere, einer tropischen Palisanderart.)

[24] Bis zur Mitte des 13. Jahrhunderts bleibt es ein geradezu typisches Merkmal der Holzbildnerei, für die oft noch relativ kleinen, vollrunden Figuren Stämme zu verwenden, in deren Durchmesser die geplanten Figuren gerade Platz haben. Erst mit einer kontinuierlicheren Produktion setzt, besonders in den Altarbauwerkstätten, die Holzbevorratung ein, was zugleich die Aufteilung der Stämme erfordert, damit das Reißen vermieden wird. Für große Figuren bleibt es bis zum Ende des 18. Jahrhunderts auch weiterhin üblich, den ganzen Stamm frisch geschlagen zu verarbeiten. Im Falle unserer Madonnenfigur muß davon ausgegangen werden, daß der erforderliche Stamm, ein ca. 50jähriger Baum, gefällt wurde, als die Arbeit ausgeführt werden sollte.

[25] Daß ehemals eine Bodenplatte durchlief, zeigt nicht nur der noch erkennbare Absatz an der Thronvorderwand, sondern vor allem die komplizierte und mühselige Art und Weise, in der der Schnitzer den Hohlraum unter dem Sitz ausgestemmt hat. An den Werkspuren ist noch genau zu sehen, daß er sein scharfes breites Balleisen von der Rückseite mit kräftigen Schlägen in das Holz der hierbei auf dem Gesicht liegenden Figur getrieben hat. Das Holz zwischen den Schnitten hat er abgesprengt, wie man verfährt, wenn z. B. ein Schrägschnitt nicht möglich ist. Wäre die Öffnung von unten her zugänglich gewesen, hätte der Meister den Arbeitsaufwand und die damit verbundenen Risiken sicher vermieden. Bei dieser Prozedur war die Figur vorn bestimmt erst relativ roh ausgeführt.

[26] Alle originalen Holzverbindungen wurden mit quadratischen bzw. rechteckigen Zapfen bewerkstelligt; so auch die Befestigung der linken Hand der Marienfigur, die heute ein zu starker Buchenholzdübel hält (von der Restaurierung 1954 durch Dr. J. Bohland jr.).
Insgesamt zählt man 5 quadratische Zapflöcher. Mit rechteckigen Zapfen sind bzw. waren außerdem der Tunikaärmel und beide Köpfe angesetzt (s. u.).

[27] Kratz S. 172.

[28] Der Eisenstift war schon im 17. Jahrhundert nicht mehr vorhanden, was durch die Farbe der barocken Thronübermalung belegt wird, die in das Loch hineingelaufen ist.

[29] Um das radiale Aufreißen sicher zu verhindern, wäre es erforderlich gewesen, den Kern vollständig herauszunehmen. Wie bisherige Beobachtungen zeigen, lassen die Bildschnitzer bis etwa zur Mitte des 13. Jahrhunderts bei Rückseitenaushöhlungen häufig ein bis zwei Querstege stehen. (Soweit ich sehe, nur bei Weichholzfiguren.) Wir können nur annehmen, daß man sich von einer spantenartigen Austeifung eine größere Stabilität versprochen hat. Eine eindeutige Erklärung für dieses zeitgebundene »Charakteristikum« fällt schwer, zumal etliche Fälle bekannt sind, bei denen horizontale Einschubbretter erst nach dem Aushöhlen eingesetzt wurden, und wieder andere, bei denen eindeutig eine der so entstandenen Zellen als Reliquienrepositorium benutzt wurde.
Daß diese »unfachlich« gehöhlten oder selbst ganz massiv gebliebenen Figuren trotzdem nicht gerissen sind, liegt an den zumeist verwendeten weitzelligen Hölzern wie Weide und Pappel.

[30] Letzte Reste dieses die Schultern verbindenden Holzsteges sind

noch auf der Aufnahme Wehmeyers von 1954 zu erkennen, die nach Abnahme der Goldhülle gemacht wurden (Abb. 44), sie können also nur von J. Bohland jr. oder von Bildhauer H. Dierkes aus Kevelaer beseitigt worden sein. Von J. Bohland wurden auch andere Begradigungen vorgenommen, siehe Restaurierbericht, Vorzustand.

31 Die Art der Verbindung entspricht mehr der Technik von Steinmetzen und Steinbildhauern.

32 Auch der Tunikaärmel und die Rückenplatte weisen solche Brandspuren auf. Für einen Dübel sind die Löcher zu eng und auch zu unregelmäßig in der Form. Entweder waren hier Metallstifte eingeführt und mit Pech o. ä. vergossen, oder die Gußmasse wurde durch die Löcher zur Fixierung in die Zwischenräume gebracht. Reste einer wachsartigen, heute schwarzbraunen Masse wurden in den Zapflöchern für den Ärmel, für die linke Madonnenhand und den rechten Christusarm gefunden. Im Zapfloch für den linken Christusarm steckt noch der abgebrochene Zapfen, eingebettet in eine weiße Masse. Im Zapfloch für den Tunikaärmel liegt die wachsartige Masse auf einer weißen Schicht (wohl der Sperrgrund, s. u.).
Von wann die Brandbohrungen sind, war aus dem Befund nicht zu klären. Es ließen sich allerdings auch keine Erkenntnisse gegen ihre Ursprünglichkeit gewinnen. Für eine originale Situation spricht, daß solche Stiftarretierungen nur ursprünglich eingesetzte Teile sichern. (Die jüngeren Thronergänzungen usw. waren, der gebräuchlichen Praxis ihrer Zeit entsprechend, genagelt, gedübelt und geleimt.)
In den Manschetten der Ärmel und in der Schulter des Kindes befinden sich ebenfalls solche Löcher, hier aber ohne erkennbare Brennspuren. Für einen Löffelbohrer sind diese Löcher aber zu dünn, außerdem wäre das Bohren, z. B. im Rücken des Kindes, technisch unmöglich.

33 An verwendeten Schnitzeisen sind nur Balleisen mit gerader oder (vom Schärfen?) leicht gerundeter Schneide zu erkennen, dabei keines unter 6 mm Breite.

34 Am Grund des Hohlraumes fanden sich in einigen tiefer reichenden Bohrungen etliche Bohrspäne, z. T. mit schwarzen, verkohlt wirkenden Rändern sowie zwei Leinwandfetzchen.

35 I. H. Forsyth 1972, S. 122 erscheint die Rückseitenaushöhlung als Reliquienrepositorium nicht überzeugend. Bei der Frage, ob die Figur als Reliquiar gedacht gewesen sein könne, erwartet sie ein spezifischer als Repositorium ausgebildetes Behältnis.

36 Drei Beschlagteile vom Tunikaärmel der Madonna und von den Armen des Kindes, zwei winzige Fragmente, die sich nicht genauer zuordnen lassen, sowie zwei silbervergoldete Streifen vom Übergang zwischen der Thronverkleidung (Sitzfläche) und den Goldbeschlägen der Madonna waren zum Zeitpunkt der Restaurierung 1972–1975 nicht zugänglich. Sie sollen in nächster Zeit, zusammen mit den damals ebenfalls unzugänglichen Saumborten und Schmuckbeschlägen (vgl. Beitrag Brandt), wieder an ihrer ursprünglichen Stelle angebracht werden. [M. B.]

37 Vgl. Beitrag Brandt. Das in der dort (Anm. 91) zitierten Quelle aus dem 2. Jahrzehnt des 13. Jahrhunderts genannte »imago domine nostre«, dessen Beschläge bei einem Diebstahl teilweise abgerissen wurden, dürfte wohl mit der Großen Goldenen Madonna zu identifizieren sein. Die Filigranborten auf den Ärmeln und auf dem reparierten Pallasaum sind in dieser Zeit ergänzt worden (siehe M. Brandt, S. 200 f). Zudem stützt die in diesem Zusammenhang notwendig gewordene Reparatur des Grundblechs die Vermutung, die älteren Borten seien nicht fachmännisch abgenommen worden. Das dabei wahrscheinlich ausgerissene Blech wurde an den Rändern begradigt und mit dem Reparaturblech hinterlegt. Diese Ergänzung und mit ihr die umgebenden Bleche sind nachweislich erstmals 1954 wieder vom Holz gelöst worden. Das belegt die nur einmalige Nagelung mit ihren Ausrißspuren, deren kopflose Stifte aus weißlichem, zugefeiltem Golddraht noch alle bei der jüngsten Restaurierung im Holz steckten. Die Löcher im originalen und im Reparaturblech sind mit den Löchern im Holz deckungsgleich.

38 Die hier referierten technischen Angaben zur Goldschmiedetechnik stammen von Goldschmiedemeister und Restaurator Peter Bolg, Köln, der auch die Restaurierung der Metallteile und die Ergänzungen besorgte.

39 Häufig beobachtet man bei Gold- und Silberblechmontagen auf hölzernen Trägern Einschnitte im Holz, die vom Durchtrennen der Blechüberstände mit einem Messer o. ä. stammen. Die Einschnitte im Holz unserer Madonna stammen jedoch fast nur vom Schnitzen; die Bleche müssen also nach dem Anpassen mit der Schere beschnitten worden sein. Lediglich auf den Schultern des Kindes verweisen die Spuren auf ein Besäumen in situ (Abb. 10).

40 Die Faltengrate des Holzkerns sind an extremen Stellen sichtlich durch die Bearbeitung der Bleche auf dem Holz gerundet und poliert (Werkspur Abb. 19).

41 Die geschnitzten Falten auf dem rechten Knie der Madonna, die Doppelfalte auf ihrer linken Seite über dem Sitzkissen, die Stichfalten seitlich der Mittelfalte zwischen den Unterschenkeln des Kindes z. B. und mancher Doppelakzent wurden nicht auf das Blech übertragen.

42 Wenige kleine Fältchen wurden nicht nachziseliert.

43 Das Hinterfüllungswachs hat jede Pore erreicht, die vom Schnitzmesser wieder freigelegt wurde, so daß sich die nachträglich geführten Schnitte exakt abzeichnen (dunkle Verfärbung Abb. 30).

44 Genausogut hätte auch eine Kerbe zwischen Kapitell und Gewand eingeschnitten werden können, in die das Blech hätte hineingeschoben werden müssen. Noch einfacher wäre das Blech an dieser Stelle auszuschneiden gewesen. Eventuell liegt aber auch eine andere Gestaltungsabsicht vor, denn der Thron erhält durch die glatte Vorderfront eine ganz andere architektonische Wirkung.

45 Zahlreiche Reparaturnagelungen verunklärten das System, doch konnten bei genauem Vergleich der Löcher in unter- und überlagernden Blechen und im Holz die ursprünglichen Reihen weit-

gehend festgestellt werden. Unsicher bleibt die Aussage an den relativ wenigen Stellen, wo ein Loch im Holz wie in den Blechen zweimal benutzt wurde.

46 Die originalen Nägel und die der mittelalterlichen Reparaturen wurden wiederverwendet bzw. am Ort belassen.

47 Nach der naturwissenschaftlichen Analyse durch Dr. H. Kühn, München, vom 12. Juli 1973, besteht das weiße lockere Material, entnommen von den Blechrückseiten, aus »Baumwollfasern mit einem weißen, tonartigen Material und Gips als Zusatz. Außerdem enthält es Proteine, wahrscheinlich Leim«. Möglicherweise haben wir hier die Überbleibsel einer nachträglichen Verfüllung vor uns, denn überall sonst finden sich Reste einer dunkelbraunen, wachsartigen Masse (siehe auch Anm. 32 und 43). Vermutlich hat Bohland die faserige weiße Schicht für Schimmel gehalten, der Anlaß für die Maßnahmen 1954.

48 Kühn wie Anm. 47. Es handelt sich um einen dünnen Leim-Kreidegrund (Calciumcarbonat in proteinhaltigem Bindemittel).

49 Kühn wie Anm. 47. »Darauf (auf die Grundierung) folgt eine Schicht aus trocknendem Öl ohne Pigment, auf der teilweise eine Malschicht liegt, die aus Bleiweiß, geringen Mengen rotem und gelbem Ocker besteht. Darauf folgt nochmals eine unpigmentierte Ölschicht, auf die eine weitere Inkarnatschicht, die neben Bleiweiß geringe Mengen gelben Ocker, Zinnober und Beinschwarz enthält. Den obersten Abschluß bildet eine Art Firnisschicht auf der Basis von trocknendem Öl.«
Die mikroskopische und chemische Analyse deckt sich mit den eigenen Beobachtungen. Ein flächendeckender ursprünglicher Ölfirnis wurde auch auf der Fassung der Imad-Madonna gefunden (siehe K. Endemann wie Anm. 7, S. 122). Bei der zweiten Inkarnatschicht handelt es sich um eine Fassung, die in dieser Farbigkeit frühestens zu Beginn des 16. Jahrhunderts zu erwarten wäre. Vermutlich stammt sie aber von der umfassenden Renovierung von 1664. Eine dritte, von uns in situ beobachtete Fassung zeigt eine Blattvergoldung auf öligem Anlegemittel.

50 Kühn wie Anm. 47. Als Grundmetall ist Silber nachgewiesen. »Die rote Lackfarbe enthält Drachenblutharz (dunkelrote, körnige und längliche Einschlüsse) und einen Farblack auf Aluminiumhydroxidsubstrat, der die chemischen Merkmale von Karmin aufweist. Wahrscheinlich handelt es sich um Kermeslack, da Karmin damals noch nicht bekannt war. Hauptbestandteil des Bindemittels ist Öl, doch sind auch Proteine nachweisbar.« Da Kühn einen zweiten Rotlüster über eigener Grundierung, der von mir zweifelsfrei festgestellt worden ist, nicht erwähnt, wäre es denkbar, daß es sich bei dem Farblack tatsächlich um solchen handelt. Der zweite Farblack wurde aufgetragen, nachdem die Originalfassung auf der Schuhoberseite abgeschnitten oder abgeschliffen worden war.

51 J. M. Kratz wie Anm. 27, S. 173 Anm. 59 »Marias Haupt an der *großen* Figur, welches ursprünglich ganz mit Goldblech bekleidet war, gewährte dem Besucher einen unförmlichen Anblick, zumal in den beiden Augenhöhlen Karfunkelsteine eingesetzt waren; auf seinen Vorschlag (Wissoque) wurde dasselbe im genannten

Jahre entfernt und stattdessen ein neues, welches noch jetzt gesehen wird, verfertigt. – Elbers de reliquiis aliisque monumentis etc. ms«.

52 Daß bei dieser Beschreibung eine Verwechslung mit der sogenannten Kleinen Goldmadonna, die gleichzeitig umgeändert wurde, vorliegt, vermutet auch M. Brandt in seinem 1988 erschienenen Aufsatz (S. 198).

53 Das einzige im Nachdruck überlieferte Schatzverzeichnis aus dem Jahre 1409, von Richard Doebner 1878 im Anzeiger des Germanischen Nationalmuseums Nürnberg veröffentlicht, ergänzt unser Bild von der Madonnenfigur in wesentlichen Punkten und bestätigt wieder einmal die Fragwürdigkeit von hypothetischen Ergänzungen. In ihm heißt es:
Item ymaginem beate virginis aureis laminis fabricatam habentem coronam auream cum quinque annulis cum lapidibus et uno boch, quam habet in capite, et in collo parvam crucem et in manu crucem cum quatuor gemmis et coronam in capite pueri et unam aquilam deauratam et clipeum aureum cum gemmis et parlis intus cum tribus pileis et crucem auream in manu pueri et sub alia manu unum boch aureum. Item tria pater noster de corallis rubeis. Item in mantello domine nostre XXVI annulos et boghe aureos et argenteos.
Auf diese bedeutsame, in der bisherigen Literatur nicht erwähnte Quelle hat mich Herr Michael Brandt, Hildesheim, kurz vor Drucklegung noch aufmerksam gemacht, wofür ich an dieser Stelle herzlich danke.

54 Ein Ring an der zum Segensgestus erhobenen rechten Hand, wie M. Brandt in seinem Brief vom 31. Mai d. J. erwägt (boch/bogh – mittelniederhochdeutsch Spange, Ring, wie Doebner nach Schiller und Lübben Wörterbuch I anbietet) kann kaum gemeint sein, weil ein Fingerring von max. 5 mm ⌀ sehr schwer anzufertigen gewesen wäre und in dieser Größe kaum zu den aufzählenswerten Pretiosen gezählt haben dürfte. Wenn tatsächlich »Ring« gemeint sein sollte, wird es sich eher um ein Weihegeschenk, also einen wertvollen richtigen Fingerring, gehandelt haben.

55 Kronen sind für mehrere Majestas-Statuen und Kopfreliquiare im 10. Jahrh. erwähnt.

56 Kratz (wie Anm. 27), S. 171: »Auf seiner Brust bemerkt man in halberhabener Arbeit einen Adler, . . . «. Die Brosche fehlte bereits gegen Ende des 19. Jahrhunderts, denn das damals entstandene Foto (Abb. 42) zeigt nur noch den Haltebügel auf der Brust des Kindes.

57 Alle vorstehenden Flächen wurden 1664 für die damals angebrachten Cherubimwangen abgesägt. Wohl am besten ablesbar, wenn auch stark beschädigt, ist die Vorderkante neben dem rechten Knie der Figur (Abb. 7).

58 Ein regelmäßiger, d. h. geometrisch halbrunder vorderer Abschluß würde im Verhältnis unproportioniert weit vorragen. Eine rechteckige Fußbank zeigt auch die von R. Wesenberg als nächstverwandt genannte Mainzer Elfenbeinmadonna (siehe R. Wesenberg 1955, S. 61).

59 Vgl. Beitrag Brandt; wie Brandt in seinem Aufsatz (1988) schreibt,

zeigt z. B. das Halsgeschmeide der Madonna »Verschiedenartigste Schmucktechniken ... auf kleinstem Raum miteinander kombiniert, ...«. Auf traditionellem Filigranrankenblech sind noch heute zwei Filigrankuppeln auf Arkadenfassungen erhalten, die hohe Meisterschaft verraten. Dagegen erscheint die einzige erhaltene Borte wie gängiges Repertoire.

[60] R. Wesenberg (wie Anm. 23, S. 62) streicht die Verwandtschaft der beiden Holzfiguren, besonders die beiden Bildwerken eigene Körperlichkeit, deutlich heraus. Bei der Faltenbildung scheinen mir die Unterschiede allerdings größer als die Gemeinsamkeiten. Zwar ist eine gewisse Ähnlichkeit wenigstens bei den seitlich vom Lendentuchumschlag herabfallenden Falten durch ihre aus kantigem Querschnitt entwickelten Formen gegeben, doch verbinden sich die leicht gebogenen, an den Kanten bewußt gerundeten Falten wie selbstverständlich mit den sonst verschleifenden Falten- und Körperformen (Wesenberg, Abb. 40 und 41). Bei der Madonna sind die vergleichbaren Falten seitlich der Unterschenkel wie nach dem Lineal geschnitten, übrigens auch im Goldblech.

[61] J. Taralon, La majesté d'or de Sainte Foy du trésor de Conques, in: Revue de l'Art 1978. Nachdem das Kultbild nach dem Wunder von Guibert 985 bereits mit Edelsteinborten und Schmuck überreich verziert und dabei verändert wurde, muß es früher entstanden sein. Mehrere Autoren (u. a. Keller wie Anm. 3, S. 81) vermuteten, daß sie von dem gleichen Bischof Etienne II. von Clermont-Ferrand in Auftrag gegeben worden sei, der auch die berühmte, seit dem 18. Jahrhundert verschollene goldene Madonna für den Dom in Clermont herstellen ließ, d. h. um die Mitte des 10. Jahrhunderts. Etienne II. war in Personalunion auch Abt von Conques. Taralon selbst nimmt eine deutlich frühere Entstehung (9. Jahrhundert) an. (Für Übersetzungshilfen beim technischen Bericht aus dem Französischen danke ich Herrn H. Lehmbruch, München, herzlich).

[62] Von der ältesten Bekleidung blieben nur zwei Bleche am Oberkörper und eines vor den Beinen erhalten, alle noch gemindert durch nachträglich bei der Ausschmückung mit Filigranborten ausgeschnittenen Flächen (Taralon, S. 15 f.).

[63] Die Beobachtungen zur Blechapplikation stützen sich leider nur auf die allerdings zahlreichen Abbildungen von allen Seiten in verschiedenen Publikationen.

[64] Die Madonna aus Walcourt, nach R. Didier vielleicht für die 1026 geweihte Kirche geschaffen (La Sculpture mosane du XIe au milieu du XIIIe siècle, in: RHEIN UND MAAS, wie Anm. 5, S. 407 – 420, hier: S. 407), bietet mit ihren vielen entstellenden Ergänzungen und den zerstörerischen Reparaturen ein so konfuses Bild, daß jeder Vergleich in unfruchtbarer Spekulation enden muß.

[65] A. Peroni, Il crocifisso della Badessa Raingarda a Pavia e il problema dell'arte ottoniana in Italia, in: Kolloquium über spätantike und frühmittelalterliche Skulpturen, Mainz 1970. Die beiden Kruzifixe galten bisher als Werke des 13. Jahrhunderts. Durch Vergleiche des Figuren- und Reliefstils, durch paläographische

Vergleiche und Quelleninterpretation gelangt Peroni in Auseinandersetzung mit G. de Francovich: Crocifissi metallici del secolo XII in Italia, 1935 zu der spektakulären Neudatierung.

[66] Die Füllmasse im Kopf besteht aus der härteren Mischung von Wachs, Mehl und gemahlenem Ziegel.

[67] R. Wesenberg, S. 59 ff.

[68] Über diese umfassende Renovierung unterrichtet auch der früher im Throninneren eingesiegelt gewesene Zettel. Die sehr genau untersuchten Nagelspuren erlauben heute keine absolut sichere Aussage mehr, weil die Nagellöcher im Holz zu ca. 60 % mit Schusterstiften verschlossen und dadurch sehr erweitert waren. Ein Protokoll von der Abnahme oder Vorzustandsfotos existieren nicht, die gezogenen Nägel sind verschollen, so daß wichtige Interpretationshilfen fehlen. Die Nagelreihen sprechen jedoch eher für eine nur einmalige Benagelung der großen Bleche, allerdings mit Unregelmäßigkeiten durch mehrere Reparaturen. Die wattig weiße zweite Hinterfüllungsmasse (siehe Anm. 24) wäre dann, wie die originale, hinter die montierten Bleche gefüllt worden.

[69] Vgl. Beitrag Brandt.

[70] J. M. Kratz (S. 173, Anm. 60) zitiert aus einem Fabrikregister des Domes vom Jahre 1644/45: »Im Jahre 1645, den 6. September ist auf Befehl des Domdechanten Johann von Westerholt eine silberne Krone, ein Szepter und eine Weltkugel zum Behuf des mit Gold überzogenen Mutter-Gottes-Bildes, welches an hohen Festen auf den Hochaltar gesetzt wird, aus unbrauchbaren Kirchengeräten verfertigt worden.«

[71] Am 27. März 1886 hatte Bischof Wilhelm Sommerwerck († 1905) allerdings in einem »Promemoria unseren Domschatz betreffend« zu bedenken gegeben, daß die Madonna vor der Überführung in die neue Domschatzkammer »die Haarlocken und den Mantel verlieren müßte« (Hildesheim, Bistumsarchiv, Depositum Domkapitel, D 28,6). Mit den Köpfen ging dann auch die Krone verloren, die die Madonna in Abb. 39 noch trägt. Vermutlich war sie für den neugeschaffenen Kopf zu groß. Die (noch vorhandene) Krone, die das Bildwerk dann bis 1954 trug, ist eine Arbeit des Hildesheimer Meisters. Über ihre Herkunft ist nichts bekannt. *M. B.*

[72] Elbern/Reuther/Engfer 1969, Kat.-Nr. 82.

[73] Eine detaillierte Bestandsaufnahme dieser Teile soll im Zusammenhang mit der Wiederherstellung der Schmuckbeschläge vorgelegt werden.

[74] Auf eine Anregung des Domkapitels, die Goldbleche auf einer hölzernen Kopie zu montieren, um die wertvolle Figur im Domschatz zeigen zu können, wurde der Gegenvorschlag, den Holzkern im Abgußverfahren und in dem farbigen Erscheinungsbild des Zustandes vor der Restaurierung zu kopieren, angenommen. Der Abguß dokumentiert also den Zustand der Figur so, wie sie bis dahin in der Literatur bekannt war. Auch nachdem die Figur nun wieder ihre Goldhülle trägt, kann der Holzkern – am Abguß – studiert werden. Als schließlich Einverständnis darüber erreicht war, Figur und Goldbleche wieder zusammenzuführen, wurde

der zusätzliche Beschluß gefaßt, auch die »Goldene Madonna« als Kopie herzustellen, damit das Original nicht, wie beabsichtigt war, bei Prozessionen mitgetragen werden müßte (Abb. 48/49). Die jeweils fälligen Entscheidungen wurden auf der Basis des neuesten Kenntnisstandes vorbereitet. Auf Seiten des Denkmalamtes besorgte Dr. Hilde Claussen die kunsthistorische Betreuung und die Organisation, Untersuchung und Restaurierung lagen bei Restaurator Jürgen Lehmler und dem Verfasser, der hier für die sehr fruchtbare, von konstruktiver, gegenseitiger Kritik belebte Zusammenarbeit dankt.

[75] Der linke vordere Thronpfosten von Bohland rücknehmend begradigt, der rechte im unteren Teil wegen Fäulnis schräg abgeschnitten. Die Eingriffe zeigt der Vergleich des heutigen Bestandes mit den Aufnahmen von 1954 (siehe Abb. 30, 44, 45).

[76] Alle Leimungen Bohlands waren mit Kunstharzdispersionen auf der Basis von Polyvinylacetat ausgeführt.

[77] Die Oberflächenschäden durch Anobienbefall beschränkten sich auf wenige kleinere Ausbrüche, konzentriert auf den unteren Bereich. Nur unten, etwa bis auf Kniehöhe, war zerstörende Fäulnis (Pilzbefall) zu beobachten. Auf größeren Partien war das Holz nicht mehr ganz abriebfest (Anm. 75).

[78] Der Anstrich kann, z. B. im Zusammenhang mit dem (hinten offenbar offenen) barocken Thron, vielleicht als Grund für eine oder anstelle einer Vergoldung aufgetragen worden sein, nachdem damals die Silberblechummantelung des Thrones in den hinteren Teilen mit Sicherheit abgenommen worden ist. Mittelalterlich ist die Farbe nicht; denkbar wäre aber auch, sie mit dem Datum von 1645 zu verbinden (siehe Anm. 70).

[79] Bohland schreibt am 25. Januar 1954 an den Landeskonservator in Hannover: »Der Holzkern mußte gereinigt und getränkt werden. Tränkung mit Cellodyl aber nur bis zu einer gewissen Festigkeit, damit die Masse später das Holz nicht zerreißt«. *M. B.*

[80] Außer dem Verfasser hat J. Lehmler den bedeutendsten Teil der Arbeit geleistet. Er hat auch die Farbfassung der Kopie und die galvanische Kopie der Bleche besorgt. Auch wichtige Beobachtungen stammen von ihm.

[81] Alle älteren Holzergänzungen waren mit Kunstharzdispersion auf PVA-Basis geleimt, die Thronergänzungen zusätzlich auch noch genagelt. Die Leimfilme wurden mit Wasser-Azetonkompressen angequollen und der dann elastische Film mechanisch entfernt.

[82] Nachträglich, während der Blechmontage, wurden kleine, früher sehr zerlöcherte und daher nicht ausreichend fest erscheinende Holzpartien mit dünnem Schellack nachgefestigt.

[83] Nitrozellulose-Holzkitt mit Trockenpigment auf den hellsten Holzton eingefärbt, so daß nur noch tiefere Töne und Maserstrukturen mit Aquarell aufretuschiert werden mußten.

[84] Alle Bildhauerarbeiten wurden von Siegfried Springer, Telgte, ausgeführt.

[85] Durch die Beschreibung der Figur in dem leider erst nachträglich gefundenen Schatzverzeichnis von 1409 (siehe Anm. 53) ist jetzt klar erwiesen, daß die von uns ergänzten Attribute nicht der ursprünglichen Ikonographie entsprechen.

[86] Der Madonnenkopf wurde insgesamt dreimal geschnitzt und immer wieder aus formalen Gründen verworfen. Zuletzt wurden Änderungen anmodelliert und das endlich befriedigend erscheinende Modell in Epoxidharz (Mastermodellpaste Fa. Ciba, Basel) abgeformt.

[87] Für die Blechergänzungen wurde im Unterschied zu den Originalen kein Feingold verwendet. Sie sind inzwischen (1989) an den Tunikaärmeln größenteils wieder entfernt, da hier in Kürze die Bortenbesätze wieder angebracht werden.

[88] Vgl. dazu ausführlich: M. Brandt, 1988.

[89] Hildesheim, Dombibliothek, Hs 272 d.

[90] Die Haltung des Adlers entspricht jedenfalls der Form solch »staufischer« Adlerbroschen, wie sie z. B. auch die goldene Madonna der Münsterkirche zu Essen trägt. Ein ganz ähnlicher Adlerfürspan ist 1885 in Mainz gefunden worden (vgl. D. Kötzsche im Katalog zur Ausstellung »Die Zeit der Staufer – Geschichte-Kunst-Kultur« Stuttgart 1977, Bd. I, S. 479 f., Bd. II, Abb. 419).

[91] Wolfenbüttel, Herzog August Bibliothek, Cod. Guelf. 83.30 Aug², fol. 91 v.: »Cum opera Dei reuelare sit magnificum et meritorium notandum quod fures quodam tempore seris chori et summi altaris adulterinis clauibus reseratis *imaginem domne nostre partim decrustauerunt* et capud sancti Oswaldi usque ad sedem decani cum difficultate maxima deferentes et ibi relinquentes cum festinatione simul et confusione graui recedere sunt compulsi.«

[92] Übereinstimmungen bestehen darüber hinaus mit den quadratischen Zierfeldern auf Längs- und Querbalken des »Bernwardskreuzes« aus St. Michael (vgl. Kat.-Nr. 2).

[93] Zum Mainzer Hortfund vgl. zuletzt: H. Westermann-Angerhausen, Ottonischer Fibelschmuck. Neue Funde und Überlegungen, in: Jewellery Studies 1, 1983 – 84, S. 21 – 36.

[94] Vorhanden sind nur noch die entsprechenden »Lochfassungen« mit Halterungsdrähten.

[95] Ausdrücklich ist davon in der Bernwardsvita die Rede, vgl. MGH SS 4, S. 758, Z. 44 und S. 760, Z. 32.

Literatur: M. Brandt, »...und gezieret mit Edelgesteinen«. Zur Großen Madonna im Hildesheimer Domschatz, in: Bernwardinische Kunst, Göttingen 1988, S. 195 – 210; J. Braun, Meisterwerke der deutschen Goldschmiedekunst der vorgotischen Zeit, München 1922, S. 21; V. H. Elbern, H. Engfer, H. Reuther, Der Hildesheimer Domschatz, Hildesheim 1969, S. 73 f.; J. H. Forsyth, The Throne of Wisdom. Wood Sculptures of the Madonna in Romanesque France, Princeton 1972, S. 121 – 24, 128 – 30 u. ö.; J. M. Kratz, Der Dom zu Hildesheim, seine Kostbarkeiten, Kunstschätze und sonstige Merkwürdigkeiten, Hildesheim 1840, S. 170 – 177; R. Wesenberg, Bernwardinische Plastik. Zur ottonischen Kunst unter Bischof Bernward von Hildesheim, Berlin 1955, S. 59 – 62, S. 171 f.

5 RINGELHEIMER BERNWARDKRUZIFIX

Hildesheim, um 1000

Höhe mit Suppedaneum 162 cm; Breite 160,8 cm
Lindenholz

Salzgitter-Ringelheim, Katholische Pfarrkirche
St. Abdon und Sennen

Das monumentale Kruzifix (Abb. 1) stammt aus der katholischen Kirche St. Abdon und Sennen in Salzgitter-Ringelheim. Das ehemals reichsfreie Kanonissenstift Ringelheim wurde 1150 von Kaiser Konrad III. dem Bistum Hildesheim unterstellt und in ein Benediktinerkloster umgewandelt. Die ersten Mönche kamen aus St. Michael in Hildesheim.

In der Zeit um 1000 war Judith, die Schwester Bischof Bernwards, Äbtissin in Ringelheim. Sie starb am 13. März 1000, und die Forschung vermutet, daß ihr Tod der Anlaß für Bernward war, den großen Kruzifixus zu stiften.

Der Kruzifixus befand sich zuletzt an der südlichen Mittelschiffswand unter der Orgelempore im Westen der Kirche, deren heutiges Erscheinungsbild von zwei barocken Umbauten (1694/95 und 1794 – 96) bestimmt wird. Auf einem Vorkriegsfoto ist zu erkennen, daß der damals noch farbig gefaßte Kruzifixus vor einer kulissenartig bemalten Wandfläche mit der Darstellung des Golgatha-Hügels hing (Abb. 2). Möglicherweise stammt diese dramatische Inszenierung noch aus der Zeit der barocken Umbauten, in deren Verlauf das Kreuz vielleicht von einem zentraleren Aufstellungsort hierher versetzt worden ist. Schon früher war vermutet worden, daß es sich bei dem entstellend übermalten Bildwerk im Kern um eine mittelalterliche Skulptur handelt. Man nahm allerdings an, daß die Skulptur in die Reihe der frühgotischen Großkreuze des niedersächsisch-sächsischen Raumes gehöre.[1]

Diese Vermutung hat möglicherweise dazu beigetragen, daß der Ringelheimer Kruzifixus im Zuge einer 1949/50 von Joseph Bohland durchgeführten Restaurierung bis auf den Holzkern freigelegt wurde.[2] Überraschenderweise fand sich dabei im Kopf ein Reliquiendepositorium, dessen Inhalt mit Bischof Bernward in Verbindung gebracht werden konnte.[3] Diese Tatsache und das ganz und gar ungotische Erscheinungsbild des Christuskorpus legten eine Datierung der Skulptur in das frühe 11. Jahrhundert nahe. Davon ausgehend, gelang Rudolf Wesenberg eine überzeugende Einordnung des Kreuzes in den bernwardinischen Kunstkreis.[4]

Der fast lebensgroße Christus steht auf einem blattförmigen Suppedaneum (Abb. 1). Die Füße sind nicht ans Kreuz, sondern auf das Suppedaneum genagelt. Die Beine sind mit den Knien leicht nach links gebogen. Das an der Gürtellinie dreifach umgeschlagene Lendentuch, das in drei Faltenbahnen an den Seiten und in der Mitte herunterhängt, läßt die Knie frei. Der nur ganz leicht nach rechts gebogene Oberkörper zeichnet sich durch eine weiche Modellierung aus. Der kugelige Bauch tritt hervor und unterstreicht die Plastizität des Körpers. Die einzelnen Körperteile grenzen sich nicht hart gegeneinander ab. Weiche Mulden vermitteln zwischen den einzelnen Muskeln.

In diesem Zusammenhang verwies Wesenberg darauf, daß die »weiche, malerische Modellierung«[5] des Kruzifixus Anklänge an die Gestaltung des Gekreuzigten auf einer Elfenbeinplatte des Bischofs Adalbero (Abb. 3) erkennen lasse.[6] »Der nicht füllige, aber doch weiche und wohlgerundete Corpus«[7] ist typisch für Elfenbeine der ottonischen Zeit. Dasselbe gilt für die Technik, in der das Lendentuch um die Hüften geschlungen ist. Es ist nicht geknotet, sondern umgeschlagen. Besonders charakteristisch für den bernwardinischen Kunstkreis ist die Art und Weise, wie das Lendentuch »eng auf den Oberschenkeln (anliegt) und . . . lediglich durch dünn eingegrabene Falten stofflich betont«[8] wird. Diese Art der Faltenbehandlung findet sich z. B. ganz ähnlich bei der Goldenen Madonna

Abb. 1:
Ringelheimer Bernward-
Kruzifix, Gesamtansicht nach
der Restaurierung von 1951

Abb. 3: Elfenbeintafel des Erzbischofs Adalbero (wohl Metz, um 1000); Metz, Musée de la Ville

Abb. 2: Ringelheimer Bernward-Kruzifix, Zustand vor der Restaurierung von 1951

(Kat.-Nr. 4) und an den von Bernward gestifteten Bronzetüren des Hildesheimer Domes.

Der Kopf des Ringelheimer Kruzifixus ist leicht nach rechts geneigt und sinkt nach vorn. Die Haare sind am Übergang zum Gesicht plastisch, sonst durch feine Ritzung dargestellt. Ursprünglich war das Haupthaar wesentlich länger und legte sich – wie Spuren erkennen lassen – auf die Schultern. Der ungeteilte Bart ist ebenfalls durch eine fein ausgearbeitete Ritzung dargestellt. Ob die Augen geschlossen oder geöffnet waren, ist nicht mehr zu entscheiden, da sie mit großer Sicherheit nachträglich überarbeitet worden sind[9]. In dieser Form entspricht die Gestaltung des Kopfes auch viel eher frühmittelalterlichen Darstellungen des Gekreuzigten.

Abb. 4:
Ringelheimer Bernward-
Kruzifix, Vorderansicht wäh-
rend der Konservierung (1987)

Abb. 5: Haupt des Gekreuzigten, Zustand um 1920

Abb. 6: Haupt des Gekreuzigten während der Konservierung (1989), mit Markierung der Farbbefunde

Erneut aufgetretene Schäden am Corpus haben die Kirchliche Denkmalpflege veranlaßt, im Zuge notwendiger Konservierungsmaßnahmen, eine grundlegende Untersuchung vornehmen zu lassen [10].

Nach Abnahme der bei der letzten Restaurierung aufgebrachten Holzkittungen tritt nun der ruinöse Zustand des Kreuzes mit aller Deutlichkeit zutage (Abb. 4). Die Qualität der äußerst sorgfältig bearbeiteten Originaloberfläche ist dabei in Teilen noch gut zu erkennen. Deutlich zeichnen sich auch alle Ergänzungen ab, die für die Beurteilung der Originalität entscheidend sind. Das gilt besonders für die seitlichen Haar-

locken, die an die Stelle der auf dem Vorzustandsfoto sichtbaren Anstückung getreten sind (Abb. 5/6).

Die Anstückung aller Finger mit Ausnahme des linken Daumens erfolgte nach Aussage der Kunstdenkmäler im Jahre 1897 zusammen mit der Erneuerung der Kreuzbalken.

Eine senkrechte Fuge im Wadenbereich trennt die Füße vom übrigen Körper. Die identische Maserung und Struktur des Holzes sowie die Tatsache, daß der Riß entlang der Faserrichtung verläuft, sprechen jedoch dafür, daß diese angedübelten Teile nicht nachträglich ergänzt wurden. Es handelt sich also offen-

Abb. 7: Silberkreuz des Bischofs Bernward; Hildesheim, Domschatz

Kreuzsenkrechten, sondern leicht versetzt rechtwinklig zur Körperachse angeordnet sind. Die ursprüngliche Armhaltung wird man sich daher so ähnlich vorzustellen haben wie beim silbernen Bernwardskreuz im Hildesheimer Domschatz (Abb. 7). Auch in diesem Punkt ergibt sich also ein für die Zeit um 1000 wesentlich charakteristischeres Erscheinungsbild, als es der jetzige Zustand zeigt.

Auf Überarbeitungsspuren im Gesicht wurde bereits hingewiesen. Hier könnte eine genauere Untersuchung eventuell noch bessere Hinweise bezüglich des ursprünglichen Zustandes erbringen. Jedenfalls zeigt die Holzoberfläche in diesem Bereich eine sonst untypische Glättung durch Schleifen und keinerlei Spuren der Schnitzwerkzeuge.

Zusammenfassend läßt sich sagen, daß die neueren Untersuchungen wichtige Anhaltspunkte für das ursprüngliche Aussehen des Ringelheimer Bernwardskreuzes erbracht haben, die vor allem zu der Frage führen, ob es sich in diesem Fall nicht auch um eine Darstellung des toten Christus am Kreuz gehandelt haben könnte.

E. E. / K. B. K.

ZUSTAND UND ERHALTUNG

Vorbemerkung

»Wie ich Ihnen sagte, würde ich es außerordentlich begrüßen, wenn der sehr interessante romanische Cruzifixus im südlichen Seitenschiff von seiner entstellenden süßlichen Übermalung befreit würde, damit dieses ehrwürdige Werk mittelalterlicher Gottesdarstellung wieder, soweit möglich, in seiner ursprünglichen Würde ersteht«, betonte Provinzialkonservator Dekkert am 1. Februar 1939 in einem Schreiben an Pastor Scharla, den Seelsorger der katholischen Pfarrkirche, der ehemaligen Benediktiner-Klosterkirche St. Abdon und Sennen in Salzgitter-Ringelheim.

Von Freilegung und Konservierung, die schließlich 1949 von Restaurator Joseph Bohland aus Hildesheim durchgeführt wurden, berichtet keine Publikation.

sichtlich um eine alte Beschädigung, die vielleicht durch einen Sturz aus großer Höhe verursacht wurde.[11]

Eine nachträgliche Veränderung konnte an den Armen festgestellt werden.[12] Während die Arme heute aus einem Stück gearbeitet sind, müssen sie im ursprünglichen Zustand einzeln in den Körper eingesteckt und dort verdübelt worden sein, denn nur so ergeben die Holzdübelspuren einen Sinn, die für die jetzigen Arme nicht nutzbar sind (vgl. Abb. 14/15). In diesem Zusammenhang ist die Beobachtung wichtig, daß die alten Aussparungen nicht rechtwinklig zur

Lediglich ein kurzer Bericht, den der Restaurator in das Bohrloch des Kopfes eingeschoben hat, gibt knappe Auskunft über seine, das Kunstwerk ganz wesentlich verändernden Maßnahmen:

»Im Jahre 1949 wurde dieser Corpus in Zellon getränkt, weil der Holzwurm das Holz stark zerstört hatte. Es wurden auch die vielen Farbschichten abgenommen, die besonders in der Barockzeit (um 1700) sehr dick aufgetragen waren. Auch zwei Locken, je eine rechts und links am Kopf, die auch um 1700 aus Resten einer gotischen Figur geschnitzt und angesetzt waren, wurden entfernt. Der Corpus war ehemals bemalt, doch es war so wenig von der romanischen Malerei erhalten, daß auf eine Wiederherstellung der Bemalung verzichtet wurde. Die Seitenwunde unter dem Arm ist auf das rohe Holz gemalt worden. Der Körper

Pergament steht: Desepulcro domini, auf der Rückseite: B + epc. 2.) zwei Knochenstücke in einem Leinen- und Seidenbeutel, Inschrift: Cosmolius Dimianus[13] (Abb. 8). – Nach der Reinigung wurde festgestellt, daß Bischof Bernward als Schenker und seine Werkstatt und Künstler als Verfertiger dieses Kruzifixes mit größter Wahrscheinlichkeit anzusehen sind. Hildesheim August 1951 Joseph Bohland.«

Im folgenden sollen die ersten Ergebnisse einer Untersuchung vorgelegt werden, die dem Umstand zu verdanken sind, daß der Ringelheimer Kruzifixus 1985 wegen akuter Schäden durch Anobienbefall in die Restaurierungswerkstatt des Institutes für Denkmalpflege in Hannover überführt wurde.

Abb. 8:
Reliquienfund aus dem Kopf des Ringelheimer Bernward-Kruzifix

war auf den Oberseiten der Arme und auf dem Kopfe und an den Oberteilen des Lendentuches stark zerfressen und mürbe. Diese Stellen, besonders aber auch der übrige Körper war in der gotischen Zeit mit einem grauen Kitt geglättet. Das Holz war gerissen und dieser Riß war in der gotischen Zeit mit Eisen verklammert. Diese Klammern waren eingekittet. – Anstelle der Locken sind 2 Holzstücke eingesetzt. Die Risse im Holz sind mit Holz ausgefüllt. Im hohlen Rücken sind Verstärkungen eingesetzt. Die morschen Stellen am Körper sind mit Holzkitt geglättet. Zum Schluß ist der ganze Holzkörper mit Zellon überzogen und mit Wachs eingerieben. – Im Kopf habe ich diese Reliquien gefunden: 1.) 2 Steine in einem Lederbeutel. Auf dem

Beschreibung

Der Kruzifixus ist mit Suppedaneum 162 cm lang und hat eine Spannweite von 161 cm (vgl. Abb. 1). Er ist zusammen mit der Fußstütze vollplastisch aus Lindenholz geschnitzt. Beide Arme sind aus einem durchgehenden Stück desselben Holzes gefertigt und rückseitig am Corpus befestigt. Im Kopf befindet sich das Repositorium, das die von Bohland erwähnten Reliquien enthält. Christus hängt mit waagerecht ausgestreckten Armen am Kreuz. Das originale Kreuz ist nicht mehr vorhanden. Über sein Aussehen geben keine schriftlichen oder bildlichen Quellen Auskunft. Das heutige stammt aus unserem Jahrhundert und ist dem Eckplattentypus der Romanik verpflichtet. Das leicht nach rechts geneigte Haupt mit den geöffneten Augen und nach unten gezogenen Mundwinkeln zeigt kaum Bearbeitungsspuren. Die Haare des Bartes markieren sich als feine schwingende Linien um Mund, Kinn und Wangen. Stark ausgearbeitete Brustmuskeln unter deutlich plastischen Schlüsselbeinen und ein unter den Rippenbögen hervorgewölbter Bauch formen organisch aufeinander bezogen den Oberkörper. Die sich zu den Knöcheln verjüngenden Beine sind leicht angezogen, die Knie nach rechts ausgebogen, eine sachte Ponderation andeutend. Die wenig auseinandergespreizten Füße berühren leicht das Suppedaneum, so daß der Gekreuzigte unbestimmt weder am Kreuz zu hängen noch auf der Fußstütze aufzuruhen scheint.

Die weiche Modellierung und die verhaltene Schwingung, die die gesamte Skulptur auszeichnet, eignet auch dem Lendentuch. Der als Wulst gestaltete Überschlag liegt auf den Beckenknochen auf, dort dreifach durchgesteckt fallen Zipfel lappig weich in drei Senkrechten nach unten. Das Tuch endet über den schwellenden Oberschenkeln, von bogigen Falten durchkurvt in einem Faltensaum, unter dem die rundplastischen Knie hervortreten.

Der Kruzifixus ist von hinten ausgehöhlt (Abb. 21). Diese im »Zweikammersystem« bearbeitete Öffnung von 80 x 20 cm war ursprünglich durch einen spantenartigen Steg geteilt.

Zustand

Der Ringelheimer Kruzifixus trägt deutliche Spuren seiner langen wechselvollen Geschichte. Die Abnahme jüngerer Polychromien im Jahre 1949 hat alle Verletzungen, Risse, Kittungen und Ausspänungen freigelegt, auch offensichtliche Veränderungen und Ergänzungen der Skulptur. Besonders gravierend sind die Beschädigungen durch Anobienfraß, offenliegende Fraßkanäle aus Zeiten, in denen der Corpus farbig gefaßt war, und Fluglochansammlungen, die auf Phasen hindeuten, in denen die fein geglätteten Oberflächen holzsichtig standen.

Daß das Kreuz längere Zeit im Freien gehangen und ungeschützt der Witterung ausgesetzt war, belegen teilweise extreme Zerstörungen durch Feuchtigkeitseinwirkungen an Armen und Haupthaar. Die von Anobienfraß zerstörten und anschließend verwitterten Oberflächen des Haupthaares wurden mit einem Kitt – Cellon mit Holzmehl – egalisiert (Abb. 9/10). Älteren Datums sind Fehlstellen links und rechts über den Ohren. Bohland hat zwei Locken, von denen er annimmt, daß die Barockzeit sie aus Resten einer gotischen Figur entnommen habe, entfernt. An die Stelle dieser aufwendig geschnitzten Ergänzungen setzte er strähnig geformte neue, die über die Schläfen schräg nach hinten bis zu den Schultern fallen (Abb. 5/6). Diese hellfarbigen Zutaten aus Lindenholz sind mit je zwei maschinell hergestellten Holzdübeln befestigt und verleimt. Während diese neuen Teile ohne Anobienbefall geblieben sind, verteilen sich über das gesamte Antlitz in unterschiedlicher Dichte Ausfluglöcher und Fraßgänge, gehäuft in der Stirn, von der ausgehend schmale Risse, dem Faserverlauf folgend, das Gesicht überziehen. Sie sind von Bohland einzeln ausgekittet worden.

Wesenberg weist darauf hin, daß die Augen möglicherweise bereits im Mittelalter eine Überarbeitung erfahren haben könnten. Dies läßt sich nur vermuten, befundmäßig aber nicht eindeutig nachweisen.

Zu den schweren Verletzungen, die der Kruzifixus wahrscheinlich durch einen Absturz erlitt, und die uns ebenfalls in den unteren Bereichen des Corpus beschäftigen werden, gehört die Bruchstelle zwischen Hals und Körper. Sie ist, wohl im Hinblick auf eine anschließende farbige Überfassung, nur grob geflickt worden. Eine Eisenklammer links hinten im Nacken, vorne drei handgeschmiedete Nägel und ein Holzdübel sollen die Fuge zusammenhalten; diese selbst ist – wohl 1949 – mit Lindenholz neu ausgespänt und breit verkittet worden. Oberkörper und Lendentuch zeigen ein sehr ähnliches Schadensbild wie das Haupt. Anobienfraß und Holzschwund haben die fein gearbeitete Oberfläche nur wenig beeinträchtigt. Eine große Gefährdung für den Zusammenhalt des hinten tief aus-

Abb. 9: Haupt des Gekreuzigten während der Restaurierung 1951

Abb. 10: Haupt des Gekreuzigten vor Beginn der Konservierung (1985)

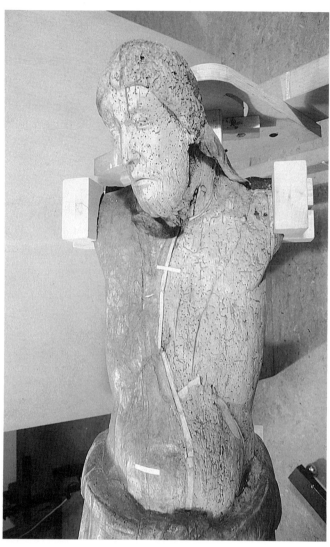

Abb. 11: Der Corpus während der Konservierung (1986) nach Abnahme der Kittungen auf der linken Seite

gehöhlten Körpers stellt allerdings der ungefähr in der Mittelachse verlaufende Riß dar, der vom Halsansatz nahezu senkrecht bis zum Saum des Tuches hinunterführt (Abb. 11); bedenklich vor allem, daß der Riß bis auf die Rückseite durchklafft. Seinem gesamten Verlauf folgend sind sehr ungenau Lindenholzstreifen eingespänt, die durch ihre Helligkeit auffallen. Weitere Ergänzungen sind rechts und links in die Bauchpartie und am Lendentuch eingesetzt. Da einige von ihnen nicht nur Fluglöcher, sondern auch Fraßgänge von Anobien aufweisen, die bekanntlich niemals an der Oberfläche eines ungefaßten Holzes liegen, ist zu vermuten, daß die Ergänzungen teilweise aus älteren Überarbeitungen stammen und durch eine Polychromie überdeckt waren. Möglich wäre natürlich auch, daß in jüngster Vergangenheit schadhaftes Holz für die Ausspänungen Verwendung gefunden hat. Älteren Datums ist eine korrodierte Eisenklammer unter dem rechten Hüftknochen, die einen Riß zusammenhält.

Alle Schäden wurden von Bohland 1949 mit Cellon-Kitt derart überzogen, daß die originale Holzoberfläche weitgehend kaschiert wurde. Diese Kittschicht war im Lendentuch, massiert auf der linken Seite, von Fluglöchern durchstoßen. Besonders hier war auch akuter Anobienbefall besonders deutlich erkennbar.

Die Rückseite (vgl. Abb. 20) ist in der Art eines Einbaumes ausgehöhlt, wobei ursprünglich, wie bereits erwähnt, zwei übereinanderliegende Kammern durch einen spantenartigen Steg getrennt waren. Seine Funktion haben mehrere Verstärkungen in Nadelholz übernommen, die an Stelle des alten, durch Anobienfraß zerstörten Steges, in Brust- und im Lendentuchbereich senkrecht zum Faserverlauf eingearbeitet, mit Holzdübeln befestigt und eingeleimt, die statische Sicherung übernehmen sollen (Abb. 12). Der Hohlraum weist im Unterschied zu der Vorderansicht deutliche Bearbeitungsspuren von Dachs- und Stechbeiteln unterschiedlicher Größe auf. Sie werden zum Rand des Lendentuches, der bei hoher Aufhängung des Kruzifixus in den Sichtbereich des Betrachters gerät, feiner.

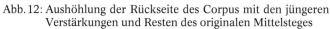

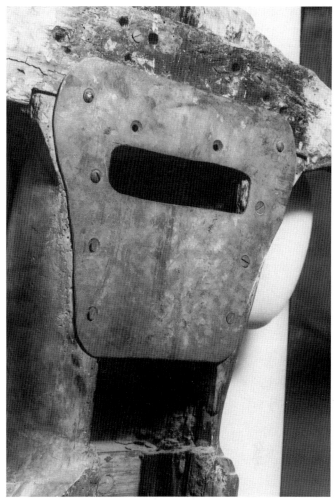

Abb. 12: Aushöhlung der Rückseite des Corpus mit den jüngeren Verstärkungen und Resten des originalen Mittelsteges

Abb. 13: Rückseite des Corpus mit der Metallplatte zum Aufhängen (1985)

Hinweise auf originale Befestigungspunkte des Corpus am Kreuz fehlen. Die große Metallplatte mit Öffnung, im Schulterbereich mit Schlitzschrauben fixiert (Abb. 13) und die von hinten eingearbeiteten Arme in ihrer Position haltend, ist relativ neu. Ob Überbleibsel von handgeschmiedeten Nägeln im noch partiell existenten Steg Reste einer ursprünglichen Befestigungsmöglichkeit darstellen, sei vorerst dahingestellt.

Der breite, senkrecht verlaufende Riß, der bereits bei der Vorderseite als substanzgefährdend auffiel, war mit zwei Eisenklammern in der Schulter- bzw. oberen Lendentuchpartie gesichert; sie sind verlorengegangen und in ihrer Position nur noch durch die Nagellöcher erkennbar. Zwei weitere Klammern sitzen an der rechten Innenwandung über und unter einem dicken Nadelholzstück und sollen kleinere Risse zusammen-

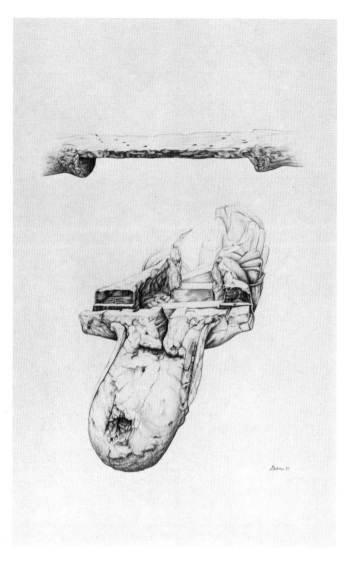

Abb. 14: Ansicht vom Haupt aus über die Rückseite, mit Darstellung der Konstruktion der Befestigung der Arme

halten. Andere im Lendentuchbereich sind mit Sperrholzstreifen überklebt.

Der gesamte Hohlraum einschließlich der Armrückseite ist mit einem harten, bräunlichen Anstrich lasierend überzogen, vermutlich einem Lack auf Nitrocellulosebasis.

Beim Abschrauben der Metallplatte trat ein bemerkenswertes Phänomen zutage: Das Armstück, aus einem Stück Lindenholz gearbeitet, ist mittig blattartig geformt, damit es plan zur Ebene der Corpusrückseite liegt (Abb. 14). Der Schulterbereich zeigt dementsprechend eine Ausstemmung von 11 cm Breite und 3 cm Tiefe. Überraschend war nun, daß darunter noch eine tiefere, in ihren Abmessungen nicht identische Aussparung, nicht vom Flächenumfang der oberen, sondern deutlich schmaler, vorhanden ist (Abb. 15). Beide, die für die jetzigen Arme wie die darunter befindliche, weisen Löcher für maschinell wie handgefertigte Dübel auf. In der tieferen Höhlung sitzen noch kantige Dübelstümpfe, die über die Fläche hinausragen. Sie sind, da sie die heutige Konstruktion nicht stören, im Holz verblieben. Das Armteil (Abb. 16) zeigt ebenfalls Dübellöcher, von denen nur vier nahezu symmetrisch angeordnete Entsprechungen im Corpus finden. Zwei nahezu runde Löcher finden sich in der oberen Aussparung der Schultern, zwei rechteckige in der tieferen; diese wohl auf eine ältere Befestigungsart der Arme verweisend. Da aktuelle Form des Armstückes und tiefere Aussparung im Corpus nicht korrelieren, läßt sich nicht ausschließen. daß das Armteil Ersatz für ein nicht mehr existentes originales sein könnte.

Die starken Holzzerstörungen an der Ober- und Rückseite der Arme, die denen des Hauptes entsprechen und auf Anobienbefall sowie langzeitige Witterungseinflüsse zurückzuführen sind, legen nahe, daß der Ersatz schon lange zurückliegt und auf jeden Fall vor die Barockzeit zu datieren ist. Die Bearbeitung dieser Flächen ist allerdings noch nicht soweit abgeschlossen, daß sich das genaue Ausmaß der Schädigungen ermessen läßt.

Abb. 15: Rückseite nach Abnahme der Metallplatte mit den Aussparungen im Schulterbereich

Die Ansichtsseite der Arme ist plastischer ausgeformt als die rückwärtige. Säge- und Stechbeitelspuren finden sich nur am Mittelstück, das durch den Körper verdeckt wird. Beide Handflächen weisen durchgehende Löcher im Durchmesser von 1,3 cm auf, die für die verlorengegangenen Nägel bestimmt waren. Daß man mit dem Kruzifixus in der Vergangenheit nicht allzu pfleglich umgegangen ist, ihn offensichtlich wenig sorgsam transportiert hat, macht der Verlust der ursprünglichen Finger etwa ab den Mittelhandknochen sowie des Daumens der rechten Hand deutlich. Mechanische Beschädigungen zeigen auch die Beine. Sie lassen – wie oben bereits erwähnt – darauf schließen, daß der Kruzifixus einmal aus größerer Höhe abgestürzt sein muß. Es fällt auf, daß jeweils schräg von

Füße und Suppedaneum weisen keine Beschädigungen auf, hier sind lediglich die viereckigen, aus Nadelholz geschnitzten Nägel in den Fußrücken jüngere Zutaten. Die Beine zeigen relativ geringe Schäden durch Anobienfraß; als offensichtliche Bearbeitungen finden sich lediglich Sägespuren an der Unterseite des Suppedaneums.

Farbigkeit

J. Taubert weist darauf hin, daß erst die in ihrer ursprünglichen Farbigkeit erhaltene Skulptur das vollendete Kunstwerk ist. »Erst durch die Farbigkeit bekommt die Skulptur die starke Wirklichkeit und Wirkung, von der uns viele mittelalterliche und nach

Abb. 16:
Armteil, Vorderansicht während der Konservierung (1987)

den Kniekehlen um die Waden herum bis zum vorderen Spann eine Fuge um die Beine verläuft (Abb. 17); über dem Spann sind dreieckige Lindenholzklötze eingeflickt. Die Breite der Fuge beträgt auf der äußeren Seite ca. 6 mm, an der inneren 1 bis 2 mm; sie ist mit aneinandergesetzten Brettchen ausgespänt. Die Störung läuft exakt in der Wachstumsrichtung des Holzes, sie stellt die wahrscheinlichste Bruchebene dar, weil bei einem Absturz das gesamte Gewicht des Körpers auf den Beinen auflastet, das Holz im Faserverlauf spaltet und das spitz zulaufende vordere Stück abbricht. Zusätzliches Indiz liefert der indifferente Verlauf der Fuge im Wadenbereich. Sollte diese Annahme zutreffen, hat man die auseinandergeschlagenen Teile wieder zusammengefaßt, genagelt und verklammert.

mittelalterliche Zeugnisse berichten«[14]. Auch der nach der Freilegung von 1949 weitestgehend holzsichtige Ringelheimer Kruzifixus gibt mit inzwischen 209 größeren und kleineren Befundstellen Hinweise auf ältere Fassungen (Abb. 18). Allerdings ist beim derzeitigen Bearbeitungsstand keine chronologische Ordnung der Stratigraphien möglich. Die in unterschiedlichen Schichtungen vorliegenden Farbbefunde bedürfen noch einer sehr sorgfältigen Analyse und anschließender Korrelation.

Von großer Bedeutung für eine Aussage über das ursprüngliche Aussehen des Kruzifixus könnte der unterhalb der rechten Achsel erhaltene rosafarbige Farbfleck sein, der ohne Grundierung direkt auf dem

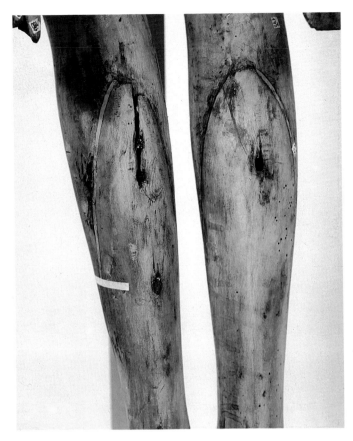

Abb. 17: Ansicht der Beinrückseiten, Zustand vor Beginn der Konservierung 1985

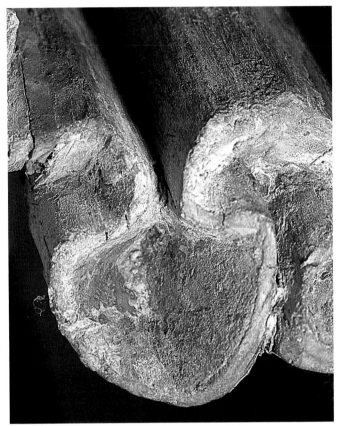

Abb. 18: Reste von Polychromie in einer omegaförmigen Falte des Lendentuches

Holze liegt. Ob es sich dabei um ein Wundmal handelt, muß fraglich bleiben, ist Christus doch eigentlich nicht als Toter dargestellt, wie etwa das Kölner Gerokreuz, sondern ein Beispiel für den eher klassischen hoheitsvollen Typus, der den sieghaften Christus am Kreuz zeigt, eine sicher ältere, in die Frühzeit der Kreuzigungsbilder zurückreichende Idee.

Da das Totsein durch den Lanzenstich bezeugt wird (Joh. XIX, 32 – 35), kann die Farbfläche an der Seite des Ringelheimer eigentlich nicht dieses Mal bedeuten, sondern ist vielleicht Rest einer Polychromie, die unmittelbar auf das Holz gemalt war. Es ist noch zu früh, sie als Erstfassung zu deuten. Allerdings spricht

die feinbearbeitete detailreiche Oberfläche des Holzes keinesfalls für eine stark dimensionierte, etwa auf Kreidegründen aufbauende Polychromierung.

Spekulation muß bleiben, ob ein kleiner Nagel unter der Drosselgrube als Hinweis auf einen Metallbeschlag der Figur gewertet werden darf; man denke etwa an die Paderborner Imad-Madonna, für die Hilde Claussen und Klaus Endemann[15] über einer farbigen Erstfassung eine Zweitfassung aus vergoldetem Kupferblech nachweisen, oder an die Hildesheimer Madonna, die von Anfang an mit Goldblech belegt gewesen sein soll. Die festgestellten Polychromiereste wurden inzwischen schriftlich, zeichnerisch und fotografisch erfaßt und am Corpus mit kleinen Marken gekennzeichnet (vgl. Abb. 4 und 6). Mit Hilfe der Fotogrammetrie, die durch die Kirchliche Denkmalpflege in Auftrag gegeben wurde, konnten exakte Zeichnungen als Grundlage für die weitere Dokumentation und konservatorische Behandlung erarbeitet werden (Abb. 20 – 23).

Ebenso wie eine endgültige Auswertung der Farbspuren steht noch die Festlegung eines Konservierungskonzeptes aus. Die bisherigen Maßnahmen hatten lediglich die Bekämpfung des akuten Anobienbefalls zum Ziel. Zu diesem Zweck mußte die 1949 aufgetragene Kittschicht abgetragen werden. Sie war versprödet (Abb. 19), besaß stellenweise keine Haftung mehr zum Untergrund und wies auch verstärkte Rißbildung auf. Eine mit Lösemitteln schonende Abnahme war unumgänglich, um die Schäden an der Skulptur genauestens feststellen und erste prophylaktische Maßnahmen durchführen zu können.

Eine Holzfestigung ist angesichts der partiell zermübten Substanz des Kruzifixus zu erwägen. Geprüft werden muß auch, ob die als Verstärkungen gedachten Holzklötze in der rückwärtigen Aushöhlung sowie die zum Teil wenig korrekten Einflickungen in den Rissen noch ihren Zweck erfüllen. Der Ersatz müßte sehr sorgfältig geprüft und abgewogen werden. Das größte Problem stellt die Behandlung der Oberflächen der Holzskulptur dar. Konservatorische Gründe sprechen für ein Schließen der vielen Ausfluglöcher und Fraßgänge. Auch ästhetische Gründe sprechen im gewissen Maße für eine solche Maßnahme, müssen allerdings bei einem so überaus bedeutenden Kulturdenkmal zurücktreten. Ein neuer Kitt müßte auf jeden Fall jederzeit reversibel sein, wie überhaupt die Möglichkeit des Rückgängigmachens von Eingriffen unbedingt gewährleistet bleiben muß.

Über die weitere Vorgehensweise wird im Rahmen eines kunstwissenschaftlich-restauratorischen Kolloquiums zu diskutieren und zu entscheiden sein.

P. K.

Abb. 19: Kopf und Thorax vor Beginn der Konservierungsmaßnahme 1985

100

Abb. 20: Photogrammetrie (Maßstab 1:10); Vorderseite

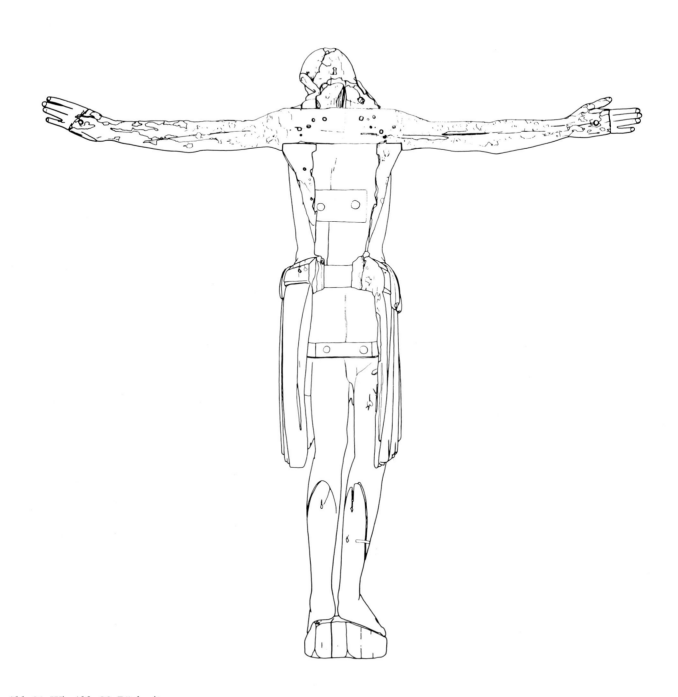

Abb. 21: Wie Abb. 20, Rückseite

102

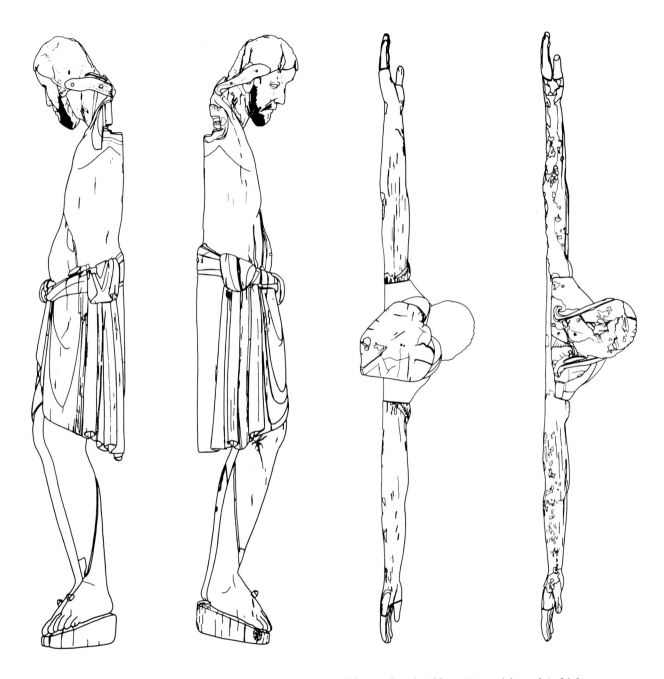

Abb. 22 a, b: Wie Abb. 20, Seitenansichten   Abb. 25 a, b: Wie Abb. 20, Untersicht und Aufsicht

Beischriften zu den Reliquien

1. Authentik des Lederbeutels
Pergament ca. H. 1,3 cm – B. 5,3 cm.

Vorderseite (Abb. 24)   *De se<pulch>ro* [a] *domini*
(»Vom Grab des Herrn«).

Rückseite (Abb. 25)   *B(ernwardus) + ep(iscopus)* [b]

[a] das Eingeklammerte nicht mehr lesbar.
[b] e– anscheinend im Schreiben aus E– verbessert.

Abb. 26: Widmungsinschrift Bernwards im sog. kostbaren Evangeliar, Hildesheim, Domschatz, fol, 231[v]

Die Schrift der Vorderseite (wohl saec. IX/X oder saec. X[1]) ist jedenfalls älter als die der Rückseite. Diese soll zwar nach der von Wesenberg zitierten Auskunft Drögereits »ein wiederbeschriebenes Stück Pergament« sein, »auf dem noch Überreste einer wohl karolingischen Schrift zu erkennen sind.« Doch davon ist keine Spur zu sehen, weder mit bloßem Auge noch unter fluoreszierendem Licht und auch nicht auf den UV-Photos, die Renate van Issem (Göttingen) jüngst angefertigt hat. Da zudem das Pergament keineswegs den Eindruck eines Palimpsestes macht, sind es wohl bloß einige Flecken gewesen, die Drögereits Phantasie verleitet haben.

Der Name Bischof Bernwards auf der Rückseite ist zweifellos von einer zeitgenössischen Hand geschrieben worden. Das gibt einen festen Anhaltspunkt für die Geschichte des Ringelheimer Kreuzes. Nicht so leicht zu beantworten ist die Frage, ob der Eintrag von Bernward selbst geschrieben wurde.

Zu vergleichen ist dazu das Original des Frankfurter Synodalprotokolls von 1007, das die Gründung des Bistums Bamberg bestätigt und das Bischof Bernward unterschrieben hat. Eigenhändig an der Unterschrift ist aber trotz der Formulierung *subscripsi* (»ich habe unterschrieben«) nur ein Kreuz, alles übrige stammt von der Hand des Notars; vgl. MGH DH II 143 und die Erläuterungen Bresslaus S. 169 sowie die Abb.: Bayerns Kirche im Mittelalter. Handschriften und Urkunden. Ausstellung. . . . München 1960, Abb. 24; Aus 1200 Jahren. Ausstellung des Bayerischen Hauptstaatsarchivs München. Katalog bearb. von A. Liess (Ausstellungskataloge der staatlichen Archive Bayerns 11, 1979), S. 29.

Dieses Beispiel lehrt, daß die subjektive Formulierung eines Eintrags in dieser Zeit des Mittelalters noch nicht die Eigenhändigkeit der Schrift garantiert. Daher beweisen die gleichlautenden und von derselben Hand geschriebenen Widmungsinschriften in den beiden von Bernward dem Michaelskloster geschenkten Evangeliaren (Hildesheim, Domschatz 18, fol. 231ᵛ, [Abb. 26] und Hildesheim, Domschatz 33, fol.270ʳ)

Hunc ego Bernuuardus codicem conscribere feci . . . (»Diesen Codex habe ich, Bernward, schreiben lassen...«, vgl. MGH Poetae 5, S. 455) noch nicht, daß es sich um Autographen handelt.

Doch ist kaum zu bezweifeln, daß die Hand dieser Widmungsinschriften auch die Rückseite der Ringelheimer Cedula geschrieben hat: vor allem der charakteristische leicht nach links unten abschwingende Basisstrich des B, das e und die spitzen Druckstellen am Anfang und Ende des Kürzungsstriches sind identisch. (Mit der Hand, die Bernwards Namen im ältesten Katalog der Hildesheimer Bischöfe [Hildesheim, Domschatz 19, fol. 234ᵛ] eingetragen hat und die Wesenberg als ähnlich bezeichnet, hat sie übrigens nichts zu tun.)

Um Bernwards Hand jedoch endgültig zu identifizieren, bedürfte es weiterer eindeutiger Zeugnisse seiner Schrift. Darüber sind gegenwärtig Untersuchungen im Gange.

2. Authentik des Seiden-Leinen-Beutels (Abb. 27)
Pergament ca. H. 1 cm; B. 6,3 cm.

Cosme et Damiani[a]

[a] –i aus –e verbessert.

Von einer sehr ungelenken Hand saec. XIII/XIV geschrieben. Die in der Literatur anzutreffende, auf Auskünfte von Drögereit zurückgehende Datierung der Schrift in karolingische Zeit ist allein wegen der typisch spätmittelalterlichen Formen des a und des d ganz abwegig.

Wenn die Reliquien, auf die der Zettel hinweist, zusammen mit dem Kruzifix aus Hildesheim nach Ringelheim gekommen sind, dürften sie aus dem frühmittelalterlichen Reliquienschatz des Domes stammen, den Bischof Altfried 872 u. a. den Heiligen Kosmas und Damian als Nebenpatronen weihte.

H.J.S

Anmerkungen

[1] Kunstdenkmäler, Landkreis Goslar, 1937, S. 215
[2] Bohland gab einen kurzen Bericht seiner Maßnahmen, der im Beitrag von P. Königsfeld, S. XXX, zitiert wird.
[3] Vgl. den Beitrag von Hans Jakob Schuffels
[4] Vgl. Literaturangaben zu R. Wesenberg
[5] Vgl. Wesenberg 1951, S. 70
[6] Vgl. Wesenberg 1951, S. 70
[7] Vgl. Wesenberg 1951, S. 70
[8] Vgl. Wesenberg 1951, S. 70
[9] R. Hamann – Mac Lean, Ein ottonischer Kruzifix, in: Zeitschrift für Kunstwissenschaft 6, Berlin 1952, S.128, Anm. 22
[10] Ein wesentlicher Teil dieser Maßnahme wurde dankenswerterweise von der Restaurierungswerkstatt des Instituts für Denkmalpflege übernommen. Vgl. den Beitrag von P. Königfeld.
[11] Vgl. den Beitrag von P. Königfeld.
[12] Wie Anmerkung 11
[13] Vgl. dagegen die korrekte Transkription im Beitrag Schuffels.
[14] J. Taubert, Farbige Skulpturen, München 1978, S. 128
[15] H. Claussen/K. Endemann, Zur Restaurierung der Paderborner Imad-Madonna, in: Westfalen 48, (Münster) 1970, S. 79 – 125

Literatur: J. Bohland d. J., Zwei Kreuzigungsdarstellungen aus der Hildesheimer Domschule, in: Alt-Hildesheim 22, Hildesheim 1951, S. 28 – 30; Die Kunstdenkmäler der Provinz Hannover, Landkreis Goslar, Hannover 1937, S. 208 – 215; H. Goetting, Die Hildesheimer Bischöfe von 815 bis 1221 (1227) (Germania Sacra NF 20/3, 1984) S. 108 (zu den Reliquien); F. J. Tschan, Saint Bernward of Hildesheim 2 (Publications in Mediaeval Studies 12, 1951, S. 109 f) und 3 (Publications in Mediaeval Studies 13, 1952, Abb. 99); R. Wesenberg, Das Holzkruzifix von Ringelheim, in: Harzzeitschrift, Hildesheim 1951, 3. Jg., S. 67 – 72; ders., Das Ringelheimer Bernwardkreuz, in: Zeitschrift für Kunstwissenschaft 7, Berlin 1953, S. 1 – 24; ders. Bernwardinische Plastik, Zur ottonischen Kunst unter Bischof Bernward von Hildesheim, Berlin 1955, S. 51 – 58 und S. 170 f.

ZWEI RELIQUIARE AUS HOLZ

»Erhalten haben sich Reliquiare aus Holz, die über das 14. Jahrhundert zurückreichen, nur in geringer Zahl« – bemerkt schon Joseph Braun in seinem 1940 erschienenen Handbuch über die »Reliquiare des christlichen Kultes und ihre Entwicklung«[1].

Wenn wir nur von so wenigen Holzreliquiaren Kenntnis haben, so ist der Grund wohl in erster Linie darin zu suchen, daß sie in viel stärkerem Maß dem Verfall ausgesetzt waren als solche aus unorganischem Material. Bei einem Großteil der hölzernen Reliquienbehälter, die aus dem frühen und hohen Mittelalter übernommen sind, handelt es sich um Funde aus Altären. Allein im Sepulcrum des Kryptenaltares der Stiftskirche in Ellwangen kamen bei Bauforschungen um 1960 die Fragmente dreier Kästchen und mehrerer runder Dosen zum Vorschein[2]. Das schreinförmige Kästchen **a**, das im folgenden behandelt wird, stammt ebenfalls aus einem Altar und mit einiger Wahrscheinlichkeit auch die Kugeldose **b**. Daß beide so außerordentlich gut erhalten sind, macht sie – über ihre kult- und kunstgeschichtliche Bedeutung hinaus – zu wertvollen Zeugnissen mittelalterlicher Holzbearbeitung, denen eine ausführliche Beschreibung Rechnung zu tragen sucht.

M. B.

a) Reliquienkästchen

Niedersachsen, Ende 12. Jahrhundert

Holz, geschnitzt und bemalt
Gesamtlänge 8,1 cm; Höhe 4,7 cm; Tiefe 3,8 cm
Kastenhöhe 3,3 cm
Öffnung: Länge 6,6 cm; Breite 2,8 cm; Tiefe 2,5 cm
Deckelhöhe 1,2 cm

Holle-Hackenstedt, ev. Kirchengemeinde

Das Reliquienkästchen (Abb. 1) wurde 1987 bei einer Renovierung der Hackenstedter Kirche im Sepulcrum des Altares gefunden. Der Reliquieninhalt ist nicht mehr zu identifizieren.

Nach einer Aufzeichnung im Pfarrarchiv fanden sich außerdem:
»– 14 Münzen, vornehmlich aus der ersten Hälfte des 18. Jahrhunderts
– eine Urkunde des Bildhauers des Altars, Johan Heinrich Fahrenholtz, von 1734
– ein stark brüchiges Pergament (ehemalige Tüte?)
– eine Urkunde von Pastor Wiesenhavern von 1832
– eine Urkunde und eine Notiz von Pastor Birth von 1956
– Holzstückchen einer ehemaligen Schachtel, in der sich lt. Nachricht von Pastor Wiesenhavern das Reliquienkästchen befunden habe, zusammen mit Steinstückchen.«

Mit Ausnahme des Holzreliquiars wurden »alle Gegenstände aus dem Sepulcrum zusammen mit den Dokumenten der Kirchenrenovierung von 1986/87 (soweit möglich in Folie eingeschweißt und) in einem verschweißten Kupferkasten an der linken Seite des Altars angebracht.«[3]

M. B.

Das kleine, bemalte Holzkästchen besteht aus dem Kasten mit aufsitzendem Deckel und hat die Form einer verkleinerten Truhe (Abb. 2). Der rechteckige kleine Kasten selbst ist aus einem Holzstück hergestellt (wahrscheinlich Weide oder Pappel), die Öffnung ist aus dem Vollholz herausgearbeitet (Abb. 3). Die Wandung ist an den Langseiten durchgehend 5 mm dick, an den Stirnseiten oben 8 mm und verstärkt sich zum Boden hin. Die Bodenstärke beträgt ca. 8 mm.

Der Deckel sitzt mit seiner Grundfläche bündig auf dem Kasten auf. Die Kanten des Deckels sind abgeschrägt. Auch der Deckel ist aus einem Vollholzstück herausgearbeitet, die Innenausnehmung folgt der äußeren Form (Abb. 3). Die Holzfaserrichtung läuft mit den Langseiten, die Stirnseiten der Schatulle liegen im Hirnholzbereich, der Kern des bearbeiteten Holzstückes auf diesen Stirnseiten. Hier kann man ablesen, daß Deckel und Kasten nicht aus einem zusammenhängenden Stück gearbeitet wurden (das dann in die zwei Teile aufgetrennt wurde), weil die Jahresringe unterschiedlich gerundet sind, im Stirnholz des Deckels ist ein Holzkern sichtbar.

Abb. 1: Reliquienkästchen aus Hackenstedt, mit Inhalt

Abb. 2:
Vorderansicht mit
geschlossenem Deckel

Abb. 3:
Innenansicht von Kästchen
und Deckel

Abb. 6: Linke Schmalseite

Abb. 4: Rückansicht

Abb. 5: Aufsicht

In den hinteren Langseiten von Kasten und Deckel sitzen drei Dübel, die plan mit der Kante abschließen (Abb. 3). So haben sie heute keine erkennbare Funktion mehr. Sie dienten früher vermutlich als Führung zum Verschließen der Schatulle und als Arretierung des Deckels auf dem Kasten. So steckten vermutlich im Deckel die drei Dübel, die entsprechenden Löcher saßen in den Langseiten des Kastens. Die Dübel sind heute durchtrennt.

Auch der Verschlußmechanismus vorne ist leicht beschädigt und nur noch rekonstruierbar. An der vorderen Langseite des Schatullenkastens sitzt ein schwenkbares Schließblech, mit einem Stift als Drehpunkt. Ein umgebogener Nagel, der an entsprechender Stelle im Deckel steckt, greift unter dieses Schließblech, das in zurückgeführter Position Kasten und Deckel verschließt. Wird das Schließblech hervorgeschwenkt, wird der Nagel wieder freigegeben. Um das Schließblech herum fehlt ein ca. 2 cm langes, abgeschertes Holzstück.

Alle sichtbaren Flächen sind mit einem Rosettenmuster versehen, das filigranartig über einer dünnen Grundierungsschicht aufgemalt ist [4]. (Abb. 4 – 6) Einer Laser-mikro-spektralanalytischen Untersuchung zufolge handelt es sich bei dem roten Pigment der Musterung um Zinnober (Quecksilbersulfid) [5]. Auf der Rückseite wurde die Bemalung am Deckel und auf der oberen Hälfte der Langseite des Kästchens samt der direkt auf das Holz aufgebrachten bräunlichen Grundierungsschicht durch einen Klebestreifen zerstört, den man vermutlich 1956 angebracht hatte, um den Deckel auf dem Kästchen zu fixieren [6]. Dieser hat sich durch Trocknung verwölbt und liegt nicht mehr plan- und paßgenau auf dem Kasten, der durch das Schwinden ebenfalls seine vorgegebene Form verändert hat.

R. R. / M. v. W.

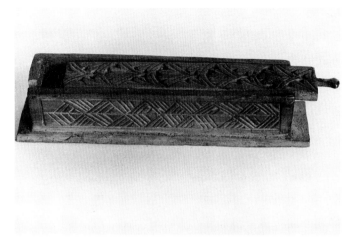

Abb. 7: Reliquienkästchen aus dem Hochaltar des Hildesheimer Domes

Abb. 8: Tragaltarförmiges Reliquienkästchen aus dem Hochaltar des Hildesheimer Domes

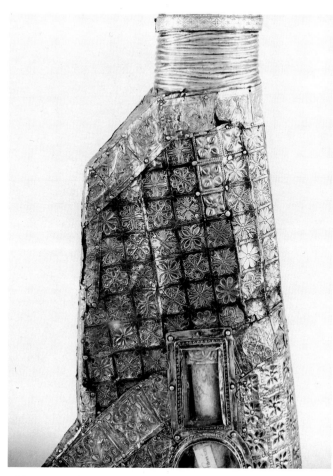

Abb. 9: Armreliquiar des heiligen Laurentius aus dem Welfenschatz, Detail

Daß es solche kleinen, einfach verzierten Holzreliquiare wie das Hackenstedter Kästchen im Mittelalter in großer Zahl gegeben haben dürfte, wird u. a. durch den überraschenden Fund von 13 hölzernen Dosen und Kästchen nahegelegt, die 1945 als Teil eines umfangreichen Reliquienschatzes aus dem Hochaltar des Hildesheimer Domes geborgen werden konnten.[7]

Leider sind diese Holzgefäße nicht mehr aufzufinden, doch existieren wenigstens von zwei Fotos, die eine ungefähre Vorstellung erlauben. Während das

Kästchen mit Schiebedeckel (Abb. 7) eine kerbschnittartige Ornamentik aufweist[8], sind auf der Längswand des kleinen »Tragaltar«-Kästchens dunkle Flecken zu erkennen, die sich als Spuren einer Bemalung deuten lassen (Abb. 8). Bemalte Reliquiare können in Niedersachsen schon für das 11. Jahrhundert nachgewiesen werden[9]. Das kleine Kästchen aus Hildesheim dürfte allerdings erst aus dem 12. Jahrhundert stammen, soweit sich das anhand der Profile beurteilen läßt. Beim Hackenstedter Reliquiar erlaubt die filigrane Ornamentik eine recht genaue Datierung in das Ende des 12. Jahrhunderts. Solche feinlinigen Rosetten und Rankenzüge finden sich ganz ähnlich etwa auch im Evangeliar Heinrichs des Löwen, z. B. im Krönungsbild fol. 171 v (vgl. Kat. Nr. 9, Abb. 3), und nicht zuletzt in der niedersächsischen Metallkunst dieser Zeit, für die hier nur auf das Armreliquiar des hl. Laurentius im Welfenschatz verwiesen sei (Abb. 9).

Literatur: unveröffentlicht   *M. B.*

b) Reliquiar in Form einer Kugeldose

Niedersachsen (Hildesheim ?), um 1160 – 70

Ahornholz[10], gedrechselt und bemalt; Höhe (gesamt) 16,3 cm; Breite (größte Ausdehnung) 15,1 cm; Umfang (größte Ausdehnung) 47,2 cm

Gefäßschale:
Höhe 10,7 cm; Bodenfläche 10,7 cm; Öffnung 7,4 cm; Außenkante Gefäßschale oben 10,0 cm; Wandstärke ca. 5,0 cm; Stärke des Bodens 1,5 cm

Gefäßdeckel:
Höhe (mit Führungsring) 7,5 cm; Breite (größte Ausdehnung) 10,1 cm; Umfang (größte Ausdehnung) 31,1 cm; Führungsring 7,0 cm

Hildesheim, Diözesanmuseum, Inv. Nr. 136

Abb. 10: Reliquiar in Form einer Kugeldose

Die runde Holzdose – bestehend aus Gefäßschale und Deckel – hat die Form einer etwas gedrückten, unten abgeflachten Kugel (Abb. 10).

Beide Teile der Holzdose sind aus dem Vollholz gedrechselt. Innen ist das Gefäß so glatt ausgearbeitet, daß es mit den dünnen Rillen vom Drechseln und durch den Alterungston des Holzes wie ein Tongefäß aussieht.

Die relativ dünne Wandstärke (von ca. 5 mm, die nur zum Boden hin stärker wird) zeigt eine feine handwerkliche Arbeit von großer Präzision in der Durchführung.

Zur Herstellung wurde das Holzgefäß zunächst innen ausgehöhlt, danach wurde vermutlich die Außenform gedrechselt. Die Zapfen wurden nach Beendung der Drechselarbeiten abgetrennt, wie man das am Boden der Dose noch erkennen kann. Aus dem Mittelpunkt des Deckelgrundes innen ragt noch ein übriggebliebener Teil eines Zapfens hervor (Abb. 11).

Die Ausnehmung des Deckels innen führt auf das Niveau der Auflagefläche zum Gefäß, darüber hinaus wurde ein umlaufender Steg im Holzmaterial stehengelassen, dessen äußerer Rand sich in der Öffnung des Gefäßes versenken läßt. Dieser, vom Deckelrand zurückspringende, 2 cm hohe Führungsring konnte nicht gedrechselt werden, weil man für zwei Zapfen überstehendes Holzmaterial brauchte. Daher mußte die äußere Rundung mit einem Stecheisen abgetragen werden.

Die andere Technik der Bearbeitung (hier das Schnitzen gegenüber dem Drechseln) zeigt deutlich: wesentlich gröber sind die horizontalen, ringförmigen Einkerbungen vom Abnehmen des Holzes gearbeitet. Es läßt sich ablesen, daß die Rundung noch einmal nachträglich verkleinert wurde: Mit einem etwas gerundeten Eisen wurden in Faserrichtung Holzspäne abgetragen, die die ringförmigen Einkerbungen in Abständen quer durchschneiden.

Die abstehenden Zapfen des Führungsrings sind Teil des Verschlußmechanismus; sie können in die entsprechenden Ausnehmungen der Schale paßgenau von oben eingelassen werden. Durch Drehen des Knopfes fahren die Zapfen unter den Gefäßrand der Schale und halten die Dose so fest verschlossen (diese Art einer Verbindung und eines Verschlusses gibt es heute noch bei einer Kaffeekanne).

Die Holzfaser läuft bei beiden Stücken in Richtung der Drehachse. Der Boden der Dose ist Hirnholz, ebenso der Auflagenring der Gefäßschale für den Deckel.

Im Laufe der Zeit hat sich die Dose leicht verzogen, die Grundfläche ist nicht mehr kreisförmig, sondern ist oval geworden.   *R. R. / M. v. W.*

Die polychrome Fassung, die lediglich den Boden der Pyxis ausspart, war vom Drechsler offenbar nicht vorgesehen. Jedenfalls überdeckt sie eine einfache Gliederung aus sechs Doppelrillen, die den Gefäßkörper in gleichmäßigem Abstand umspannen (vgl. Abb. 10). Durch eine analytische Untersuchung der in der Fassung vorkommenden Pigmente sollte festgestellt werden, ob es sich bei dieser ungewöhnlichen Bemalung mit figürlichen Medaillons um eine mittelalterliche Arbeit handeln konnte oder ob sich Anhaltspunkte für eine Entstehung in späterer Zeit ergeben.

Die Identifizierung der Pigmente erfolgte mittels
a) mikroskopischer und mikrochemischer Untersuchungen
b) Emissions-Spektralanalyse
c) Röntgendiffraktion
und führte zu folgenden Ergebnissen:

Die Pyxis wurde zunächst grundiert. Bei der weißen Grundiermasse handelt es sich um eine Gips-Leim-Grundierung.

Die Grundiermasse besteht im wesentlichen aus abgebundenem Gips (Calciumsulfatdihydrat), daneben konnten röntgenografisch geringe Anteile von totgebranntem Gips (Anhydrit) und Quarz (Siliciumdioxid) nachgewiesen werden.

Auf die Grundierung wurde in der oberen Hälfte des Gefäßes Blattgold aufgelegt. In der farbigen Fassung

Abb. 11: Reliquiar mit abgenommenem Deckel

der Pyxis treten die folgenden Pigmente auf: Bleiweiß, Zinnober, Mennige, Ultramarin sowie ein nicht näher identifizierbares Kupfergrün.

Schlußfolgerungen:

Die gleichzeitige Verwendung von Zinnober und Mennige sowie das Auftreten des kostbaren, aus dem Halbedelstein Lapislazuli gewonnenen Ultramarins kann als geradezu charakteristisch für die Faßmalerei der Romanik angesehen werden. Entsprechende Pigmentkombinationen finden sich z. B. in dem um 1150 entstandenen Lesepult in der Stadtkirche zu Freudenstadt[11], im romanischen Kruzifix von Forstenried[12] oder nicht zuletzt auch in der romanischen Madonna des Diözesanmuseums in Hildesheim (Kat. Nr. 7).

Die Verwendung von Gips für Grundierungen ist zwar vor allem für die Malerei Italiens belegt. Gips (häufig auch Anhydrit oder Mischungen von Gips und Anhydrit) ist aber auch das wichtigste Grundmaterial der romanischen Faßmalerei, wie inzwischen an zahlreichen Skulpturen (z. B. Freudenstädter Lesepult, Forstenrieder Kruzifix, Lichtensteiner Kruzifix im Württ. Landesmuseum[13]), Madonnenfiguren in Wil, Oberkastels und Habschwanden[14] nachgewiesen wurde. In der Faßmalerei der Gotik verschwinden Gipsgründe vollständig, und an ihre Stelle treten Kreidegründe. Entsprechendes gilt für das Ultramarin, das weitgehend durch Azurit ersetzt wird.

Die bei der Untersuchung der Pyxis erhaltenen Ergebnisse unterstreichen somit zwingend die Annahme, daß es sich bei der Malerei um eine authentische Fassung der Romanik handelt.

E.-L. R.

115

Abb. 12: Medaillon mit Darstellung Christi

Abb. 13: Medaillon mit Darstellung einer weiblichen Heiligen

Abb. 14: Medaillon mit Darstellung eines Apostels (Paulus?)

Abb. 15: Medaillon mit Darstellung eines männlichen Heiligen

Abb. 16: Medaillon mit Darstellung eines Ritterheiligen

Abb. 17: Medaillon mit Darstellung einer weiblichen Heiligen

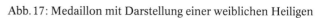

Abb. 18: Medaillon mit Darstellung eines männlichen Heiligen

Abb. 19: Medaillon mit Darstellung einer weiblichen Heiligen (Maria?)

Die bemalte Holzdose gehört zum alten Bestand des Diözesanmuseums. Von daher liegt es nahe, daß sie aus einer der mittelalterlichen Kirchen des Bistums Hildesheim stammt. Leider enthält die um 1900 aufgestellte Inventarliste keine Provenienzangaben[15], doch es gibt Anhaltspunkte, die für eine Herkunft der Pyxis aus dem Dom sprechen. Als nämlich 1833 die Reliquienkammer im Hochaltarstipes des Domes geöffnet wurde, die völlig in Vergessenheit geraten war, fand man darin neben zahlreichen anderen Reliquienbehältern auch »eine Kugel mit Fuß aus Holz gedreht etwa 6 bis 8 Zoll im Durchmesser, rundherum waren die 12 Apostel in Brustbildern in alter Malerey auf Goldgrund«[16]. Die Pyxis des Diözesanmuseums zeigt zwar nur 8 Medaillons mit Christus im Kreise von Heiligen (Abb. 3 – 10), doch da der Berichterstatter 1833 lediglich eine halbe Stunde Zeit hatte, den ganzen Fund zu studieren, könnte ihm bei der Beschreibung des Bildprogrammes ein Fehler unterlaufen sein.[17]

Wahrscheinlich hat man die Kugeldose dann kurz nach ihrer Entdeckung aus der Reliquienkammer herausgenommen und in den Domschatz gegeben, wie das auch mit drei Tragaltären geschah, die 1833 besondere Aufmerksamkeit erregten[18]. Während diese Kostbarkeiten dann gegen Ende des 19. Jahrhunderts in die neue Domschatzkammer übernommen wurden, könnte die hölzerne Pyxis zu jenen als weniger bedeutsam eingestuften Gegenständen des Domschatzes gehört haben, die man in der Schausammlung des Diözesanmuseum aufstellte.[19] Unter den Reliquiaren, die 1945 aus dem Hochaltar geborgen wurden, war jedenfalls keines, auf das die Beschreibung zutreffen könnte. Nur der einzeln aufgeführte »Fuß zu einem Reliquiar (Drechslerarbeit)« hat vielleicht mit der bemalten Pyxis zu tun[20].

Das rotgrundige Rosettenmuster der Kugeldose (Abb. 10) läßt an gemusterte Hintergründe denken, wie man sie im 12. Jahrhundert mehrfach in Miniaturen aus dem Umkreis des Klosters Helmarshausen finden kann[21]. Auf den ersten Blick lassen auch die Malereien in den Medaillons an »Helmarshausen« denken, etwa an die kreisrund gerahmten Brustbilder im Liber Vitae

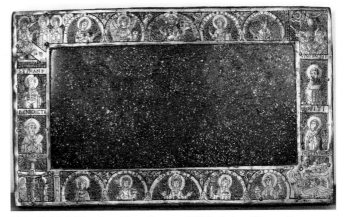

Abb. 20: Tafelförmiger Tragaltar aus Hildesheim, Oberseite

Abb. 21: Tafelförmiger Tragaltar aus Hildesheim, Unterseite

aus Corvey[22]. Die parzellierende Faltenführung, wie man sie dort noch in charakteristischer Weise ausgeprägt findet, ist in Hildesheim jedoch nur mehr in Ansätzen zu erkennen. Vor allem sind die Figuren hier freier bewegt. Stilistisch am besten vergleichbar sind in dieser Hinsicht die Gravierungen auf einem Tragaltar im Victoria and Albert Museum, der aus Hildesheim stammt und vermutlich dort entstanden ist (Abb. 10/21)[23]. Mit einiger Wahrscheinlichkeit dürfte es sich auch bei der bemalten Pyxis um eine Hildesheimer Arbeit handeln, deren Bildprogramm – wie beim Tragaltar – auf die Reliquien hinweisen sollte, für die die Pyxis einmal bestimmt war.   *M.B.*

117

Anmerkungen:

[1] ebd. S. 134.

[2] Vgl. G. S. Adelmann, Romanische Holzkästchen aus Ellwangen, in: Ellwangen 764–1964, Bd. 2, S. 805–808.

[3] Die Renovierung der Hackenstedter Kirche 1986/87, von Kurt Lindenberg, Kirchenvorsteher (datiert vom 29. Juli 1987), S. 5.

[4] Im Streiflicht sieht man noch deutlich Spuren des Zirkels, mit dem das Kreismuster angelegt wurde. Bei der Ausführung der Ornamentik muß der Deckel auf dem Kästchen fixiert gewesen sein, denn die Ornamentik reicht über dessen Oberkante hinaus bis an die Deckelschräge. [M. B.]

[5] Die Untersuchung erfolgte durch Prof. Dr. E. L. Richter, Staatliche Akademie der Bildenden Künste Stuttgart, Institut für Technologie der Malerei.

[6] Anläßlich einer umfassenden Kirchenrenovierung wurde damals die Altarumkleidung der Hackenstedter Kirche erneuert. Bei dieser Gelegenheit fand man auch das Kästchen, das damals wieder im Altar verschlossen wurde.

[7] Vgl. dazu Kat. Nr. 6b

[8] Zum ersten Mal veröffentlicht von J. Sommer (Der Niellokelch von Iber. Ein unbekanntes Meisterstück der Hildesheimer Goldschmiedekunst des späten 12. Jahrhunderts, in: Zeitschrift für Kunstwissenschaft XI, 1957, S. 109–136); die Deckelgröße wird dort (S. 133) angegeben mit 72 : 14 mm.

[9] Ein niedersächsisches Reliquienverzeichnis aus dem Anfang des 11. Jahrhunderts verzeichnet zwei jeweils mit grüner bzw. roter Farbe bemalte »scrinia« (Mittelalterliche Schatzverzeichnisse, Erster Teil, Von der Zeit Karls des Großen bis zur Mitte des 13. Jahrhunderts, hrsg. v. Zentralinstitut für Kunstgeschichte in Zusammenarbeit mit B. Bischoff, München 1957, Nr. 41).

[10] Die Bestimmung der Holzart wurde von Heide Härlin, Stuttgart, vorgenommen. Sie erfolgte durch mikroskopische Untersuchung.

[11] H. Westhoff, H. Härlin, E.-L. Richter und H. Meurer, Zum Freudenstädter Lesepult, in: Jahrbuch der Staatlichen Kunstsammlungen in Baden-Württemberg 13, 1980, S. 41–84.

[12] J. Taubert u. F. Buchenrieder, Zur Restaurierung des Forstenrieder Kruzifixus, in: Deutsche Kunst- und Denkmalpflege, München 1962.

[13] H. Westhoff, E.-L. Richter, B. Becker u. H. Meurer, Der Kruzifix von Schloß Lichtenstein, in: Jahrbuch der Staatlichen Kunstsammlungen in Baden-Württemberg 16, 1979, S. 7–38.

[14] Th. Brachert, Drei romanische Marienbilder aus der Schweiz, in: Jahresbericht 1964 des Schweizerischen Instituts für Kunstwissenschaft, S. 53–87.

[15] Die Pyxis wird unter der Nr. 136 beschrieben als »Kugelförmige Holzdose mit Deckel 16 cm hoch. Bemalt am unteren Teile und Deckel mit Rosetten (rot auf schwarzem Grunde), am oberen Teile auf Goldgrund mit 8 Medaillons, die auf blauem Grunde Brustbilder von Christus und Heiligen (in schmutzig-weißer Farbe mit schwarzen Konturen) umschließen. Romanischer Stil«.

[16] Hildesheim, Dombibliothek. Best. C Nr. 100. Vgl. M. Brandt, Tragaltäre im Hochaltar. Ein Reliquienfund im Hildesheimer Dom, in: Ars et Ecclesia. Festschrift für Franz J. Ronig, Trier 1989, S. 69 ff.

[17] Auch die eigenhändig verfaßte Beschreibung von Stücken seiner Sammlung enthält eine ganze Reihe von Fehldeutungen; vgl. M. Brandt, Schatzkunst aus Hildesheim. Die Sammlung des Advokaten Franz Engelke (1778–1856), in: Zeitschrift des Deutschen Vereins für Kunstwissenschaft 42, 1988, S. 11–38.

[18] Es handelt sich um die Tragaltäre DS 24–26; vgl. Brandt 1989 (wie Anm. 16).

[19] Die Neuaufstellung besorgte der durch seinen Welfenschatzkatalog bekannt gewordene Zisterzienser W. A. Neumann aus Wien.

[20] Hildesheim, Hohe Domkirche, Inventar, 1945 Nr. 1. Ein separat gearbeiteter vergoldeter Untersatz mit Bemalung hat sich auch im Halberstädter Domschatz erhalten.

[21] Z. B. im Evangeliar Ludwig M S. II 3 des Getty Museums, vgl. A. v. Euw und J. M. Plotzek, Die Handschriften der Sammlung Ludwig Bd 1, Köln 1979, Abb. 50–53.

[22] Der Liber Vitae der Abtei Corvey. Einleitung, Register, Faksimile, hrsg. v. K. Schmid und J. Wollasch, Wiesbaden 1983.

[23] Inv. Nr. 11–1873. Vgl. St. Soltek, Ein Tragaltar des 12. Jahrhunderts aus Hildesheim, in: Niederdeutsche Beiträge zur Kunstgeschichte 24, 1985, S. 9–48.

Literatur: unveröffentlicht

Niedersachsen (Hildesheim?),
1. Hälfte 12. Jahrhundert

Weidenholz [1] mit Resten verschiedener Fassungen
Höhe mit Sockel: 43,5 cm

Hildesheim, Diözesanmuseum, Inv. Nr. 1989/1

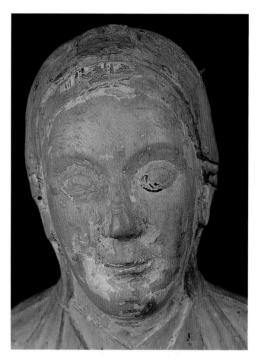

Die Skulptur (Abb. 3) wurde vor einigen Monaten aus dem Kunsthandel erworben. Sie stammt angeblich aus der Gegend von Hildesheim. Das Christuskind auf dem Schoß der Mutter und deren linke Hand, die es umfangen hat, sind verloren. Eine Bohrung im linken Knie der Thronenden und im Stumpf ihres linken Armes zeigen, daß die betreffenden Teile ebenso wie die erhaltene Rechte separat geschnitzt und angesetzt waren. Nach Auskunft des Vorbesitzers soll die Madonna noch zum Zeitpunkt ihrer Auffindung vor einigen Jahren ein Christuskind auf dem Schoß gehalten haben, das jedoch eine Ergänzung aus spätgotischer Zeit gewesen sei. Es sei entfernt worden, als man die entstellend übermalte Figur bis auf die vermeintliche Erstfassung freilegte. Über den Verbleib des Christuskindes ist nichts bekannt.

So sehr es zu bedauern ist, daß damit eine historisch gewachsene Einheit zugunsten des nurmehr fragmentarisch erhaltenen »Originalzustandes« aufgegeben wurde, ist so doch die Möglichkeit gegeben, genauere Aufschlüsse über das ursprüngliche Aussehen der Figur zu gewinnen.   *M. B.*

Da ein Restaurierungsbericht fehlt, sollte durch eine analytische Untersuchung der vorhandenen Fassungsreste festgestellt werden, ob es sich tatsächlich um Reste der originalen romanischen Fassung handeln könnte oder aber um Zutaten aus späterer Zeit. Die

Abb. 1: Kopf mit Resten der Originalfassung

Abb. 2: Thronsitz mit Resten der Originalfassung

Abb. 3:
Thronende Madonna,
Ansicht von rechts

Identifizierung von Pigmenten erfolgte mittels mikroskopischer und mikrochemischer Methoden sowie mittels Röntgendiffraktion. Einer stereomikroskopischen Untersuchung zufolge stammen die Fassungsreste offensichtlich aus verschiedenen Epochen. Bei der analytischen Untersuchung wurden offensichtlich neuere Fassungen nicht berücksichtigt, sondern lediglich Proben aus mutmaßlich originalen Stellen entnommen. Hierbei wurden die folgenden Pigmente identifiziert: Bleiweiß, Auripigment, Ultramarin, Kupfergrün, Zinnober und Mennige.

Bei dem Kupfergrün handelt es sich der röntgenografischen Untersuchung zufolge um ein basisches Kupferchlorid. Die Grundiermasse besteht aus einer Mischung von Kreide und Gips. Die nachgewiesenen Pigmente sind in dieser Zusammenstellung typisch für die Faßmalerei der Romanik. Eine weitgehend entsprechende »Palette« von Pigmenten findet sich z. B. auf dem romanischen Lesepult in der Stadtkirche zu Freudenstadt[2].

E.-L. R.

In wie starkem Maße die leuchtende Farbfassung das ursprüngliche Erscheinungsbild bestimmt hat, mögen die beiden Detailfotos des Kopfes und des Thronkissens verdeutlichen (Abb. 2, 3). Während das Kopftuch der Madonna, ihre Augäpfel und das Kissen auf dem Thron vom Schnitzer nur als plastische Grundform angelegt sind, erfolgt die Differenzierung erst in der Fassung, die gegenüber dem plastischen Volumen der Figur merkwürdig flächenhaft erscheint und den Holzkern wie eine dünne Haut überspannt.

Ebenso wie bei der Großen Goldenen Madonna der Bernwardszeit (Kat.-Nr. 4) ist auch beim Bildwerk des 12. Jahrhunderts der Rücken ausgehöhlt und mit einem separat gearbeiteten Einsatz verschlossen, der in diesem Fall fest verstiftet ist (Abb. 4). Eine kleine, mit einem Schiebedeckel versehene Öffnung deutet darauf hin, daß hier Reliquien eingelassen waren. Eine ähnliche Konstruktion zeigt im 11. Jahrhundert schon die Paderborner Imad-Madonna, in der sich nachweislich Reliquien befanden[3].

Abb. 4: Maria von der Stirnseite des Godehardschreins, Hildesheim, Dom

121

Abb. 5 und 6

Abb. 7 und 8

Die vier Hauptansichten des romanischen Marienbildes lassen noch im fertigen Zustand die blockhafte Urform durchscheinen, die Ausgangspunkt für die weitere Ausgestaltung war (Abb. 5–8). Auffällig ist die flache Faltenschichtung, die an die Treibarbeiten des Godehard- und Epiphaniusschreins im Hildesheimer Dom erinnert (Abb. 4), in Einzelheiten aber vor allem einem Elfenbeinrelief mit Darstellung der Verkündigung nahesteht, das Peter Bloch mit guten Gründen als niedersächsische Arbeit eingestuft hat (Abb. 9)[4]. Schon dadurch, daß die Figuren nicht ganz so gedrungen sind wie am Schrein, kommen sie einander näher. Außerdem zeigt die Hildesheimer Madonna (im Nacken noch besonders gut sichtbar) die gleichen straffen Sichelfalten und schließlich auch jene spangenartigen Faltenriegel, die eine eigenwillige Variante der parzellierenden Faltenführung bilden, die man an den Hildesheimer Schreinen findet[5].

M. B.

Abb. 9: Elfenbeinrelief mit Darstellung der Verkündigung, niedersächsisch, 1. Hälfte 12. Jahrhundert

Abb. 5: Rückansicht mit eingesetztem Rückenteil und verschließbarer Öffnung

Abb. 6: Seitenansicht von links

Abb. 7: Seitenansicht von rechts mit eingesetzter Hand

Abb. 8: Ansicht von vorn mit Zapfenloch für das verlorene Christuskind auf dem Schoß der Madonna

Anmerkungen:

[1] Die Bestimmung der Holzart wurde von Heide Härlin, Stuttgart, vorgenommen.

[2] Vgl. H. Westhoff, H. Härlin, E.-L. Richter und H. Meurer, Zum Freudenstädter Lesepult, in: Jahrbuch der Staatlichen Kunstsammlungen in Baden-Württemberg 17, 1980, S. 41 – 84.

[3] H. Claussen und K. Endemann, Zur Restaurierung der Paderborner Imad-Madonna, in: Westfalen 48, 1970, S. 79 – 125, hier: S. 88.

[4] Katalog zur Ausstellung »Zimelien. Abendländische Handschriften des Mittelalters aus den Sammlungen der Stiftung Preußischer Kulturbesitz Berlin«, Wiesbaden 1975, S. 271.

[5] Mit der Bronzemadonna des Kestner-Museums in Hannover (Inv.-Nr. 461) hat die Hildesheimer Marienfigur dagegen nichts zu tun. Wenn der Londoner Auktionskatalog (Christie's 1987) in diesem Zusammenhang von »close analogies« spricht, so kann sich das allenfalls auf eine typenmäßige Verwandtschaft beziehen, die für eine genauere kunstgeschichtliche Bestimmung der Holzmadonna ohne Belang ist.

Literatur:

Auktionskatalog Christie's, London 8. Dezember 1987, Important European Sculpture and Works of Art, Nr. 27.

Seidengewebe: Naher Osten (Byzanz?), Anfang 11. Jahrhundert

Gewand (Glockenkasel): Rückenhöhe 156,5 cm, größte Breite 215 cm

Fragmente: 26 x 26 cm, 7,8 x 11,2 cm, 6,3 x 12,2 cm, 2,8 x 10 cm, 21 x 13 cm, 3,5 x 4,4 cm, 3,5 x 4,5 cm, 27,6 x 2,5 cm, 3 x 36,3 cm, 8 x 3,4 cm, innerer Halsausschnittbesatz: 32,7 x 17 cm, 5 x 29,3 cm, 22,2 x 18,7 cm

Oberstoff: Sog. Protolampas (lancierte Leinwandbindung, die Lancierung abgebunden durch die einfachen Kettfäden in Köper $^1/_2$ S-Grat): Kette (Seide, Z-Drehung, beige, abwechselnd 1 einfacher, 1 doppelter Faden), 28 – 32 einfache bzw. doppelte Fäden/cm: Schuß: 1 Grundschuß (Seide, goldgelb) zu 1 Lancierschuß (Seide, goldgelb) zu 1 Grundschuß zu 2 Lancierschüssen, 21 – 24 Passées/cm (à 5 Einträge: 2 Grund-, 3 Lancierschüsse). Webbreite: mind. 264,2 cm. Rapport: Höhe 35,3 – 39 cm, Breite 27 – 35 cm.

Besatzstoff: Gemusterter Samit, Köper $^1/_2$ S-Grat. Kette: Hauptkette (Seide, Z-Drehung, braun) zu Bindekette (Seide, Z-Drehung, braun) = 2 zu 1. 36 – 40 Hauptkettfäden/cm, 18 – 20 Bindekettfäden/cm. Schuß: 1 Schuß I (Seide, braun) zu 1 Schuß II (Seide, blauviolett), jede 2. Passée mit umgekehrter Schußfolge. 42 – 60 Passées/cm. Webbreite: mind. 166,5 cm. Rapport: Höhe unvollständig, Breite 15,3 – 17,6 cm.

Halsausschnittbesatz: rote und beige Brettchenborte.

Stickereirest auf Fragment 1: Goldstickerei auf gemustertem Samit, Köper $^1/_2$ S-Grat Kette: Hauptkette (Seide, Z-Drehung, beige) zu Bindekette (Seide, Z-Drehung, beige) = 2 zu 1. 28 Hauptkettfäden/cm, 14 Bindekettfäden/cm. Schuß: 1 Schuß I (Seide, dunkelblau) zu 1 Schuß II (Seide, violett). 42 Passées/cm. Stickmaterial: Goldfaden (Goldlahn um hellrötliche Seidenseele, Montage S, couvert); Seide, Zwirn S, rot. Sticktechnik: Nicht versenkte Anlegetechnik, Konturen in Stielstich.

Futter: Leinwandbindung: Kette (Leinen, Z-Drehung, rohweiß), 18 Fäden/cm. Schuß (Leinen, Z-Drehung, rohweiß), 16 – 17 Einträge/cm. Webekante: an beiden Seiten erhalten, ohne besondere Merkmale. Webbreite: 87 cm.

Hildesheim, Hohe Domkirche, Inv. Nr. DS 83

Die aus dem ehemaligen Benediktinerkloster St. Michael in Hildesheim stammende Bernwardkasel (Abb. 1 und 2) ist 1978/79 in der Restaurierungswerkstätte des Textilmuseums Krefeld einer grundlegenden Konservierung unterzogen worden. Leider erst nach Abschluß dieser Arbeiten wurden einige Seidenreste im Reliquienschatz des Hildesheimer Bischofshauses als Fragmente des kostbaren Gewandes erkannt (Abb. 3). Der Fund ist Anlaß, sich erneut mit der Geschichte dieser Kasel zu beschäftigen – einer Geschichte, die insbesondere auch verschiedene Restaurierungen und Umarbeitungen umfaßt. Brigitta Schmedding konnte 1978/79 verschiedene kleinere Ausbesserungen an der Bernwardkasel nachweisen; eine radikalere Umarbeitung dürfte im 19. Jahrhundert geschehen sein, vielleicht anläßlich der ersten Ausstellung der Kasel im Domschatz. Dorthin ist sie 1825 gelangt, aus dem Nachlaß des geistlichen Rates Tegethoff, der sie seinerseits aus dem Erbe des letzten Abtes von St. Michael, Wilhelm Rören, erhalten hatte.

Die jetzt neugefundenen Fragmente lassen sich alle auf der Kasel plazieren (Abb. 4), sie sind offensichtlich abgeschnitten worden. Ihre Lage (am Halsausschnitt und an den Rändern der großen Fehlstelle der rechten Schulterpartie) erlaubt es, sie als »Schneiderabfälle« der Umarbeitung des 19. Jahrhunderts anzusprechen. Damals wurde das Meßgewand um 45° gedreht, wohl weil die rechte Schulterpartie durch Reliquienentnahmen unansehnlich geworden war. Ein neuer Halsausschnitt wurde eingearbeitet und mit großen Stücken des Seidengewebes verkleidet, die man der jetzt zur Rückseite gewordenen Kaselpartie entnommen hatte. Die dabei übriggebliebenen Abschnitte wird man als Reliquien beiseitegelegt und bisweilen Teile davon an Gläubige oder an Kirchen weitergegeben haben. Möglicherweise stammt auch das heute im Kestner-Museum Hannover befindliche kleine Fragment (Inv. Nr. 3867) aus diesem Bestand.

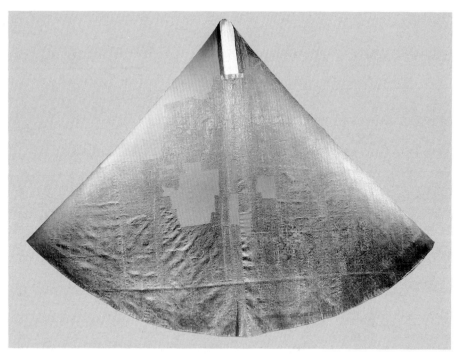

Abb. 1: Bernwardkasel, Vorderseite
nach der Restaurierung
1978 / 79

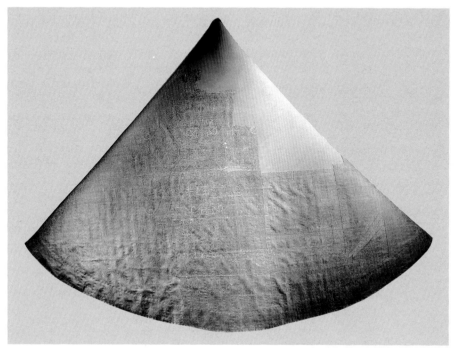

Abb. 2: Rückseite

126

Alle früheren Restaurierungen lassen sich durch das Leinenfutter der Kasel (Abb. 5) zeitlich etwas eingrenzen: Die darauf angebrachte Inschrift »Casula s. Bernwardi« (Abb. 6) von der Hand des Abtes Johann Jacke von St. Michael (reg. 1614 – 1668) bedeutet den Terminus post quem non. Das heißt, spätestens zur Zeit des 30jährigen Krieges hat man beidseits der vorderen Mittelnaht einen ca. 6 cm breiten Streifen des Seidenstoffes herausgeschnitten (um damit verschiedene kleinere Schadstellen am Gewand zu flicken) und den Halsausschnitt dementsprechend etwas versetzt. Im gleichen Arbeitsgang wurde der Kaselrand um einen Umbug gekürzt.

Ebenfalls schon vor dem Futter waren verschiedene Leinenflicken auf der Kaselinnenseite angebracht

Abb. 3: Fragmente vom Seidengewebe der Kasel

Abb. 4: Schematische Schnittzeichnung der Kasel mit den neugefundenen Fragmenten

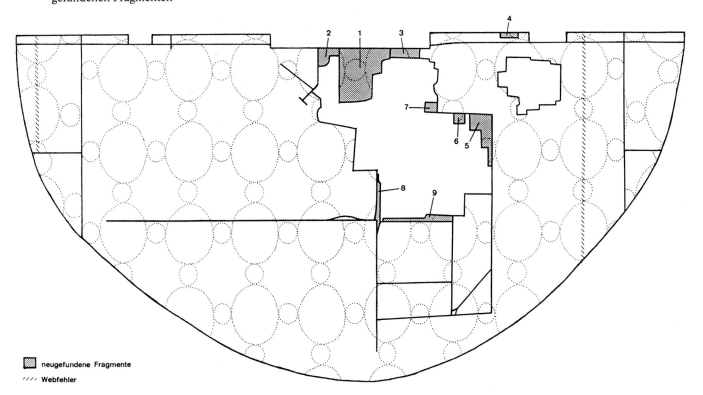

☐ neugefundene Fragmente

//// Webfehler

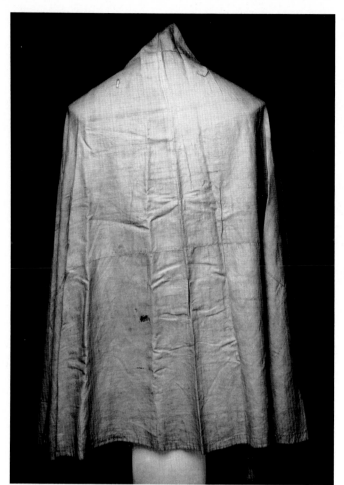

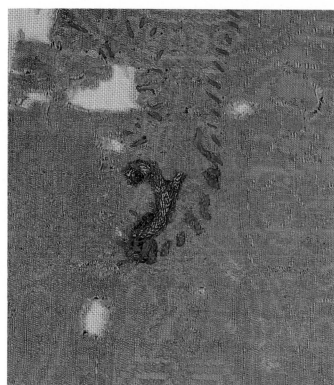

Abb. 7: Stickereifragment von der Rückseite der Kasel (Nacken)

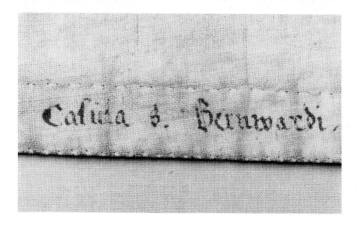

Abb. 5: Leinenfutter

Abb. 6: Inschrift auf dem Leinenfutter

Abb. 8:
Detail des Seidengewebes

worden und hatte man die parallel über das ausgebreitete Gewand verlaufenden Bruchkanten mit Leinenbändchen gesichert. Diese Faltenbrüche stammen vielleicht von der Auslagerung des Gewandes während des 30jährigen Krieges, vielleicht sind es Spuren von der Faltung des Seidencoupons vor seiner Verarbeitung, wie sie auch bei anderen Glockenkaseln nachzuweisen sind.

Sicher bevor sie mit dem Futter versehen wurde, wurde der Bernwardkasel auch das Stickereifragment im Nacken (Abb. 7) aufgesetzt. Von ihm sind nur noch kleinste Reste erhalten. Die merkwürdig unsorgfältige Art der Anbringung (grobe Stiche mit roter Seide) steht in großem Gegensatz zur Kostbarkeit der Stickerei. Es handelt sich um eine sehr feine Arbeit, ausgeführt mit Echtgoldfaden auf einem dunkelblauen, gemusterten Seidenuntergrund. Material und Technik datieren die winzigen Reste in das 11./12. Jahrhundert, erinnert sei nur an die berühmten Bamberger Kaisermäntel. Über die Bedeutung dieses Stickereifragmentes auf der Bernwardkasel kann nur spekuliert werden, wie überhaupt die frühe Geschichte der Kasel die meisten Fragen aufwirft. Schon B. Schmedding hat darauf hingewiesen, daß die Kasel keine Spuren (Verfleckungen, charakteristische Knitterfalten) einer Verwendung als Grabgewand aufweist, obwohl die Klostertradition sie als solche bezeichnet (siehe unten). Dafür scheint die Kasel während längerer Zeit als Meßgewand getragen worden zu sein, verschiedene Schadstellen sind wohl als Gebrauchsspuren zu deuten. Es ist verlockend, sich gerade im Zusammenhang mit der unten erläuterten Texttradition zu fragen, ob man in der kostbaren Stickerei einen letzten Überrest des eigentlichen Grabgewandes Bernwards vor sich hat, dessen Name, Bedeutung und wundertätige Kraft mit dem Aufnähen auf ein besser erhaltenes, auch auf die Gründungszeit des Klosters zurückgehendes Gewand auf dieses übertragen worden ist. Eine derartige Erneuerung einer Gewandreliquie ist für die Ulrichskasel in St. Urban (Schweiz) belegt, und auch die Herstellung eines Kleides unter Verwendung von Mariengewandreliquien im frühen 16. Jahrhundert in Trier muß unter ähnlichen Vorzeichen gesehen werden. Im Vordergrund stand die Erhaltung einer Gewandreliquie nicht nur als Gewebe rest, sondern auch in ihrer Eigenschaft und charakteristischen Form als Gewand, das z. B. im Fall von St. Urban auch einen spezifischen liturgischen Zweck zu erfüllen hatte.

Die Bernwardkasel ist ein wichtiges Beispiel eines Meßgewandes des frühen 11. Jahrhunderts. Der goldgelbe Seidenstoff (Abb. 8) weist eine Bindung auf, die vermutlich im 10. Jahrhundert erstmals auftaucht und die als seltenes datierbares Beispiel auch die Pontifikalstrümpfe aus dem Grab des Papstes Clemens II. († 1047) aufweisen. Sie wird beim Stoff der Bernwardkasel allerdings anders eingesetzt, nicht zur Unterscheidung von zwei »Farben« (körniger Grund, glänzendes Muster), sondern um das lineare Muster durch matte, vertiefte Rillen auf der glatten, glänzenden Gewebeoberfläche zur Geltung zu bringen. Damit scheint das Gewebe die einfarbigen Seiden mit sog. geritztem Muster zu imitieren, welche zu ihrer Zeit offenbar hoch geschätzt waren. Es haben sich verschiedene Glockenkaseln aus solchen Geweben erhalten, die mit den Namen höchstgestellter Persönlichkeiten der Zeit um 1000 verbunden sind – allein dem Mainzer Erzbischof Willigis (reg. 975 – 1011) werden je eine Kasel im Bayerischen Nationalmuseum und in St. Stephan in Mainz zugeschrieben. Die Musterungsart der Bernwardkasel stand dabei lange Zeit etwas isoliert, inzwischen ist unter den Bamberger Grabfunden ein weiteres Beispiel dieser sehr reizvollen Bindungsvariante gefunden worden, ebenfalls in Goldgelb und aus stilistischen Gründen ins 11. Jahrhundert zu datieren. Das gleiche Muster wie die Bernwardkasel und vermutlich auch dieselbe Technik weist eine der Reliquienhüllen aus dem Schrein der hl. Ludmila († 920) in Prag auf. Die dortige Forschung datiert das Gewebe aufgrund der historischen Umstände sogar schon vor 973. Der Bernwardstoff ist von hoher technischer und zeichnerischer Qualität, was mit stilistischen Erwägungen B. Schmedding veranlaßt hat, seine Entstehung in den kaiserlich-byzantinischen Werkstätten zu vermuten.

Abb. 9: Fragmente des Seidengewebes mit Sechseckmuster vom Halsausschnitt der Kasel (Besatz auf der Innenseite)

Durch die neugefundenen Fragmente vervollständigt wird auch der originale innere Besatz der Bernwardkasel. Ein dunkelblaues Seidengewebe mit Sechseckmuster verlief als ca. 10 cm breiter Streifen entlang der Saumkante, deckte die Nähte ab und lag als Halbkreis von ca. 30 cm Durchmesser um den Halsausschnitt (Abb. 9). Das Gewebe findet viele Parallelen, zum Teil mit kleinen Abwandlungen im Muster, in verschiedenen Techniken, sowohl ein- als auch zweifarbig. An ihnen läßt sich die lange Lebensdauer und weite Verbreitung einmal entwickelter Textilmuster eindrücklich belegen. *R. S.*

Die kostbare goldfarbene Glockenkasel aus byzantinischem Seidengewebe hat durch die aufwendige, mustergültige Restaurierung im Krefelder Textilmuseum viel von ihrem schimmernden Glanz wiedergewonnen. Die eingehende Untersuchung durch B. Schmedding hat aber auch bestätigt, was der bloße Augenschein schon immer vermuten ließ: Diese Kasel ist viel zu gut erhalten, als daß sie mehr als 170 Jahre lang einen Leichnam hätte umhüllt haben können.

Freilich, eben diese Behauptung, sie sei sein Grabgewand gewesen, hatte die Kasel eigentlich erst mit Bernward in Verbindung gebracht. Scheinbar konnte man sich dafür auf die »Historia canonizationis et translationis sancti Bernwardi« (abgekürzt »Translatio Bernwardi«), einen zeitgenössischen Bericht über die Kanonisation Bernwards, berufen. In der Druckaus-

Mechthild Flury-Lemberg zum 60. Geburtstag gewidmet

131

gabe liest man, daß nach der Kanonisation bei der Öffnung des Sarkophags und bei der Erhebung der Gebeine Bernwards im Jahr 1194 die Kasel unversehrt zum Vorschein gekommen sei.

Nun war das Dilemma offenkundig: denn stimmt der Bericht der »Translatio Bernwardi«, dann kann er nicht die erhaltene Kasel meinen, weil sie nicht im Grab gelegen hat; ist sie aber nicht gemeint, sichert kein mittelalterliches Quellenzeugnis mehr ihre bernwardinische Herkunft. Was beglaubigt die Kasel dann noch als Bernwardkasel?

Zu beantworten ist diese Frage nur durch einen Blick auf die Textgeschichte der »Translatio Bern-

liefern, von einem Mönch des Hildesheimer Michaelsklosters abgeschrieben und überarbeitet worden. Wie er dabei verfahren ist, wird anschaulich, wenn man – ihm gleichsam über die Schulter blickend – die Niederschrift der Stelle im Cod. 124/1 der Dombibliothek (fol. 26ʳ, vgl. Abb. 10) verfolgt:

Nachdem geschildert worden ist, wie die Gebeine erhoben und schließlich unter Lobgesängen von Klerus und Volk in feierlicher Prozession durch die Michaelskirche getragen worden waren, wollte der Schreiber zunächst mit den unmittelbar danach einsetzenden Wunderheilungen fortfahren: *(A)ffuit statim* und die bis zum Ende der Zeile (6 der Abb. 10)

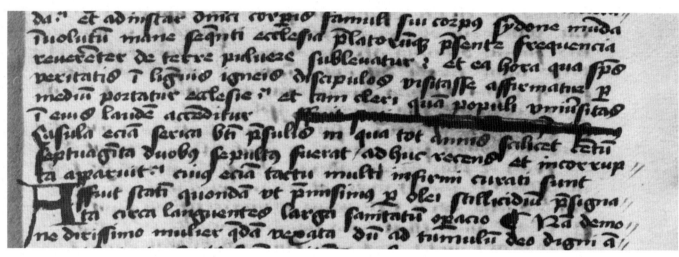

Abb. 10: Interpolation der Nachricht über die Grabkasel, Hildesheim, Dombibliothek, Hs 124 / 1 (fol. 26ʳ)

wardi«, die bisher noch nicht kritisch ediert worden ist.

Die Untersuchung der vollständigen handschriftlichen Überlieferung und die Rekonstruktion des am Ende des 12. Jahrhunderts verfaßten, verlorenen Originals ergibt eindeutig, daß die »Translatio Bernwardi« die Nachricht über die Grabkasel ursprünglich nicht enthalten hat.

Sie ist erst viel später, und zwar am Ende des 15. Jahrhunderts, interpoliert worden. Zu dieser Zeit ist eine auch sonst textkritisch zusammengehörige Gruppe von Handschriften, die die Interpolation über-

folgenden Wörter. Da besann er sich auf die Interpolation: *Casula eciam serica beati presulis, in qua tot annis, scilicet centum septuaginta duobus, sepultus fuerat, adhuc recens et incorrupta apparuit, cuius eciam tactu multi infirmi curati sunt.* (»Auch die Seidenkasel des heiligen Bischofs, in der er so viele – nämlich 172 – Jahre begraben gewesen war, kam unversehrt und wie neu zum Vorschein; es sind auch viele Kranke, die sie berührten, geheilt worden.«) Dann nahm der Schreiber mit einer großen roten A-Initiale wieder den ursprünglichen Text auf, der nun erst die »vielen Wunderheilungen«, *larga sanitatum operacio* (Z. 11), ankündigt, und strich mit roter Tinte den vier Zeilen darüber voreilig schon einmal geschriebenen Text durch.

Daß die Interpolation, sieht man auf den liturgischen Ablauf der Translation, an der falschen Stelle eingefügt wurde und sprachlich, verglichen mit dem eleganten Latein des Originals, eher unbeholfen wirkt, veranschaulicht zusätzlich den textkritischen Befund, dessen beweisende Einzelheiten in diesem Zusammenhang nicht ausgebreitet werden können.

Die so schriftlich fixierte Tradition der wunderbaren »Grabkasel« ist aus einer der Handschriften des Michaelsklosters in die neuzeitlichen Drucke der »Translatio Bernwardi« übergegangen, aus der die bisherige Literatur einzig ihre Kenntnisse schöpfen konnte.

Für die Erhaltung der Kasel noch wichtiger war es, daß im 17. Jahrhundert dem Abt des Michaelsklosters Johann Jacke beim Studium der Handschriften seines Klosters diese Stelle auffiel. Jacke, der das Kloster von 1614 – 1668 regierte und sich im Dreißigjährigen Krieg tapfer und beharrlich mühte, die Güter und den Kirchenschatz von St. Michael zusammenzuhalten, ließ die Kasel »restaurieren« (so hat er das bei einem anderen Stück des Kirchenschatzes selbst formuliert) und dabei das (oben beschriebene) Leinenfutter einziehen. Mit eigener Hand hat er darauf vermerkt: *Casula sancti Bernwardi* (vgl. Abb. 6). Seit dieser Zeit ist die Kasel bis zur Säkularisation in St. Michael aufbewahrt und, wie entlegene neuzeitliche Quellen bezeugen, auch über die Klostergrenzen hinaus als Reliquie Bernwards propagiert worden.

Die Interpolation der »Translatio Bernwardi« ist also eine Fälschung, die die Kasel zu einem Grabfund und dadurch zu einer kostbaren, wundertätigen Kontaktreliquie erheben wollte. Die Fälschung hat die Nachwelt in die Irre geführt, die Kasel aber mit ziemlicher Sicherheit vor dem Untergang bewahrt.

Nach diesem Überblick über die schriftliche Überlieferung fällt es nicht mehr so schwer, die Frage, ob die Kasel auf Bernward zurückgehe, zu beantworten.

Auffällig ist schon die Tatsache, daß die Kasel überhaupt bis zum Ende des 15. Jahrhunderts im Michaelskloster aufbewahrt worden war, statt vernichtet worden zu sein, weil sie längst praktischen Zwecken nicht mehr dienen konnte, seit ihre Form in der spätmittelalterlichen Liturgie aus der Mode gekommen war. Dies deutet an, daß es mit ihr eine besondere Bewandtnis gehabt haben muß, an die der Fälscher anknüpfen konnte. Er war, worauf in diesem Zusammenhang nur vorläufig hingewiesen werden kann, ein Mönch, der sich in der Bibliothek und in der Schatzkammer seines Klosters vorzüglich auskannte. Nachweislich von Bernward gestiftete Kunstwerke hat er bisweilen durch ähnliche Praktiken zu »beglaubigen« gesucht. Seinem Interesse an dem Gründer und an der Geschichte des Michaelsklosters verdanken wir auch die Überlieferung wichtiger (z. T. demnächst noch zu veröffentlichender) schriftlicher Quellen der Bernwardszeit. Daher liegt es nahe, daß er auch im Fall der Kasel eine auf Bernward weisende alte Tradition bloß durch ein seiner Zeit glaubhaftes Kriterium verstärken wollte.

So gesehen ist die Tendenz der Fälschung, so paradox es klingen mag, objektiv ein Zeugnis der älteren klösterlichen Tradition.

Der Inhalt der Fälschung dagegen, nämlich die Behauptung, es handele sich um einen Grabfund, stand dem wissenschaftlichen Nachweis der Authentizität einer bernwardinischen Stiftung so lange im Wege, als man die Textinterpolation der »Translatio Bernwardi« für einen Augenzeugenbericht des 12. Jahrhunderts zu nehmen genötigt war und demzufolge das Berichtete für tatsächlich hielt.

Da nun die Textilanalyse erwiesen hat, daß die Kasel in der Zeit um 1000 entstanden ist und darüber hinaus im 11. Jahrhundert wohl kein anderer Hildesheimer Bischof als Schenker in Frage kommt, mag man die mittelalterliche Tradition als gesichert gelten lassen: Bischof Bernward wird diese Kasel dem Michaelskloster als Teil einer großen Memorienstiftung geschenkt haben.

H. J. S.

Quellen:

Historia canonizationis et translationis sancti Bernwardi episcopi, ed. Josephus van Hecke, Acta Sanctorum, Oktober Bd. 11 (Bruxelles 1864) S. 1024 – 1034; Hildesheim, Bistumsarchiv, Akten des Domkapitels, D 28,5 (Domschatz, Ablieferung von Kunstsachen.)

Literatur: B. Schmedding, Die Bernwardskasel. Eine Ausstellung der Restaurierungswerkstatt, Krefeld o. J. (1979); dies., Beobachtungen bei der Restaurierung der Kasel des heiligen Bernward von Hildesheim, in: Documenta Textilia (Forschungshefte des Bayerischen Nationalmuseums München, 7). Festschrift für Sigrid Müller-Christensen, München 1981, S. 185 – 195; R. Grönwoldt, Textilien I. Webereien und Stickereien des Mittelalters (Bildkataloge des Kestner-Museums Hannover 7), Hannover 1964, Nr. 28, S. 33; M. Flury-Lemberg, Textilkonservierung im Dienste der Forschung, Bern 1988, Kat. 42, S. 448 – 453 (Ulrichskasel St. Urban), Kat. 82, S. 285 – 295 (Marienkleid Trier) mit weiterführender Literatur; S. Müller-Christensen, Das Grab des Papstes Clemens II. im Dom zu Bamberg, München 1960; L. von Wilckens, Überlegungen zu den fünf Salzburger Mitren des hohen Mittelalters, in: Anzeiger des Germanischen Nationalmuseums Nürnberg 1984, S. 13 – 20; L. von Wilckens, Zur kunstgeschichtlichen Einordnung der Bamberger Textilfunde, in: Textile Grabfunde aus der Sepultur des Bamberger Domkapitels, München 1987 (Arbeitshefte des Bayerischen Landesamtes für Denkmalpflege 33), S. 62 – 79, bes. S. 66 – 67 und Nr. M 11, S. 138 – 139; N. Bažantová, Textilní fragmenty z hrobky kněžny Ludmily, in: Památky a Příroda 9/1983, S. 513 – 519.

9 KOPFRELIQUIAR DES HL. OSWALD

Niedersachsen (Goslar ?), um 1185 – 89
H 475 mm

Hildesheim, Hohe Domkirche

Das Oswaldreliquiar aus dem Hildesheimer Domschatz wurde auf Beschluß des Domkapitels in der Zeit vom 30. September 1988 bis zum 20. März 1989 grundlegend konserviert. Ziel dieser Maßnahme war es, das Reliquiar, das sich z. T. in einem ruinösen Zustand befand, in seiner Substanz zu sichern. Als Arbeitsgrundlage diente ein umfassender Schadensbericht, der den vorgefundenen Zustand in Wort und Bild dokumentiert. Die Restaurierung der Metallbeschläge wurde von Peter Bolg, dem Goldschmiedemeister der Kölner Dombauhütte, ausgeführt. Mit der Konservierung der Holzteile war Frau Ria Röthinger (Köln) beauftragt. Dabei erfolgte die Festlegung der einzelnen Arbeitsschritte im Einvernehmen mit Prof. Dr. Kötzsche (Berlin) als wissenschaftlichem Berater und dem Verfasser als Vertreter des Auftraggebers.

Die nachstehenden Ausführungen sind als Vorbericht gedacht, der einen ersten Überblick über die Gesamtmaßnahme und ihre Ergebnisse ermöglichen soll.

Das Reliquiar (Abb. 1) erinnert in seiner achteckigen Grundform an einen Zentralbau, und das schindelartige Ornament der Kuppelverkleidung unterstreicht diesen architektonischen Charakter. Der Kopf mit der Krone steht allerdings im krassen Gegensatz dazu, wiewohl die Krone selbst ebenfalls als Achteck gebildet ist. Nach der Inschrift zu urteilen, die am Gesims umläuft, soll wohl der heilige König Oswald dargestellt sein. Sie lautet:

»(+) REX PIVS OSWALDVS SESE DEDIT ET SVA CHRISTO LICTORIQVE CAPVT QVOD IN AVRO CONDITVR ISTO«[1]
(= König Oswald, der Fromme, gab sich und das Seinige Christo, bog dem Henker sein Haupt, das hier im Golde verborgen ist / Ü: Kratz)

Oswald, der 642 als König von Northumbria im Kampf gegen seinen heidnischen Gegner Penda von Mercien umkam, ist schon bald nach seinem Tode als Märtyrer verehrt worden. Durch die Missionstätigkeit angelsächsischer Mönche wurde der Kult auch auf dem europäischen Festland verbreitet. Im Zusammenhang damit scheint es bereits erste Reliquienübertragungen gegeben zu haben.[2] In Hildesheim wird eine Oswaldreliquie erstmals unter den Reliquien erwähnt, die Bischof Hezilo am 5. Mai 1061 bei der Neuweihe des Domes im Hochaltar deponierte.[3] Ob es sich dabei schon um den Schädel handelte, für den das Reliquiar angefertigt wurde, ist allerdings zweifelhaft, denn eine kultische Verehrung des Heiligen, wie sie bei einer solchen im wahrsten Sinne kapitalen Reliquie naheliegt, ist für das 11. Jahrhundert nicht nachzuweisen.

Das Kuppelreliquiar selbst gilt heute allgemein als eine Arbeit aus dem letzten Drittel des 12. Jahrhunderts[4], wobei die ungewöhnliche Reihe der englischen Königsheiligen, Edward, Edmund, Alfred, Aethelbert, Aedelwold und Cnut, die zusammen mit Oswald auf den Seitenflächen thronen, wiederholt zu der Überlegung Anlaß gab, ob es sich hier nicht um aus England importierte Werkstücke handeln könnte. Dagegen spricht schon die unsystematische Vergabe von Nimben und Heiligentiteln, die eine mangelnde Vertrautheit mit den Darzustellenden erkennen läßt. Und bei aller denkbaren Abhängigkeit von stilprägenden Vorbildern aus dem nordfranzösisch-englischen Bereich sind die fein gravierten teilvergoldeten Silberplatten mit ihrer niellierten Rankenornamentik einer Reihe von niedersächsischen Goldschmiedearbeiten – beispielsweise der sog. Bernwardspatene aus dem Braunschweiger Dom – (Abb. 2)[5] doch so gut vergleichbar, daß die Herkunft des Oswaldreliquiars aus einer niedersächsischen Werkstatt als gesichert gelten darf.

Als Auftraggeber kommen in Niedersachsen am ehesten Herzog Heinrich der Löwe und seine zweite Gemahlin Mathilde in Frage, die Tochter König Heinrichs II. von England. Zum einen »scheint die englische Königsreihe« – wie Carla Fandrey überzeugend dargelegt hat – »auf die Herkunft Mathildes anzuspielen«,

Abb. 1:
Kopfreliquiar
des hl. Oswald

Abb. 2: Sog. Patene des hl. Bernward

Abb. 3: Krönungsbild aus dem Evangeliar Heinrichs des Löwen, fol. 171ᵛ

während der zusätzlich dargestellte Sigismund andererseits, wie übrigens auch Oswald, in die Ahnenreihe Heinrichs des Löwen gehört.[6]

Eine derartige Manifestation der Geblütsheiligkeit läßt sich auch gut mit einer anderen Stiftung des Herzogspaares in Verbindung bringen: dem Evangeliar für den Marienaltar des Braunschweiger Domes, dessen einzigartiges Krönungsbild Heinrich und Mathilde zusammen mit ihren kaiserlichen und königlichen Vorfahren zeigt und damit nachdrücklich auf den dynastischen Rang des Paares verweist (Abb. 3). Auch die auf 1188 datierte Weiheinschrift des Altares bekundet in auffälliger Weise, daß Heinrich und Mathilde von Kaisern und Königen abstammen.[7]

Der Deckel des im Altar eingeschlossenen Reliquiengefäßes, auf dem diese Inschrift angebracht wurde, ist für das Oswaldreliquiar noch in anderer Hinsicht von Interesse. Im Zentrum der umlaufenden Inschrift und auf seiner Unterseite trägt er nämlich Ritzzeichnungen, die – soweit man das anhand von Fotos beurteilen kann – den Gravierungen des Oswaldreliquiars stilistisch nahestehen. Am besten dokumentiert ist ein bärtiger Kopf (Abb. 4), dessen sprechende Physiognomie an die Darstellungen von Oswald (Abb. 5) und Aedelwold (Abb. 34) erinnert.[8]

Für die Datierung des Oswaldreliquiars ist damit ein zeitlicher Fixpunkt gewonnen, der es denkbar erscheinen läßt, daß der Kuppelbau – wie das Evangeliar –

137

Abb. 4:
Ritzzeichnung auf der Deckelunterseite des Reliquiengefäßes im Marienaltar des Braunschweiger Domes

nach der Entmachtung Heinrichs des Löwen und seiner Rückkehr aus der Verbannung (1185) in Auftrag gegeben wurde.

Für den Hildesheimer Dom war das Kuppelreliquiar offenbar von Anfang an bestimmt. In diesem Zusammenhang gewinnt eine Stiftungsnachricht an Bedeutung, die im Gedenkbuch des Hildesheimer Domkapitels überliefert ist. Es heißt dort nämlich, daß die Herzogin Mathilde zusammen mit ihrem Gemahl dem Hildesheimer Dom neben zahlreichen anderen Kostbarkeiten auch zwei »scrinia« gestiftet habe[9], von denen eines das Oswaldreliquiar gewesen sein könnte. Dies wird man um so eher annehmen dürfen, als für 1206 bereits eine regelmäßige Feier des Oswaldfestes in der Bischofskirche bezeugt ist[10] und schon wenige Jahre später von einem Einbruch in den Dom berichtet wird, dem das »caput sancti oswaldi« beinahe zum Opfer gefallen wäre.[11]

Eine genaue Beschreibung enthält erst das Domschatzverzeichnis von 1409: »Item caput beati Oswaldi cum corona et gemmis preciosis habens saphirum in fronte«[12]. Daß das Köpfchen mit der hier erstmals bezeugten Krone damals schon mit dem Kuppelbau verbunden war, wird durch den ausführlichen Inventar-Eintrag von 1438 nahegelegt, der diesen Zustand dann zweifelsfrei notiert: »Item eyn grot schrin beslagen myt sulvere unde myt golde, darynne is bewracht dat houet sancti oswaldi, bouen uppe stat eyn clene vorguldet houet myt eyner guldene cronen, getziret myt manigleye edelen steinen, unde parlen, unde vore an der cronen eyn saphir gewracht alse eyn herte.«[13] So wird das Reliquiar dann auch zum ersten Mal auf einem Anfang des 18. Jahrhunderts entstandenen Kupferstich abgebildet (Abb. 6)[14].

In seinem vorgefundenen Zustand zeigte das Reliquiar deutliche Spuren früherer Überarbeitungen. So wurde z. B. ein fehlendes Kronenglied durch eine grobe Kopie ersetzt, die ihrer Beschaffenheit nach gleichzeitig mit den vier Aufsätzen der Krone entstanden sein dürfte (Abb. 7). Jüngeren Datums ist auch das Ornamentband unterhalb der Sigismund-Darstellung (vgl.

Abb. 5: Oswaldreliquiar, Detail der Oswald-Platte

Abb. 6: Älteste Abbildung des Oswaldreliquiars, um 1724

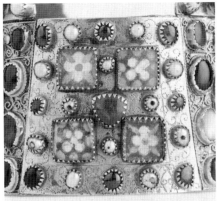

Abb. 7: Oswaldreliquiar, Seitenansicht der Krone mit neuzeitlicher Ergänzung

Abb. 8: Oswaldreliquiar, Kopf vor der Restaurierung

Abb. 9: Relief vom sog. Apostelarm aus dem Welfenschatz

Abb. 12). Vielleicht ersetzt es jenen Beschlag, von dessen Verlust im Inventar von 1680 die Rede ist.[15] Häufiger scheint vor allem der Kopf im Mitleidenschaft gezogen zu sein, zuletzt noch 1851, als er sich am Festtag des heiligen Oswald von der Kuppel löste und anschließend repariert wurde.[16] Möglicherweise stammt aus dieser Zeit der grob ausgeführte Beschlag im Nacken des Köpfchens und die gleichartige Ausflickung zwischen der oberen Haarkalotte und dem Gesichtsteil (Abb. 8).

Schon im späten Mittelalter wurde die Inschrift auf dem Sockel angebracht, die nach Art ihrer Gravierung und der Buchstabenform in den unmittelbaren Zusammenhang einer Reihe von Hildesheimer Goldschmiedearbeiten des ausgehenden 14. Jahrhunderts gehört (vgl. Abb. 12)[17]. Sie lautet: »posuisti domine super caput evs coronam de lapide precioso magna est g(loria) e(ius)« (= Du setzest auf sein Haupt, o Herr, die Krone köstlichen Gesteins. Groß ist sein Ruhm/Ü: Kratz). Diese Worte des 20. Psalms nehmen so offenkundig Bezug auf den Kopf mit der Krone, daß verschiedentlich vermutet wurde, er sei erst zur Zeit der Inschrift mit dem Kuppelbau verbunden worden.

Bei solchen Überlegungen muß man allerdings berücksichtigen, daß der Kopf auf der Kuppel nicht viel jünger sein kann als das Reliquiar selbst. So besteht eine erstaunliche Ähnlichkeit zwischen dem Gesicht des Gekrönten (Abb. 11) und den vergleichbar naturnah modellierten Zügen eines Christus-Corpus im Kirchenschatz von St. Godehard in Hildesheim, der sicher noch im letzten Jahrzehnt des 12. Jahrhunderts entstanden ist[18] (Abb. 10). In die gleiche Zeit gehört auch der sog. Apostelarm aus dem Braunschweiger Welfenschatz[19]. Die figürlichen Medaillons an den Ärmelborten zeigen z. T. typenmäßig verwandte Köpfe, die in einigen Fällen auch eine ebenso schematisierte Lockenbildung erkennen lassen wie beim Oswaldreliquiar (Abb. 9).

Abb. 10: Kopf des Gekreuzigten von einem Vortragekreuz aus St. Godehard in Hildesheim

Abb. 11: Oswaldreliquiar, abgelöste Gesichtsmaske

Abb. 11

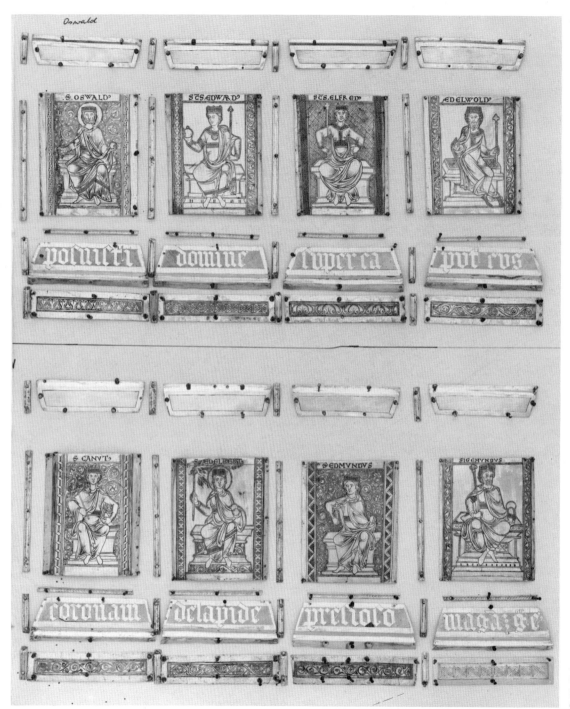

Abb. 12:
Oswaldreliquiar,
Silberbeschläge des
Gefäßteiles

142

Abb. 13: Oswaldreliquiar, Silberbeschläge der Kuppel

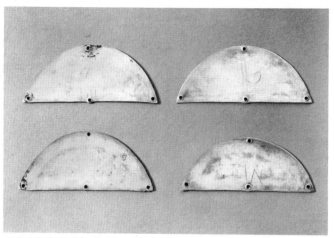

Abb. 14: Oswaldreliquiar, Rückseiten der Evangelistenplatten mit Versatzmarken

Nachdem sich zu Beginn der jüngsten Wiederherstellungsmaßnahme herausgestellt hatte, daß für die Arbeiten zur Sicherung und Konservierung des Oswaldreliquiars die Abnahme sämtlicher Beschläge (Abb. 12/13) unabdingbar war, bot sich damit auch die Gelegenheit, genaueren Aufschluß über dessen formale Beschaffenheit und den Inhalt zu gewinnen.

Unterschiedliche Versatzmarken am freigelegten Holzkern des Kuppelbaues und auf den Rückseiten der entsprechenden Silberbeschläge (Abb. 14) zeigen an, daß diese Teile mehrfach neu montiert worden sind. Im unteren Bereich der Wandung und an der Sockelschräge konnten darüber hinaus Spuren einer älteren Verkleidung aus Silberblech nachgewiesen werden.

Der Kern des Kuppelbaues ist sehr sorgfältig aus Eichenholz gearbeitet (vgl. Beitrag Röthinger). Dagegen erweckt der durch spätere Eingriffe arg verstümmelte Holzkern des Kopfes (Abb. 15) eher den Eindruck eines flüchtig ausgeführten Notbehelfs. Auffällig ist das länglich schmale Gesicht, das die getriebene Gesichtsmaske nur unzureichend ausfüllt, obwohl es in Grundzügen damit in Einklang steht, ebenso wie der plastisch ausgearbeitete Lockenkranz, der unter einer Auffütterung noch ansatzweise zu erkennen ist. Im jetzigen Zustand sind Kopf und Kuppel nur durch einen Dübel aus Buchenholz miteinander verbunden. Des-

sen dickeres Ende ist in den Nackenbereich des Kopfes eingelassen und bestimmt so seine leicht zurückgeneigte Haltung. Die Dübelverbindung ist äußerst grob und wohl erst wesentlich später ausgeführt als der Kopf selbst. Rund um die Ansatzstelle sind große Partien weggebrochen, und selbst die verbliebenen Holzbereiche sind dermaßen zerklüftet, daß eine Aussage über den ursprünglich gedachten Ansatz nicht mehr möglich ist. Damit muß auch die Frage offenbleiben, ob der Kopf von Anfang an für das Kuppelreliquiar bestimmt war.

Von den ursprünglichen Treibarbeiten ist außer der Gesichtsmaske nur noch die Haarkalotte erhalten (vgl. Abb. 9 und 35). Beide sind auch nicht nachträglich beschnitten worden, denn die außen auf das Silberblech aufgebrachte Feuervergoldung greift noch ungestört um die Innenkanten herum.

Die Krone (Abb. 16) scheint zusammen mit diesen beiden Teilen entstanden zu sein. Sie verdeckt die störende Nahtstelle zwischen Haarkappe und Gesichtsteil und hat seitlich jeweils sorgfältig ausgearbeitete Bohrungen, die mit Nagelspuren an den getriebenen Teilen des Kopfes zur Deckung gebracht werden können und so eine entsprechende Fixierung erschließen lassen.

Seit langem ist gesehen worden, daß die Krone aus unterschiedlichen Teilen zusammengesetzt wurde.[20] Die beiden ältesten befinden sich zu beiden Seiten der Stirnplatte. Nur diese beiden sind aus Gold und auch auf ihrer (jetzt verkleideten) Rückseite mit Filigran verziert (Abb. 17/18). Offenbar handelt es sich um Teile eines Schmuckstückes, das hier als Votivgabe verarbeitet wurde. Sie lassen eine so enge Verwandtschaft zu einer Reihe aufwendiger Goldschmiedearbeiten aus dem Umkreis des ungarischen Königsszepters und der Kronenbügel der Stephanskrone (Abb. 19) erkennen, daß man die Hildesheimer Stücke ebenfalls einer ungarischen Werkstatt zuschreiben kann. Sollte die von Carla Fandrey geäußerte Vermutung zutreffen, daß diese Platten über Heinrich den Löwen und Mathilde nach Niedersachsen gelangten, die beide mit dem

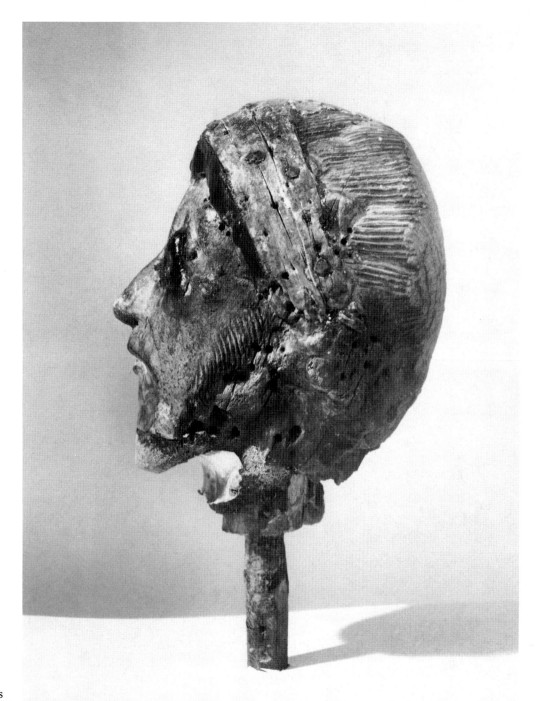

Abb. 15:
Oswaldreliquiar, Holzkern des
aufgesetzten Kopfes

145

Abb. 16

Abb. 19

Abb. 17

Abb. 16:
Oswaldreliquiar, Rückseite
der Krone

Abb. 17:
Abgenommenes Kronenglied
rechts von der Stirnplatte

Abb. 19:
Stephanskrone, Detail
der Kreuzbügel

146

ungarischen Königshaus Kontakt hatten, so dürften Kopf und Krone wohl von ihnen der Hildesheimer Bischofskirche gestiftet sein.

Nach Abnahme der Kuppel fand sich im Innern des achteckigen Unterbaues ein hochovales Paket aus mehreren Textilschichten (von außen nach innen: rote Seide, Watte, weißes Leinen, vgl. Abb. 20). Es enthielt einen menschlichen Schädel, ohne Unterkiefer, an der Nasen-Oberkieferpartie beschädigt und mit winzigen anhaftenden Geweberesten, dazu einige harzartige Kügelchen und zwei Silberbrakteaten (vgl. Beitrag Cunz). Das Paket ruhte auf dem Gefäßboden auf einem

dünnen Wattepolster und auf einem zweimal gefalteten beschriebenen Papierzettel. Ihm war zu entnehmen, daß das Reliquiar 1779 wegen seines schlechten Erhaltungszustands restauriert worden ist und daß man die Reliquie am 30. Juni dieses Jahres wieder darin verschlossen hat[21].

Über die Authentizität des Schädels lassen sich vorerst nur Vermutungen anstellen[22]. Eine gut beglaubigte Schädelreliquie ist nämlich auch in Durham nachzuweisen[23], eine weitere in Utrecht[24], und nicht zuletzt soll das vom Angelsachsen Wilibrord gegründete Kloster Echternach eine solche besessen haben[25].

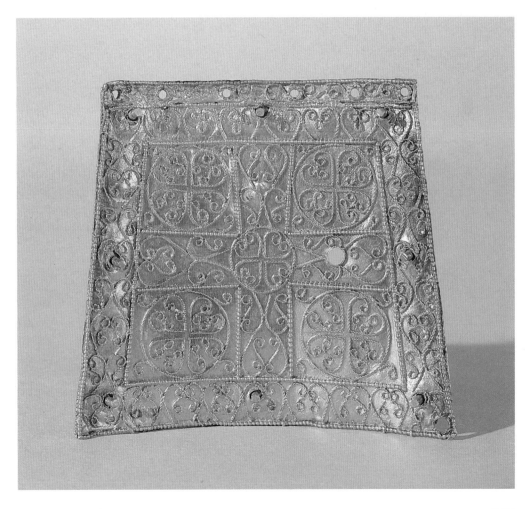

Abb. 18: Wie Abb. 17, Rückseite

Abb. 20: Oswaldreliquiar nach Abnahme der Kuppel

Münzbeigaben des Oswald-Reliquiars

Königliche Münzstätte Goslar, Friedrich I., Barbarossa (1152 – 1190)

a. Leichter Simon-und-Judas-Brakteat (Abb. 21)
Silber, Dm 26 mm

Mitte: nebeneinander stehende, nimbierte Brustbilder der beiden Heiligen in schematisierender Darstellung, (mit angedeuteten Armen), dazwischen als Beizeichen oben ein Ringel, in der Mitte eine Kugel und unten ein pfeilförmiges Ornament, das als schnäbelnde Vögel gedeutet werden kann.

Außen: zwischen zwei Kreisen die verderbte Simon-und-Judas-Legende (ungleichmäßig ausgeprägt).

Fund Gotha[28], (vergraben um 1185),
Nr. 459 (flach gehämmert)[29]
Meier, Apostelpfennige[30], S. 250, Nr. 1
(Halberstädter Münzfund von 1713?)
Nau[31], Nr. 190.10

Auktion Riechmann 29[32], Nr. 915
dieses Stück:
Slg. Hohenstaufenzeit, (R. Gaettens)[33], Nr. 184

b. Leichter Simon-und-Judas-Brakteat (Abb. 22)
Silber, Dm 19 mm

Ungewöhnlich ist der Fund der beiden Münzen, deren Datierung in die zweite Hälfte des 12. Jahrhunderts die Vermutung erlaubt, daß sie zusammen mit dem Schädel von Anfang an im Reliquiar gelegen haben.[26] Vielleicht ist damit zugleich ein Hinweis auf den Entstehungsort des Oswald-Reliquiars gegeben, der ja nicht unbedingt mit dem Ort identisch sein muß, für den es bestimmt war. Sollte die Werkstatt ihren Sitz also in Goslar gehabt haben? Schon angesichts des Reichtums dieser Stadt wäre das gut vorstellbar, zumal das Auftreten zweier Goldschmiede in der Zeugenliste einer Goslarer Urkunde Heinrichs des Löwen auf entsprechend leistungsfähige Werkstätten dort hindeutet[27].

M. B.

148

Mitte: nebeneinander stehende, nimbierte Brustbilder der beiden Heiligen in schematisierender Darstellung, (die Köpfe sind leicht nach innen geneigt), dazwischen als Beizeichen oben ein Stern, in der Mitte ein Punkt (Zirkelpunkt) und unten ein Ornament (P. J. Meier, Fund Mödesse: »ein Gegenstand, der einem umgekehrten fünfarmigen Leuchter gleicht«), außerdem jeweils links und rechts, neben den Köpfen, ein Punkt.

Außen: Kreis, wegen des kleinen Schrötlings ist auf diesem gut zentrierten Exemplar die Umschrift nicht vorhanden; andere typengleiche Stücke aus Fund Mödesse I zeigen Teile der Simon-und-Judas-Legende zwischen zwei Kreisen.

Fund Mödesse I[34], (vergraben um 1185)[35], Nr. 5
Menadier[36], Sp. 1303, Abb. m
Slg. Bonhoff[37], Nr. 319

R. C.

Der Holzkern

Der Holzkern des Oswald-Reliquiars bildet die Unterkonstruktion für die Silberbleche (Abb. 23). Er besteht aus dem eigentlichen Reliquienbehälter und dem aufgesetzten Kopf. Der Reliquienbehälter wiederum ist aus drei Teilen zusammengesetzt: dem Gefäß, dem Gefäßboden und der Kuppel. Der Gefäßboden ist mit dem Gefäß fest verbunden. Das Gefäß und die Kuppel sind aus je **einem** Holzstück herausgearbeitet.

Der Holzkern des Reliquienbehälters ist aus feinporigem, feinjährigem Eichenholz gearbeitet. Aus der Anzahl und dem Verlauf der Jahresringe ergibt sich, daß ein Eichenstamm von mindestens 46 cm Dicke im Durchmesser für den Bau des Gefäßes verwendet worden war.

Das Gefäß (Abb. 24): Es ist außen als oktaedrischer Körper gearbeitet und im Innern rund, also als eine Röhre ausgenommen. Die Röhre ist am oberen Rand zum Einsetzen des Schädels stärker geöffnet. Hier kann man an den Bearbeitungsspuren deutlich erkennen, wie der obere Rand auf einer Höhe von ca. 2 cm mit einem etwas gerundeten Eisen mit nebeneinandergesetzten Kerbungen geweitet wurde.

Auch nach unten öffnet sich die Röhre wieder und ist auf ca. 1,5 cm stark konisch geschnitten: Hier ist von unten her der Boden eingeschoben worden und verschließt so die Röhre zu einem Gefäß (Abb. 25). Die genaue Konstruktions-Verbindung von Gefäß und Boden kann man nicht erkennen. Vermutlich ist der Boden nur verkeilt worden, er klemmt nur in der Öffnung des Gefäßes. (Eine messingne Bodenplatte sitzt heute über Boden und unterem Gefäßrand.) Das Bodenbrett hat eine Stärke von ca. 1,5 cm. Die Holzstärke der Gefäßwandung variiert von 2,8 – 3 cm im schmalen Bereich (in der Mitte der Seitenflächen) bis ca. 4 cm an den Außenkanten.

Deutlich erkennbar sind verschiedene Rißzeichen am Holzkorpus: ein Riß von einem Zirkelschlag auf dem oberen Rand des Gefäßes (Abb. 26) und Risse, vermutlich auch von einem Zirkel, in den Gauben der Kuppel. Man kann vermuten, daß zwar ein Konzept für den Bau zugrunde lag, aber kein genau festgelegter Konstruktionsplan.

Die Holzfaser am Gefäß verläuft in vertikaler Richtung vom Boden in Richtung Kuppel. So ist der ganze obere Gefäßrand, die gesamte Auflagefläche für die Kuppel, Hirnholz. Hier lassen sich Bearbeitungsspuren gut ablesen: Kerbungen und Riefen vom Abtrennen des Stammes und Glätten dieser Randfläche.

Gut ablesbar sind auch Anzahl und Verlauf der Jahresringe. Erstaunlicherweise liegt auch der Kern des Holzstückes im Bereich einer Wandung, er liegt an der Ecke Edmundus/Sigemundus auf der Kante am Innenrand. Wird ein so großer Körper aus einem Stück gearbeitet und sitzt zudem der Kern des Stammes in der Wandung, so arbeitet das Holz (u. a. Schwinden des Holzes durch Trocknung) in einer bestimmten Weise:
– Der Körper verzieht sich mit unterschiedlicher Kraft in Richtung auf den Kernpunkt hin. Der ganze achteckige Körper ist in Richtung Ecke Edmundus/Sigemundus verzogen. Man hat den Eindruck, er sei in diese Richtung aus der Fasson geraten.

Abb. 23.:
Oswaldreliquiar, Holzkern nach der
Konservierung

Abb. 24: Holzkern des Gefäßteils, Vorzustand (Oswald-Seite)

Abb. 25: Holzkern des Gefäßteils, Boden, Vorzustand

Abb. 26: Bearbeitungsspuren am Holzkern

Abb. 27: Risse und Reparaturstellen am Holzkern, Vorzustand (Elfred-Seite)

– Vom Kern ausgehend reißt das Holz in mehrere Richtungen. So entstanden die großen Risse in der Elfred-Seite (Abb. 27) und der Edmundus-Seite.

Die Kuppel: Die Kuppel wurde ebenfalls aus einem Stück gearbeitet. Kuppel und Gefäß werden durch zwei Dübel in Position gehalten. In der abgeflachten Kuppelspitze sitzt das Dübelloch zur Aufnahme des Dübels für den Kopf (Abb. 28).

An der Kuppelaußenseite sind die Rundungen der Faltungen ganz geglättet. Die Innenseite der Kuppel ist ebenfalls ausgehöhlt (Abb. 29): Um an allen Punkten die nahezu gleiche Wandstärke zu haben, folgt die Aus-

arbeitung im Innern der Außenform des Kuppeldaches; sie ist nur vereinfacht gearbeitet. Die Flächen zwischen den Scheitellinien werden nicht wie außen gerundet, sondern sind gerade geschnitten. Auch hier markieren sich die Einschnitte im Holz als nebeneinandergesetzte Kerbungen von gerundeten und geraden Eisen. Die Holzfaser der Kuppel verläuft von der Seite Edelwold in Richtung Sigemundus, diese beiden Seiten liegen also im Hirnholzbereich. Am Verlauf der Jahresringe kann man erkennen, aus welchem Holzbereich die Außenseite der Kuppel herausgearbeitet wurde, nämlich aus der dem Kern zugewandten (rechten) Seite des Baumes.

Viel schwächer als das Gefäß hat die Kuppel sich bewegt; es ist zu keinen Rißbildungen gekommen. Die Kuppelschale hat sich nur etwas verformt. Bis heute gibt es dadurch eine leichte Kippbewegung zwischen Gefäß- und Kuppelrand. Hier zeigen Feilspuren, daß diese Partien zur besseren Auflage bei den verschiedenen Überarbeitungen mehrfach abgetragen wurden.

Am Holzkern markieren sich Eingriffe aus verschiedenen Bearbeitungen, Umarbeitungen und Restaurierungen im Laufe der Zeit. Zum einen wurden Maßnahmen am Holzträger selber notwendig, damit er in seiner Form stabil blieb, zum anderen entstanden durch die eingetriebenen Nägel auch Schäden am Holzkern, die behoben wurden.

Wird ein Hohlkörper (wie hier Gefäß und Kuppel) aus einem Vollholzstück herausgearbeitet, treten durch das natürliche Arbeiten des Holzes (u. a. Schwinden und Rund-Werden durch Trocknung) Formveränderungen und Spannungen auf. Alle Bemühungen und Eingriffe am Holzträger in früherer Zeit galten einer Minderung oder dem Entgegenwirken dieser Spannungen und drohender Rißbildungen.

Sehr früh hat sich vermutlich der große, heute fast durchgehende Riß in der Elfred-Seite gebildet (vgl. Abb. 27). Hier versuchte man durch das Eintreiben von zwei starken Eisenklammern ein Aufbrechen des Holzgefäßes zu verhindern. Abgesehen davon, daß heute diese Eisenklammern selbst konservatorische

Abb. 28:
Holzkern der Kuppel von oben,
nach der Konservierung

Maßnahmen erforderlich machen (weil sie zu einer Verfärbung und Zersetzung der Substanz der betroffenen Holzumgebung führten), läßt sich auf diese Weise die Spannung in einem Holzgefüge nicht dauerhaft aufhalten. Risse an anderen Stellen entstehen: so vermutlich der Riß in der Edmundus-Seite, den man mit einer auf der Innenseite aufgenagelten Messingplatte halten wollte. Es zeigt sich deutlich, daß die Risse sich dennoch vergrößerten, sich verzweigten oder einfach an anderer Stelle neue Risse entstanden. In jüngerer

Zeit wurden einige der Risse gekittet, aber das Herausfallen ganzer Kittstreifen (auch unter Berücksichtigung ihrer Versprödung) zeigt an, daß immer noch, wenn auch sehr geringfügige, Bewegungen im Holz auftreten.

Wich der Holzkern im Laufe der Zeit zu stark von der benötigten Form ab (die durch die aufgenagelten Metalle genau festgelegt wird), wurde er entsprechend verändert:

153

Abb. 29:
Innenansicht der Kuppel
mit Verschlußzapfen, nach der
Konservierung

– Die Fläche der Sigemundus-Seite ist bei einer früheren Bearbeitung abgetragen worden. Wahrscheinlich paßte hier das Silberblech nicht mehr auf den Holzträger, oder im Gefüge hätte sich sonst ein Spalt gebildet. Vielleicht war die Fläche auch »rund« geworden, und das Blech konnte nicht mehr plan aufgelegt werden.
– An anderer Stelle wurde ebenfalls ein Abtragen notwendig: Feilspuren zeigen, daß bei einer früheren Bearbeitung an den Auflageflächen von Kuppel- und

Gefäßrand ein feiner Holzstreifen entfernt wurde, vermutlich, damit die Kuppel wieder besser aufsaß und die Kippbewegung abgeschwächt wurde (vgl. Abb. 29).

Für die Demontage und Wiederanbringung der Metalle wurden Zeichen am Holzkern eingeritzt. Es finden sich aus den verschiedenen Überarbeitungen zahlreiche unterschiedliche Bezeichnungen: römische und arabische Ziffern, einfache Einkerbungen, Ritzun-

154

Abb. 30:
Versatzmarken am Holzkern,
nach der Konservierung
(Oswald-Seite)

Abb. 31: Schäden an Nagelstellen des Holzkerns (Oswald-Seite)

gehalten werden konnten. An manchen Stellen (so wenn sie die Holzfaser spalten) führten die eingetriebenen Nägel zum Absplittern größerer Holzteile: An der Oswald-Seite der Kuppel wurde eine ganze Holzpartie weggesprengt (Abb. 31).

Auch der aufsitzende Holzkopf ist aus einem Stück geschnitzt, nur das Kinn ist als ein dazu querlaufendes Holzstück angesetzt. Am Kopf zeigen sich neben den Alterungsschäden auch Veränderungen und Umarbeitungen:

Der Kopf sollte in seinem Volumen anscheinend durch Auffütterungen auf der Stirn vergrößert werden (für die aufsitzende Krone?). Auf der rechten Seite kann man den Aufbau dieser Auffütterung noch gut erkennen (Abb. 32): über dem Lockenkranz wurden mehrere Holzstreifen übereinandergelegt und mit Kupfernägeln befestigt. Auf der Seite zur Stirn hin wurde der entstandene Niveauunterschied durch den Auftrag eines Ziegelmehl-/Wachskitts ausgeglichen. Zur Schädeldecke hin wurde der Höhenunterschied dadurch überwunden, daß auf die Haare Wachs aufgelegt wurde. Auf der linken Seite (vgl. Abb. 15) ist diese Wachsauflage nicht mehr vorhanden: Hier kommen der geschnitzte Lockenkranz und die Haupthaare wieder zum Vorschein.

Die Konservierungs- und Restaurierungsmaßnahmen beschränkten sich lediglich auf die Entstaubung und behutsame Reinigung der Holzoberfläche, die Verleimung aller gelösten Holzteile, die Kittung der Risse und die Stabilisierung der Nagelstellen.

R. R.

gen am Gefäß und an der Kuppelschale (Abb. 30). In der Kuppel sind einige der fortlaufenden Ziffern durch später durchgeführte Holzergänzungen zerstört. Hier wurden die Verbindungsdübel von Kuppel und Gefäß geändert. Das Schließen dieser Dübelstellen bei einer früheren Bearbeitung führte zu zwei großen Ergänzungen in Eichenholz, die heute in der Kuppel sitzen (vgl. Abb. 27): In der Edelwold-Seite ist die Dübelbohrung mit drei Eiche-Stücken geschlossen worden; das nicht mehr genutzte Dübelloch in der Sigemundus-Seite wurde wieder mit einem Dübel verschlossen mit einer kleinen darübersitzenden Ergänzung. Ein Teil des großen Risses in der Elfred-Seite wurde auch mit einem Holzstück geschlossen.

Immer wieder wurden Eingriffe am Holzkern notwendig, weil die Nägel für das Beschlagwerk sicheren Halt brauchen. Oft sitzen mehrere Nagelstellen an den äußeren Eckpunkten des Holzkerns, so daß ganze Holzspäne wegsplitterten und die Nägel nicht mehr

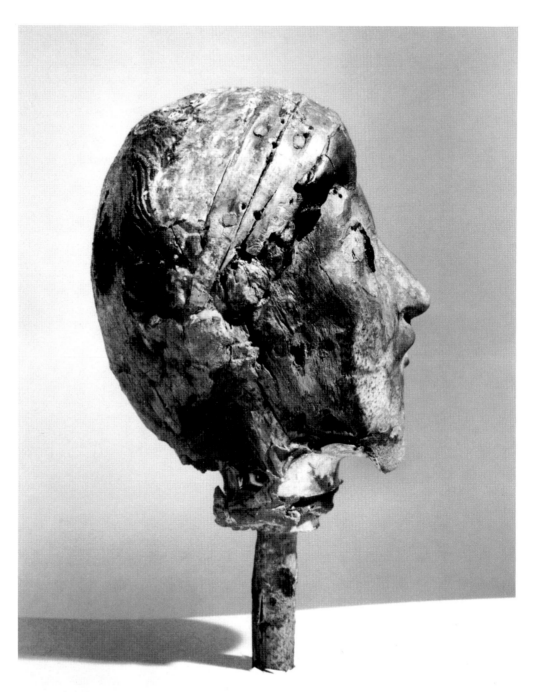

Abb. 32:
Holzkern des Kopfes
mit alter Auffütterung, nach der
Konservierung

Zur Technik der Wiederherstellung an den Metallbeschlägen

Abb. 33: Oswaldreliquiar, Aedelwoldplatte im Vorzustand

Nach Abnahme der Beschläge wurden alle Teile gereinigt (Abb. 33/34). Die Risse und überzähligen Nagellöcher in den Beschlagteilen sind durch Richten der Grate geschlossen worden, größere Schadstellen durch eine Hinterlegung (Plombe) aus Feinsilber, die ggfs. galvanisch vergoldet wurde. Sämtliche vorgefundenen Messingnägel wurden durch handgeschmiedete galvanisch vergoldete Silbernägel ersetzt. Diese sind konisch geschmiedet, um den Holzkern nicht zu bela-

sten. Um diesen zu schonen, wurden die Nägel auch wieder in den alten Löchern fixiert. Die Nagelspitzen sind etwas länger und finden so den nötigen Halt. Die stark rissige Haarkalotte mußte durch zahlreiche paßgenau gearbeitete Plomben stabilisiert werden (Abb. 35). Auf diese Weise wurde auch eine große Fehlstelle am Hinterkopf geschlossen. Um dem Kopf einen festen Halt zu geben, wurden das Halsblech im Nackenbereich und die Halsmanschette durch drei Nieten miteinander verbunden, für die entsprechende Löcher

Abb. 34: Abgelöste Aedelwold-Platte nach der Reinigung

vorhanden waren. Die Manschette selbst ist erneut durch Nagelung auf der Kuppel fixiert. Ein zwischen Gesichtsmaske und Haarkalotte unsachgemäß eingefügter Blechstreifen wurde entfernt. So konnten beide Teile wieder in ihrer ursprünglichen Position auf dem Holzkern befestigt werden. Damit war zugleich die Möglichkeit gegeben, die Krone an ihrer vorgesehenen Stelle zu befestigen, die durch entsprechende Nagellöcher markiert war. Um die Krone zu stützen, wurde über den Kopf ein vergoldeter Silberstreifen gelegt und als Auflage für die Krone im Nackenbereich umgebogen.

Sämtliche Hinterlegungen wurden eingeklebt (Araldit Rapid). Die Reinigung der Silberteile erfolgte mit Toluol, Silbo, Pril und Wasser. Die kupferne Bodenplatte wurde lediglich mit Toluol gereinigt, Grünspan mit verdünntem Ammoniak entfernt.

P. B.

Abb. 35: Oswaldreliquiar, abgenommene Haarkalotte mit vorbereiteter Hinterlegung

Anmerkungen:

[1] Das Kreuz am Beginn der Inschrift wird vom Ende des betreffenden Schriftbandes überdeckt.

[2] zum Oswaldkult ausführlich: Fandrey, S. 52 – 70.

[3] MGH SS 30, 2, 1926, S. 764.

[4] vgl. zuletzt: Fandrey, S. 106 ff. u. o.

[5] vgl. D. Kötzsche, in: Die Zeit der Staufer. Geschichte – Kunst – Kultur. Katalog zur Ausstellung des Württembergischen Landesmuseums, Stuttgart 1977, Bd. I, S. 447 f.

[6] Fandrey, S. 164; vgl. auch Swarzenski, S. 372 – 76.

[7] Die Inschrift bezeichnet Heinrich den Löwen als »Sohn der Tochter des Kaisers Lothar« und seine Gemahlin als »Tochter Heinrichs II., des Königs der Engländer«; vgl. R. Hausherr, Zur Datierung des Helmarshausener Evangeliars Heinrichs des Löwen, in: Zeitschrift des deutschen Vereins für Kunstgeschichte, Bd. XXXIV, 1980, S. 3 – 15. Zum Evangeliar neuerdings auch: E. Klemm, Das Evangeliar Heinrichs des Löwen. Erläuterungen zu ausgewählten Miniaturen sowie zu ihrer religiösen und historischen Deutung, Frankfurt/M. 1988.

[8] Carla Fandrey, die als erste die Ritzungen mit dem Oswaldreliquiar verglichen hat, verweist in diesem Zusammenhang auch auf die Skizze eines Thronenden im Zentrum der Weiheinschrift, dessen »angedeutete Gewandstruktur grundsätzlich an die in weichen Bögen fallenden Gewandfalten der Könige« denken lasse (S. 121).

[9] MGH, Die Urkunden Heinrichs des Löwen, Herzog von Sachsen und Bayern, bearb. v. K. Jordan, 1941 – 1949, Nr. 122.

[10] MGH SS 30,2, 1926, S. 765. In diesem Zusammenhang werden auch Oswaldreliquien erwähnt.

[11] Wolfenbüttel, Herzog August Bibliothek, Cod. Guelf. 83.30 Aug. 2, fol. 91 v (vgl. dazu Kat. Nr. XXX) (= Goldene Madonna).

[12] zitiert nach R. Doebner, Schatzverzeichnis des Doms zu Hildesheim aus dem Jahre 1409, in: Ders., Studien zur Hildesheimer Geschichte, Hildesheim 1902, S. 115 – 122, hier: S. 118.

[13] Hildesheim, Dombibliothek, Hs 272 d.

[14] Das betreffende Stichwerk »Gloriosa Antiquitas Hildesina« ist vermutlich zum Amtsantritt von Clemens August als Fürstbischof von Hildesheim (1724) in Auftrag gegeben worden; vgl. W. Meyer, in: Clemens August, Fürstbischof, Jagdherr, Mäzen, Katalog zu einer kulturhistorischen Ausstellung aus Anlaß des 250jährigen Jubiläums von Schloß Clemenswerth, Meppen/Sögel 1987, S. 358 – 60.

[15] Hildesheim, Dombibliothek, Hs 272.

[16] Hildesheim, Bistumsarchiv, Depositum Domkapitel, Fach 26, Nr. XXIII.

[17] vgl. z. B. die Stifterinschrift auf dem Turmreliquiar des Lippold von Steinberg (Inv. Nr. DS 35) und die Inschrift auf der Patene des sog. Bernwardskelches im Hildesheimer Domschatz (Inv. Nr. DS 14). Dazu zuletzt: J. M. Fritz, Goldschmiedekunst der Gotik in Mitteleuropa, München 1982, S. 183 (X) und 254 f (488).

[18] vgl. M. Brandt, in: Der Schatz von St. Godehard. Katalog zur Ausstellung im Diözesan-Museum Hildesheim, Hildesheim 1988, S. 98 – 101.

[19] Cleveland (Ohio), Cleveland Museum of Art, Acc. No. 30.739; dazu: D. Kötzsche, (wie Anm. 5), S. 448 f.

[20] vgl. dazu und im folgenden: Fandrey, S. 189 ff.

[21] Praesens Caput Sancti Regis et Martyris Oswaldi/Vetustate collapsum, et penitus dirutum in Honorem / Dei et praefati Sancti Martyris renovatum, et in / praesentem statum meliorem redactum est sub / Regimine Celsissimi Princips et Episcopi Friderici / Wilhelmi ex Baronibus de Westphal; Francisco / Egone â Fürstenberg Praeposito, Carolo Friederico / de Wend Decano, Francisco Arnoldo ab Assebur / Scholastico, et Clemente Augusto â Mengersen / Thesaurario. Anno Domini 1779. Die 30ma / Junii (Unterschriften:) Carolus Frid a Wendt Decanus mppa
Joachimus Albertus Niedrumb mppa
vicarius et subcustos

[22] Eine anthropologische Untersuchung ist in Arbeit.

[23] J. T. Fowler, On an Examination of the Grave of St. Cuthbert in Durham Cathedral Church, in March, 1899; in: Archeologia 57, I (1900), S. 11 – 28.

[24] jetzt im Rijksmuseum Het Catharijneconvent (aus der Kathedrale?).

[25] vgl. Willibrord Lampen, De vereering van St. Oswald, bijzonder in de Nederlanden, in:
Ons geestelijk Erf, Antwerpen 1927, S. 142 – 157.

[26] Auch von den beiden Münzen, die man bei einer Restaurierung im Maastrichter Servatiusschrein fand, wird vermutet, daß sie zusammen mit den Reliquien dort eingeschlossen wurden; vgl. R. Kroos, Der Schrein des heiligen Servatius in Maastricht und die vier zugehörigen Reliquiare in Brüssel, München 1985, S. 52 und Abb. 41.

[27] K. Jordan, (wie Anm. 8), Nr. 27 (1154)
Den Hinweis auf diese Urkunde verdanke ich R. Kroos.

[28] Buchenau, H., (unter Mitarbeit von Pick, B.): Der Brakteatenfund von Gotha (1900), München 1928.

[29] Der Simon-und-Judas-Brakteat im Fund Memleben gehört nicht zu diesem Typ. Hävernick, W., (unter Mitarbeit von Mertens, E. und Suhle, A.): Die mittelalterlichen Münzfunde in Thüringen, 2 Bände, Jena 1955, (= Veröffentlichungen der Thüringischen Historischen Kommission 4), S. 26 f.; Menadier, J.: Die Goslarer Pfennige des zwölften Jahrhunderts, in: Berliner Münzblätter 13, 1892, Sp. 1279 – 1291 und 1295 – 1307, bes. Sp. 1306 f.; Meier, P. J.: Beiträge zur Brakteatenkunde des nördlichen Harzes, H: Die Goslarer Apostelpfennige des Mödesser Fundes, in: Archiv für Brakteatenkunde 3, 1894 – 1897, S. 241 – 254, bes. S. 250, Nr. 2; Bahrfeldt, E. und Reinecke, W.: Der Bardowiker Münzfund, in: Berliner Münzblätter 34, 1913, S. 608 ff., bes. S. 629 f.; Kluge B.: Deutsche Brakteaten des 12. Jahrhunderts aus dem Fund von Kämpinge in Schweden 1848, in: Berliner Numismatische Forschungen 1, 1987, S. 21 – 34, Bes. S. 23, Nr. 1.

[30] Vgl. Anm. 29.

[31] Nau, E.: Münzen der Stauferzeit, in: Kat. Stuttgart 1977 (wie Anm. 5), Band I, S. 108 – 188 und Band II, Tafel 93 – 127.

[32] Auktionskatalog Riechmann 29, (Die mittelalterlichen Münzen des Hessischen Landesmuseums in Kassel und solche aus anderem Besitz), Halle (Saale) 25./29. November 1924, (Bearb. E. Mertens).

[33] Auktionskatalog Hess/Leu, (Münzen der Hohenstaufenzeit, Sammlung eines Gelehrten, [= Slg. R. Gaettens], Teil 1: Niedersachsen, Obersachsen, Böhmen, Polen, Thüringen, Hessen, Wetterau), Luzern 2./3. Juni 1959, (Bearb. R. Gaettens).

[34] Meier, P. J.: Beiträge zur Brakteatenkunde des nördlichen Harzes, G: Der Münzfund von Mödesse, in: Archiv für Brakteatenkunde 2, 1890 – 1893, S. 225 – 350.

[35] Datierung nach Jesse, W.: Der zweite Brakteatenfund von Mödesse und die Kunst der Brakteaten zur Zeit Heinrichs des Löwen, Braunschweig 1957, (= Braunschweiger Werkstücke 21), S. 54 – 56.

[36] Vgl. Anm. 28.

[37] Auktionskatalog Peus 293, (Sammlung Dr. med. Friedrich Bonhoff, Hamburg, Teil 1: Deutsche Münzen des Mittelalters), Frankfurt a. M. 27./28. Oktober 1977.

Literatur: Kratz, Dom, S. 144 – 148; S. Beissel, Das Reliquiar des hl. Oswald im Domschatz zu Hildesheim, in: Zeitschrift f. christl. Kunst 10, 1895, S. 307 – 312; G. Swarzenski, Aus dem Kunstkreis Heinrichs des Löwen, in: Städel-Jahrbuch 7 – 8, 1932, S. 241 – 397; Elbern/Reuther, Domschatz, S. 35 f.; U. Nilgen, Amtsgenealogie und Amtsheiligkeit. Königs- und Bischofsreihen in der Kunstpropaganda des Hochmittelalters, in: Studien zur mittelalterlichen Kunst 800 – 1250. Festschrift für Florentine Mütherich zum 70. Geburtstag, München 1985, S. 217 – 234; C. M. Fandrey, Das Oswald-Reliquiar im Hildesheimer Domschatz, Göppingen 1987.

Hildesheim, Hohe Domkirche

Reliquienbeutel finden sich heute noch in vielen Kirchenschätzen und Museen, häufig handelt es sich um sehr prunkvolle Exemplare. Abgesehen von den wenigen Fällen, in denen ein spezielles Dekor sie als ausgesprochen weltlich oder christlich zu erkennen gibt, sind sie kaum von den gleichzeitigen profanen Taschen und Beuteln zu unterscheiden, die unentbehrliches Attribut der mittelalterlichen Männer- und Frauenkleidung waren. Die zum Verkauf aufgehängten verschiedenen Beutel auf der vielzitierten Miniatur mit Herrn Dietmar von Ast in der Heidelberger Manesse-Handschrift (Cod. Pal. Germ. 848, fol. 64 r) (Abb. 1) könnten ebensogut in einem Reliquienschrein verwahrt werden – ein grundsätzlicher Unterschied besteht nicht. Diese Tatsache hat es denn auch einfach gemacht, weltliche Beutel zu kirchlichen Zwecken umzunutzen – wie es die sog. Aumônières, in der Regel mit höfischen (Minne-)Szenen bestickte Taschen, z. B. in Tongeren, beweisen. In anderen Fällen hat man besondere Beutel zur Verwahrung von Reliquien hergestellt – ein besonders kostbares, aus dem Hildesheimer Raum stammendes Beispiel befindet sich heute im Germanischen Nationalmuseum Nürnberg.

Bisher eher geringe Beachtung gefunden haben schlichte, unverzierte Reliquienbeutel. Im Hildesheimer Dom sind solche in größerer Anzahl erhalten geblieben. Sie ermöglichen es, einen seltenen Blick auf den sozusagen alltäglichen, konkreten Umgang mit Reliquien im Mittelalter zu werfen.

Die ausgestellten Beutel bilden den kleinen Teil eines Reliquienfundes, der nach den Zerstörungen des Zweiten Weltkrieges aus dem Hochaltarstipes des Hildesheimer Domes geborgen werden konnte (vgl. M. Brandt 1989). Zur Zeit wird der gesamte Bestand nach verschiedenen – nicht nur textilhistorischen – Gesichtspunkten bearbeitet. Die im folgenden behandelten Beutel entstammen verschiedenen Bündeln, die

Abb. 1: Mittelalterliche Beutel in einer Miniatur der sog. Manesse-Handschrift, Heidelberg, Universitätsbibliothek

bei Auffindung 1945 in zwei großen Holzkisten lagen. Zum Zeitpunkt der Bearbeitung waren fast alle Bündel geöffnet, zueinandergehörige Teile aber nicht getrennt worden. Aus der speziellen Fundsituation und dem Charakter des Gesamtbestandes ergab sich die besondere Fragestellung: Eine möglichst detaillierte Untersuchung sollte, vorerst ausgehend vom Objekt selber, die Entstehungsgeschichte des gesamten Komplexes aufzurollen versuchen.

Die Aufgaben der Textilkonservierung bestanden somit in erster Linie aus einer exakten Untersuchung des Vorhandenen, insbesondere bezüglich Schnitt, Verarbeitung und Gewebeart. Die dazu nötigen Maßnahmen beschränkten sich in den meisten Fällen auf eine schonende Reinigung des Objektes (in der Regel durch Wässern in destilliertem Wasser), wodurch auch ein formgerechtes bzw. fadengerades Auslegen des Gewebes ermöglicht wurde. Lose sitzende Schmutzpartikel wurden abgesammelt und gesondert verwahrt, um allfällige sich als nötig erweisende chemische Untersuchungen zu ermöglichen. Auf jede Behandlung verzichtet wurde bei den Beuteln mit Inschriften (d und e), nur wenige Gewebe waren in so fragilem Zustand, daß eine Nähkonservierung notwendig wurde. Bei den Beuteln bedeutete das in der Regel Einhüllen in farblich passend eingefärbte Seidengaze, der Nachteil der etwas schwierigeren Sichtbarkeit des Originals wird durch den Vorteil der Konservierung mit minimalem Nähaufwand am alten Gewebe aufgewogen.

Als besonders interessant stellen sich nach Sichtung des gesamten Bestandes die Beutel mit Aufschrift (d und e) dar. Die Datierung, die durch die Schriftanalyse möglich ist, bedeutet nicht nur für den Hildesheimer Reliquienbestand, sondern auch für die Textilgeschichte (in diesem Fall der ungemusterten Gewebe) einen erfreulichen Fixpunkt. Abgesehen von Einzelexemplaren mit Bedeutung für die kunsthistorische Forschung (z. B. a oder f) sind des weiteren die Gruppen von gleichartigen Beuteln besonders interessant. Gelingt es, einen davon zeitlich einzuordnen, kann dank der einheitlichen Entstehung der ganzen Gruppe eine Art von »Jahrring« im Entstehungsprozeß des Hildesheimer Reliquienbestandes erkannt werden. Auf jeden Fall ermöglicht eine solche Gruppe einen Einblick in die Vorgänge, wenn offenbar verschiedene Reliquien zu verpacken waren und aus verschiedenen vorhandenen Stoffetzchen »serienweise« kleine Beutelchen dafür genäht wurden.

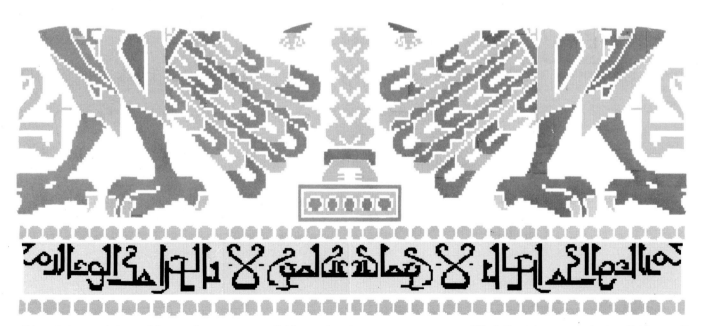

Abb. 2: Rekonstruktionszeichnung des gemusterten Seidensamits

Abb. 3: Beutel aus gemustertem Seidensamit

Literatur: M. Brandt, Tragaltäre im Hochaltar. Zu einem Reliquienfund im Hildesheimer Dom, in: Ars et Ecclesia, Festschrift für Franz Ronig zum 60. Geburtstag, Trier 1989; M. Braun-Ronsdorf, Die Tasche. Zur Geschichte der Herrentasche. Zur Geschichte der Damentasche. Reliquientaschen. Die Taschenmacherzünfte, in: Ciba-Rundschau 129/Nov. 1956; H. Herrmann, die Restaurierung und technische Analyse eines Reliquienbeutels aus dem Augsburger Dom – L. von Wilckens, Zur kunstgeschichtlichen Einordnung des Reliquienbeutels, in: Jahrbuch der bayerischen Denkmalpflege Bd. 34/1980, S. 79 – 88; Tongeren, Basiliek van o.-l.-vrouw geboorte. I. Textiel van de vroege middeleeuwen tot het Concilie van Trente, Leeuwen 1988, bes. S. 47 – 62 (Ph. George, Textiel en relieken) und S. 169 – 171 (Reliekbeurzen); H. Wentzel, Almosentasche, in: Reallexikon zur Deutschen Kunstgeschichte Bd. 1, Sp. 393 – 401; H. Wentzel, Beutel, in: Reallexikon zur Deutschen Kunstgeschichte Bd. 2, Sp. 452 – 456; L. von Wilckens, Der Reliquienbeutel des Bischofs Eduard Jakob von Hildesheim, in: Anzeiger des Germanischen Nationalmuseums Nürnberg 1986, S. 19 – 25.

R. S.

Nicht ausgestellt sind die Beutel e, l, p, q, r, s, t, v, x, w (Inv. Nr. III/5a, VIII/2, VIII/3, VIII/7, XVII/2, 2c).

a) Beutel aus gemustertem Seidensamit (Abb. 2, 3)

Spanien (oder Vorderer Orient), 12. Jahrhundert
Höhe 10,5 cm, Breite 12 cm; Tragschnur 38 cm lang

Oberstoff: Gemusterter Samit mit 3 Schußsystemen (das. 1. und 2. farbig gestreift, das 3. nur streifenweise eingewebt), Köper $^1/_2$ S-Grat. Kette: Hauptkette (Seide, Z-Drehung, graubraun) zu Bindekette (Seide, Z-Drehung, graubraun) = 2 zu 1. 27 – 32 Hauptkettfäden/cm und 13 – 16 Bindekettfäden/cm. Schuß: 1 Schuß I (Seide, rot bzw. dunkelblau) zu 1 Schuß II (Seide, weiß, rot bzw. gelb) zu 1 Schuß III (nur streifenweise eingewebt: Seide, gelb), jede 2. Passée mit umgekehrter Schußfolge. 36 – 47 Passées/cm. Angenäht ein Streifen eines offenbar ungemusterten, hellgelben Samits.
Futter: Leinwandbindiges, rohweißes Leinen, mit roter Seide ein Rhombus eingestickt.
Trag- und Zugschnüre: Leinen, Mehrfachzwirn, rohweiß.

Inv. Nr. K 29

Der leider ziemlich zerschlissene, aber zeichnerisch eindeutig rekonstruierbare Seidenstoff (Abb. 3) des Beutels ist schwierig einzuordnen. Monumental wirkende Vögel mit großen Klauen stehen Rücken an Rücken zu Seiten eines Bäumchens, von welchem zwei Früchte (vermutlich Granatäpfel) am oberen Rand gerade noch angeschnitten sind. Das Muster ist von naturalistischer Ausdruckskraft, trotz der strengen, fast heraldischen Stilisierung. Der an eine Palme erinnernde Baumstamm aus ineinandergeschachtelten Herzformen findet eine gewisse Entsprechung in der Seide mit Granatapfelbäumchen aus dem Heribertschrein in Köln, die nach Spanien lokalisiert wird. Ebenfalls nach Spanien deutet die Farbigkeit des Vogelstoffes: roter, für den Inschriftstreifen blauer Grund mit gelbem und weißem Muster. Dieselben Farbtöne weist z. B. ein sicher spanisches Seidengewebe ebenfalls in Köln (St. Kunibert) auf. Dennoch wirkt der Stoff im Kreis der bisher bekannten spanischen Seidengewebe etwas fremd, eine Entstehung in stärker byzantinisch beeinflußtem Raum kann nicht ausgeschlossen werden.

Die Inschrift ergibt – gemäß freundlicher Auskunft von Dr. Michael Glünz, Islamwissenschaftliches Seminar der Universität Bern – keinen Sinn. Es handelt sich um der arabischen Schrift ähnliche, aber offenbar unverstandene und somit bedeutungslose Zeichen.

Literatur: Ornamenta Ecclesiae. Kunst und Künstler der Romanik, Köln 1985, Bd. 2, Nrn. D 61 und E 95 (L. von Wilckens).

R. S.

b) Beutel aus Doubleface-Samit (Abb. 4)

Vorderer Orient, 11. Jahrhundert
Höhe 14,2 cm, Breite 13 cm

Ungemusterter Samit mit zwei schußwirkenden Seiten, Köper $^1/_2$ S-Grat auf der Beutelaußenseite. Kette: Hauptkette (Seide, Z-Drehung, kräftiges Rosa) zu Bindekette (Seide, Z-Drehung, kräftiges Rosa) = 2 zu 1. 20 – 32 Hauptkettfäden/cm und 10 – 16 Bindekettfäden/cm. Schuß: 1 Schuß I (Seide, blauviolett) zu 1 Schuß II (Seide, kräftiges Grün). 51 – 81 Passées/cm.

Inv. Nr. K 31

Abb. 4: Beutel aus Doubleface-Samit

Ungemusterte Samite haben sich in westlichen Kirchenschätzen verschiedentlich erhalten. Neben solchen, deren Bindung eine Vorder- und Rückseite unterscheidet und die in der Regel einfarbig sind, finden sich auch Beispiele mit zwei technisch gleichwertigen, dafür farblich verschiedenen Seiten. Das ausgesprochen gut erhaltene Seidengewebe des Beutels gehört zu letzterer Gruppe; die kräftigen, kontrastierenden Farben und die schwere Stoffqualität verleihen der schlichten Seide einen prunkvollen Charakter.

Literatur: S. Müller-Christensen, Das Grab des Papstes Clemens II. im Dom zu Bamberg, München 1960, S. 74 und Anm. 117; B. Schmedding, Mittelalterliche Textilien in Kirchen und Klöstern der Schweiz, Bern 1978, Nrn. 20, 21, 242.

R. S.

c) Leinendurchbruchbeutel (Abb. 5, 6)

Niedersachsen (?), 14. Jahrhundert
Höhe 17,9 cm, Breite 16 cm; Tragschnur 48 cm lang

Stickerei: Netzgrund (44–46 Karos in Kett- und Schußrichtung) gebildet durch Ausziehen von 3, Stehenlassen von 2 Kettfäden bzw. Ausziehen von 2, Stehenlassen von 2 Schußfäden eines leinwandbindigen weißen Leinengewebes. Stege umwickelt mit Leinen, Z-Drehung, weiß: Muster gebildet durch Maschen aus verkreuzten Schlingen (Boser S. 82, Nr. C.9), gestickt mit Leinen, Zwirn S, weiß.
Futter: Leinwandbindung: Kette (Leinen, Z-Drehung, weiß), 18–22 Fäden/cm. Schuß (Leinen, Z-Drehung, weiß), 18–22 Einträge/cm.
Trag- und Zugschnüre: Kombinierte Flecht- und Makramee-Arbeit (variierende Anzahl Leinenfäden, Zwirn S, weiß). Ziernähte.

Inv. Nr. K 27

165

Die Musterung des Beutels – in regelmäßiger Reihung angeordnete, aber immer wieder anders gestaltete übereck gestellte Vierecke (vgl. Abb. 6) – ist Allgemeingut der geometrischen Ornamentik. Besonders charakteristisch sind solche Formen aber für Werke des 14. Jahrhunderts. Aus dieser Zeit stammen auch verschiedene Arbeiten derselben Technik: Ein Leinenstoff wird durch Ausziehen von Fäden in Kett- und Schußrichtung und (mehr oder weniger dichtes) Umwickeln der stehengebliebenen Fäden zum Netzgrund, in den das Muster mit Schlingstichen eingearbeitet wird. Besonders nah verwandt, allerdings mit farbigem Grund, sind unserem Beutel die großen Stickereien in Disentis und Sarnen (Schweiz), sie weisen dieselbe Schlingstich-Stickerei auf. Beispiele in Niedersachsen und auch eine wohl schweizerische Albe im Schnütgen-Museum Köln zeigen den Stickgrund mit Seide umwickelt, die Muster sind im Leinengrund ausgespart und bisweilen reich bestickt. Daneben taucht der Schlingstich auch als gewöhnlicher Stickstich auf (um über die Gewebeoberfläche gespannte Fäden gearbeitet).

Die ähnlichsten Vergleichsbeispiele für den sehr sorgfältig und mit großem handwerklichem Geschick gearbeiteten Beutel finden sich also im schweizerischen Raum – jedoch dürften die technischen und stilistischen Voraussetzungen auch im einheimisch-niedersächsischen Raum gegeben gewesen sein. Es mag Zufall sein, daß aus dieser Region kein Beispiel in genau dieser Technik erhalten geblieben ist.

Abb. 5: Rekonstruktionszeichnung der geometrischen Durchbruchstickerei

Literatur: N. Curti, »Gotische Spitzen«, in: Anzeiger für Schweizerische Altertumskunde N. F. 21, 1919, S. 43–48; R. Kroos, Niedersächsische Bildstickereien des Mittelalters, Berlin 1970; Ornamenta Ecclesiae, Kunst und Künstler der Romanik, Köln 1985, Bd. 1, Nr. C 23 (L. von Wilckens); R. Boser, I. Müller, Stickerei. Systematik der Stichformen, Museum für Völkerkunde, Basel 1968; B. Schmedding, Mittelalterliche Textilien in Kirchen und Klöstern der Schweiz, Bern 1978, bes. Nrn. 100, 101, 102, 201, und 216.

R. S.

Abb. 6: Leinendurchbruchbeutel

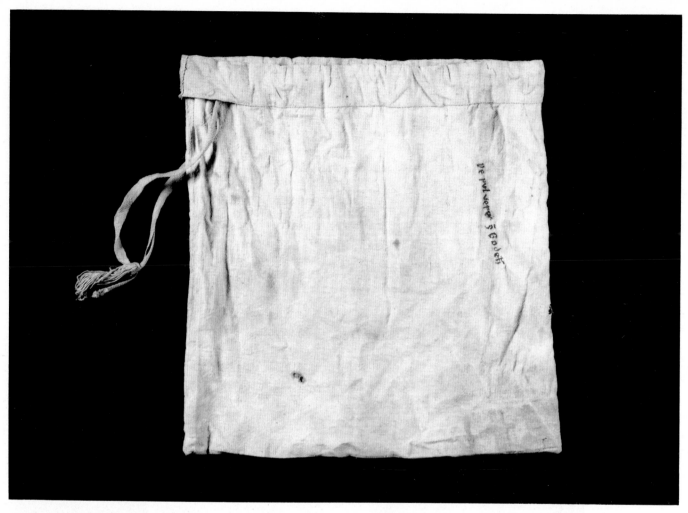

Abb. 7: Leinenbeutel mit Aufschrift (Godehard)

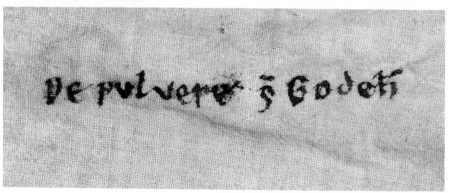

Abb. 8: wie Abb. 7, Detail

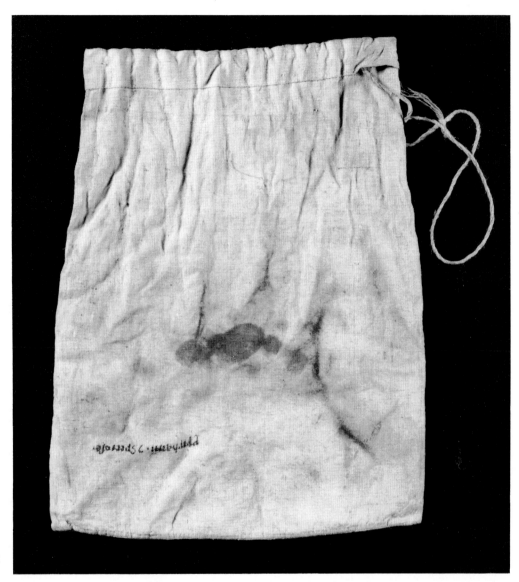

Abb. 9:
Leinenbeutel mit Aufschrift
(Epiphanius und Speciosa)

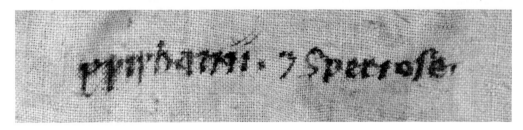

Abb. 10: wie Abb. 9, Detail

d) Leinenbeutel mit Aufschrift (Abb. 7/8)

Höhe 28,5 cm, Breite 27,8 cm; Zugschnur 80 cm lang

Leinwandbindung: Kette (Leinen, Z-Drehung, rohweiß), 27 Fäden/cm. Schuß (Leinen, Z-Drehung, rohweiß), 27–28 Einträge/cm.
Zugschnur: Leinenbändchen, 7–8 mm breit. Leinwandbindung: Kette (Leinen, Z-Drehung, rohweiß), 38–43 Fäden (= Webbreite). Schuß (Leinen, Zwirn S, rohweiß), 8–9 Einträge/cm.

Inv. Nr. II/1   *R. S.*

Inschrift: De pulvere sancti Godeh(ardi) (»Vom Staub des heiligen Godehard«)

Die Inschrift (um 1200) bezeichnet Reliquien des hl. Godehard, dessen Gebeine nach der 1131 in Reims erfolgten Kanonisation am 4. Mai 1132 feierlich im Hildesheimer Dom erhoben wurden.   *H. J. S.*

e) Leinenbeutel mit Aufschrift (Abb. 9/10)

Höhe 34 cm, Breite 25,5 cm; Zugschnur 86 cm lang

Leinwandbindung: Kette (Leinen, Z-Drehung, rohweiß) 21–23 Fäden/cm. Schuß (Leinen, Z-Drehung, rohweiß), 18–21 Einträge/cm.
Zugschnur: Hanf, Mehrfachzwirn, ungebleicht.

Inv. Nr. V   *R. S.*

Inschrift: *Epiphanii et Speciose*

Die Inschrift (um 1200) bezeichnet Reliquien der heiligen Speciosa und des heiligen Epiphanius, des ehemaligen Bischofs von Pavia († 496), deren Gebeine Bischof Othwin von Hildesheim 962 in Pavia raubte und nach Hildesheim brachte. Epiphanius wurde seitdem als einer der Dompatrone verehrt.

Literatur: H. Goetting, Die Hildesheimer Bischöfe von 815 bis 1221 (1227) (Germania Sacra NF 20/3), 1984, S. 150 ff. Zum Reliquienraub allgemein: P. J. Geary, Furta Sacra. Thefts of Relics in the Central Middle Ages, Princeton 1978.
                                                             H. J. S.

f) Fragment eines Wollbeutels mit Seidenfutter (Abb. 11)

12./13. Jahrhundert (?)
Höhe 1,9–3,2 cm, oberer Umfang ca. 16 cm; Zugschnüre je 9 cm lang

Oberstoff: Leinwandbindung: Kette (Seide, Z-Drehung, graubeige, doppelt), 17–18 doppelte Fäden/cm. Schuß (Wolle, Z-Drehung, braun, doppelt), 10–12 doppelte Einträge/cm. Aufgerauhte Oberfläche.
Futter: Leinwandbindung: Kette (Seide, Z-Drehung, gestreift, doppelte Fäden: 4 écru, 6 beige, 40 écru, 6 beige, 4 écru, 46 blau), 54–55 doppelte Fäden/cm. Schuß (Seide, écru), 20 Einträge/cm. Rapport: 106 doppelte Kettfäden = 1,9 cm breit.
Zugschnüre: geflochten (12 Fäden Seide, Z-Drehung, rot).

Inv. Nr. VIII/9

Abb. 11: Fragment eines Wollbeutels mit Seidenfutter

Die ungewöhnliche Materialkombination – aufgerauhter, dicker Wollstoff und hauchdünnes Seidenfutter – und die sorgfältige Ausarbeitung machen diesen nur fragmentarisch erhaltenen Beutel zu einem interessanten und seltenen Dokument. Seine Machart rückt ihn in die Nähe der beiden Beutel j und k, doch wird man hier eher ein für kirchliche Zwecke umgenutztes, durch ausgesuchte Materialwahl besonderes Einzelstück vermuten.

R. S.

g) Seidentasche mit Lederfutter (Abb. 12)

14. Jahrhundert
Höhe ca. 10 cm (mit geöffneter Klappe 19,3 cm), Breite 10,7 cm

Oberstoff: Leinwandbindung: Kette (Seide, Z-Drehung, ockerbeige), 39–41 Fäden/cm. Schuß (Seide, ockerbeige), 28–36 Einträge/cm. Webekante: an einer Seite erhalten.
Futter: wohl Spaltleder, ungefärbt.

Inv. Nr. III/4

Abb. 12: Seidentasche mit Lederfutter

Das zierliche Täschchen mit praktisch gleichgroßer Verschlußklappe war ursprünglich vollständig mit feinem Spaltleder gefüttert. Von diesem sind am Beutel selber nur noch Reste erhalten, eine große Menge loser Fragmente fand sich dagegen in seinem Inneren. Die Tasche mit Klappe gilt generell als Attribut der männlichen Tracht, sie wird nicht an langen Schnüren, sondern direkt am Gürtel getragen. Das Fehlen von jeglicher Verschlußeinrichtung läßt hier allerdings einen speziell für die Reliquienverwahrung hergestellten Beutel vermuten.

Der sehr fragile Zustand des Beutels und die verschiedenen Fehlstellen machten eine schützende Seidencrepeline-Umhüllung notwendig. Zuvor wurde zwischen Oberstoff und Futter ein passend eingefärbter Seidenstoff geschoben.

R. S.

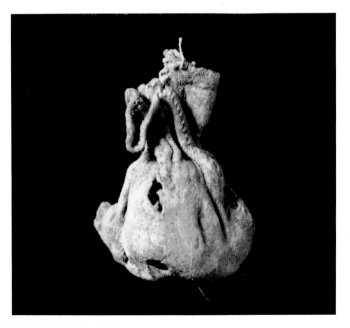

Abb. 13: Lederbeutel

h) Lederbeutel (Abb. 13)

Höhe ca. 3,7 cm, Breite 2,7 cm
Leder.

Inv. Nr. III/5f$_1$

Für profane Taschen und Beutel ist Leder (schon allein aus praktischen Erwägungen) ein ebenso geläufiges Material gewesen wie Stoff. Auch für Reliquienbeutel hat Leder selbstverständlich Verwendung gefunden – zum Beispiel enthält der sog. Epiphaniusschrein im Hildesheimer Dom vier Lederbeutel (mit auf den Inhalt bezüglichen Aufschriften) und auch im Kopf des Ringelheimer Bernwardskruzifix wurde ein ledernes Beutelchen gefunden.

Literatur: K. Algermissen, Was enthält der Epiphanius-Schrein?, in: Unsere Diözese in Vergangenheit und Gegenwart 29/1960, S. 38–43.

R. S.

i) Dunkelblauer Seidenbeutel mit rosa Schnüren (Abb. 14)

Höhe 4,1 cm, Breite 3,3 cm; Tragschnur 69 cm lang

Leinwandbindung: Kette (Seide, Z-Drehung, blau), 48–52 Fäden/cm; Schuß (Seide, blau) 45–53 Einträge/cm.
Trag- und Zugschnüre: Seide, Zwirn S, lachsrosa.

Inv. Nr. I/7

Die lange Tragschnur am winzigen Beutelchen läßt hier an einen ursprünglich amulettartig um den Hals getragenen Reliquienbehälter denken.

R. S.

j) Dunkelblauer Seidenbeutel mit rosa Futter (Abb. 15)

Höhe 9,8–10,1 cm. Breite 10 cm; Tragschnur 23 cm lang

Oberstorf: Köper $^1/_2$ S-Grat: (Seide, Z-Drehung, blau), 41–44 Fäden/cm. Schuß (Seide, schwarz bzw. nach 8 cm abwechselnd 1 Eintrag schwarz, 1 Eintrag dunkelblau), 34–41 Einträge/cm.
Futter: Leinwandbindung: Kette (Seide, lachsrosa), 33–36 Fäden/cm. Schuß (Seide, lachsrosa), 20–25 Einträge/cm.
Trag- und Zugschnüre: geflochten (12 Fäden Seide, Zwirn S, hellrot). Ziernähte.

Inv. Nr. VI/1

Der sehr sorgfältig gearbeitete, ringsum mit grünen Ziernähten geschmückte und gut erhaltene Beutel erhält durch das auf die Vorderseite gezogene Futter eine dekorative rosarote obere Abschluß»borte«. Machart und Größe sind dem Beutel k sehr ähnlich – die beiden mögen gleichzeitig und speziell für die Reliquienverwahrung hergestellt worden sein.

R. S.

k) Dunkelgrüner Seidenbeutel mit rotem Futter (Abb. 16/17)

Höhe 10 cm, Breite 9,7 cm; Tragschnur: 26 cm lang

Oberstoff: Leinwandbindung: Kette (Seide, Z-Drehung, dunkelgrün), 34–37 Fäden/cm. Schuß (Seide, dunkelgrün) 33–40 Einträge/cm. Webekante: an einer Seite erhalten.
Futter: Leinwandbindung: Kette (Seide, Z-Drehung, dunkles Rostrot), 24–26 Einträge/cm.
Trag- und Zugschnüre: geflochten (20 Fäden Seide, Zwirn S, braunbeige).

Inv. Nr. XVII/2/1

Abb. 14: Dunkelblauer Seidenbeutel mit rosa Schnüren

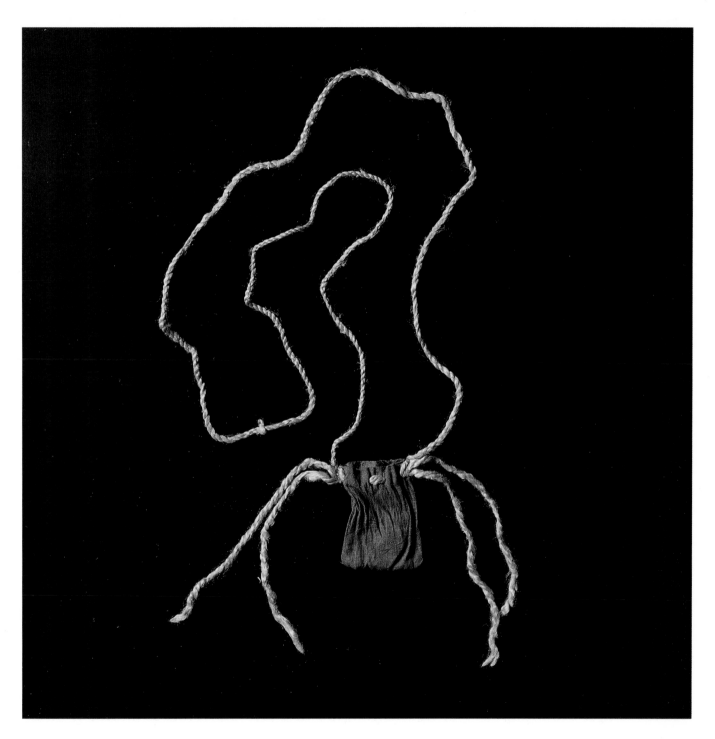

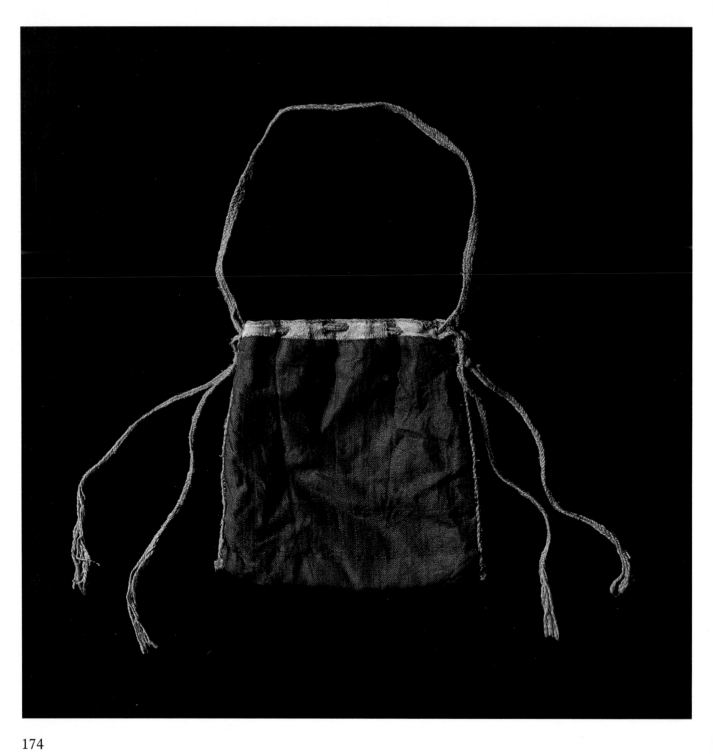

174

Abb. 16: Dunkelgrüner Seidenbeutel mit rotem Futter, Zustand vor der Konservierung

Abb. 17: wie Abb. 16, Zustand nach der Konservierung

Der grüne Beutel mit rostrotem Futter ist sehr ähnlich wenn auch nicht genau gleich wie j gearbeitet: die dekorative Ausschmückung durch Ziernähte und der durch das Futter gebildete Kontraststreifen am Beuteleingriff fehlen.

Der sehr fragile Zustand des Beutels und die verschiedenen Fehlstellen machten eine schützende Seidencrepeline-Umhüllung notwendig. Zuvor wurde zwischen Oberstoff und Futter ein passend eingefärbter Seidenstoff geschoben.

R. S.

l) Blauer Seidenbeutel mit rosa Zugschnur (Abb. 18)

Höhe 9 cm, Breite 12,7 cm; Zugschnur 38 cm lang

Köper $^1/_2$ Z-Grat: Kette (Seide, Z-Drehung, helles Blaugrün), 42–47 Fäden/cm. Schuß (Seide, blau), 28–34 Einträge/cm. **Zugschnur:** Seide, Zwirn S, rot.

Inv. Nr. XVII/1   *R. S.*

Abb. 15: Dunkelblauer Seidenbeutel mit rosa Futter

18

19

20

21

22

23

24

25

Abb. 18: Blauer Seidenbeutel mit rosa Zugschnur

Abb. 19: Zylinderförmiger Leinenbeutel

Abb. 20: Zylinderförmiger Leinenbeutel

Abb. 21: Trichterförmiger blauer Leinenbeutel

Abb. 22: Leinenbeutel

Abb. 23: Leinenbeutel

Abb. 24: Leinenbeutel

Abb. 25: Leinenbeutel

m) Zylinderförmiger Leinenbeutel (Abb. 19)

Höhe 13,5 cm, Durchmesser 7,7 cm; Zugschnur 27 cm lang

Leinwandbindung: Kette (Leinen, Z-Drehung, rohweiß), 19–23 Fäden/cm. Schuß (Leinen, Z-Drehung, rohweiß), 26–30 Einträge/cm.
Zugschnur: geflochten (20 Doppelfäden Leinen, Zwirn S, weiß).

Inv. Nr. V/9   *R. S.*

n) Zylinderförmiger Leinenbeutel (Abb. 20)

Höhe 4,8 cm, Durchmesser 3,4 cm; Zugschnur 23 cm lang

Leinwandbindung: Kette (Leinen, Z-Drehung, rohweiß), 36–42 Fäden/cm. Schuß (Leinen, Z-Drehung, rohweiß), 37–42 Einträge/cm.
Zugschnur: geflochten (10 Doppelfäden Leinen, Zwirn S, rohweiß).

Inv. Nr. XII/40   *R. S.*

o) Trichterförmiger, blauer Leinenbeutel (Abb. 21)

Höhe 15,8 cm, oberer Umfang 24 cm

Leinwandbindung: Kette (Leinen, Z-Drehung), 14–29 Fäden/cm. Schuß (Leinen, Z-Drehung), 15–16 Einträge/cm. Blau stückgefärbt.

Inv. Nr. VI/3   *R. S.*

p) Leinenbeutel (Abb. 22)

Höhe 12,5 cm, Breite 13 cm; Zugschnur 29,5 cm lang.

Leinwandbindung: Kette (Leinen, Z-Drehung, rohweiß), 21–23 Fäden/cm. Schuß (Leinen, Z-Drehung, rohweiß), 17–19 Einträge/cm.
Zugschnur: Leinen, Mehrfachzwirn, rohweiß.

Inv. Nr. XVIII/1/4

Die untere Beutelpartie ist sehr brüchig und weist große Fehlstellen auf. Sie wurde deswegen mit passend eingefärbtem Baumwollbatist unterlegt und der Beutel – soweit nötig – mit hellbeigem Seidencrepeline abgedeckt.   *R. S.*

q) Leinenbeutel (Abb. 23)

Erhaltene Höhe 34,8 cm, Breite 31 cm

Leinwandbindung: Kette (Leinen, Z-Drehung, verbräunt), 27–29 Fäden/cm. Schuß (Leinen, Z-Drehung, verbräunt), 26–28 Einträge/cm.

Inv. Nr. XIV/8

Der nicht vollständig erhaltene Beutel (der obere Rand fehlt) mußte seines fragilen Erhaltungszustandes wegen ganz in passend eingefärbten Seidencrepeline eingenäht werden.   *R. S.*

r) Leinenbeutel (Abb. 24)

Höhe 8,5 cm, Breite 7,8 cm

Leinwandbindung: Kette (Leinen, Z-Drehung, rohweiß), 18–21 Fäden/cm. Schuß (Leinen, Z-Drehung, rohweiß), 12–13 Einträge/cm.

Inv. Nr. XII/39 a

Der ursprünglich vermutlich zum runden »Kissen« geschlossene Beutel (Reste der irgendwann aufgeschnittenen Naht sind noch sichtbar) weist auf der Rückseite einen groben Einschnitt auf. Er wurde durch Unterlegen mit passend eingefärbtem Baumwollbatist, auf welchem die schadhafte Stelle mit Spannstichen festgehalten wurde, geschlossen.   *R. S.*

s) Leinenbeutel (Abb. 25)

Höhe 21 cm, Breite 21 cm

Leinwandbindung: Kette (Leinen, Z-Drehung, rohweiß), 29–34 Fäden/cm. Schuß (Leinen, Z-Drehung, rohweiß), 25–27 Einträge/cm.

Inv. Nr. VII   *R. S.*

t) Zwei Seidenbeutel aus demselben Gewebe
(Abb. 26)

Höhe 6 cm, Breite 4,5 cm

Leinwandbindung: Kette (Seide, dunkelbraun), 32 – 36 Fäden/cm. Schuß (Seide, Z-Drehung, dunkelbraun), 17 – 18 Einträge/cm. Webekante: an einer Seite erhalten.

Inv. Nr. XVII/2/1 B (Abb. links)

Höhe 6,3 cm, Breite 4,6 cm

Leinwandbindung: Kette (Seide, dunkelbraun), 32 – 36 Fäden/cm. Schuß (Seide, Z-Drehung, dunkelbraun), 17 – 18 Einträge/cm.

Inv. Nr. XVII/2/2 B (Abb. rechts)

Die beiden Beutel aus einem Seidengewebe mit auffallender Schußstruktur sind auch auf genau gleiche Weise verarbeitet worden. Der Nähfaden, der wohl aus pflanzlicher Faser bestand, hat sich praktisch vollständig aufgelöst. *R. S.*

u) Zwei Seidenbeutel aus demselben Gewebe
(Abb. 27)

Höhe 7,5 cm, Breite 3,2 cm

Leinwandbindung: Kette (Seide, lachsrosa), 33 – 36 Fäden/cm. Schuß (Seide, lachsrosa), 16 – 19 Einträge/cm. Webekante: an einer Seite erhalten.

Inv. Nr. XVII/1/6

Höhe 7 cm, Breite 3,5 cm

Leinwandbindung: Kette (Seide, lachsrosa), 33 – 38 Fäden/cm. Schuß (Seide, lachsrosa), 13 – 14 Einträge/cm. Webekante: an einer Seite erhalten.

Inv. Nr. XVII/1/7

Die beiden Beutel sind nicht nur aus demselben Gewebe, sondern auch in genau gleicher Machart angefertigt worden. *R. S.*

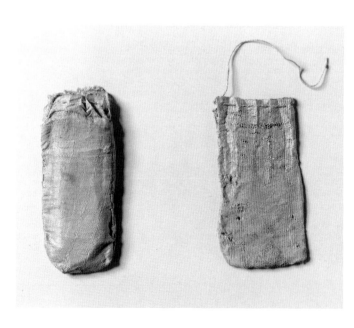

178

v) Einfacher Leinenbeutel (Abb. 28)

Höhe 5,7 cm, Breite 4 cm

Leinwandbindung: Kette (Leinen, Z-Drehung, dunkelbraun), 19–21 Fäden/cm. Schuß (Leinen, Z-Drehung, dunkelbraun) 18–20 Einträge/cm.

Inv. Nr. I/11

Der Beutel ist knapp unterhalb der Zugschnur stark beschädigt. Um seine Form zu rekonstruieren, wurden die Ränder der Fehlstellen mit Spannstichen auf passend eingefärbter Seidengaze festgehalten. *R. S.*

w) Einfache Seidenbeutel (Abb. 29)

Inv. Nr. III/5 a, V/11 a, VIII/2, VIII/3, VIII/7 und XVII/2/2 C

Höhe 5,5 cm, Breite 4,4 cm

Leinwandbindung: Kette (Seide, dunkelbraun), 33–37 Fäden/cm. Schuß (Seide, dunkelbraun), 26–30 Einträge/cm.

Inv. Nr. III/5 a

Vom fast zerstörten Beutel hat sich der leinene Nähfaden am besten erhalten, während offenbar für tierische Faser ungünstige klimatische Bedingungen den Seidenstoff stark angegriffen haben. Der Beutel Inv.-Nr. III/5a ist zu fragil, um ihn von seiner Unterlage zu nehmen. Mit ihm kann somit gezeigt werden, in welcher Art die Reliquienstoffe im Museumsdepot vorläufig aufbewahrt werden: Auf geeignet großen, mit Baumwollnessel bezogenen Pappen liegend, nur in seltenen Fällen durch einen Überfangstich darauf festgehalten. Außerdem sind sie staubdicht in durchsichtigen Polystyrolschachteln verpackt (vgl. Abb. 11). Die Kartonplättchen können an zwei angenähten Fadenschlaufen jeweils mühelos aus ihrer Schachtel gehoben werden.

Höhe 6,5 cm, Breite 5,5 cm

Leinwandbindung (kalandriert): Kette (Seide, lachsrosa), 31–37 Fäden/cm. Schuß (Seide, lachsrosa), 12–13 Einträge/cm. Webekante: an einer Seite erhalten.

Inv. Nr. V/11 a

Höhe 7 cm, Breite 5,9 cm

Leinwandbindung: Kette (Seide, braun), 34–36 Fäden/cm. Schuß (Seide, braun), 25–27 Einträge/cm. Webekante: an einer Seite erhalten.

Inv. Nr. VIII/2

V/11a VIII/2 VIII/3

VIII/7 XVII/2/2 C III/5 a

Abb. 29: Einfache Seidenbeutel

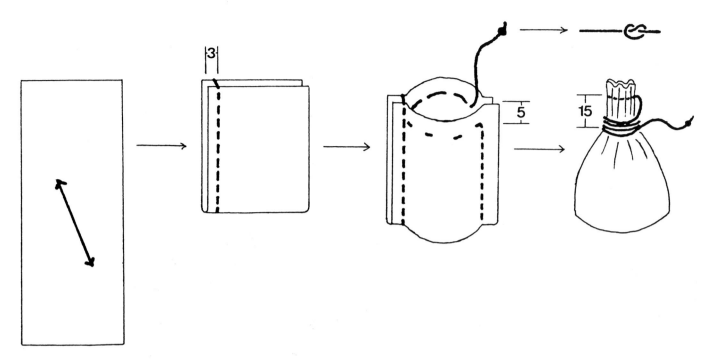

Abb. 30: Schema zur Herstellung der einfachen Seidenbeutel

Höhe 5,2 cm, Breite 4,4 cm

Leinwandbindung: Kette (Seide, dunkelbraun), 33 – 36 Fäden/cm. Schuß (Seide, dunkelbraun), 24 – 31 Einträge/cm.

Inv. Nr. VIII/3

Der Seidenstoff des Beutelchens ist ausgesprochen fragil und konnte deswegen im stark zerknüllten Bereich der Zugschnur nicht glatt ausgelegt werden.

Höhe 6 cm, Breite 4 cm

Leinwandbindung: Kette (Seide, dunkelbraun), 32 – 35 Fäden/cm. Schuß (Seide, dunkelbraun), 26 – 28 Einträge/cm.

Inv. Nr. VIII/7

Höhe 5,1 cm, Breite 3,1 cm

Leinwandbindung: Kette (Seide, beigebraun), 27 – 28 Fäden/cm. Schuß (Seide, beigebraun), 19 – 21 Einträge/cm.

Inv. Nr. XVIIK/2/2 C

Die Beutelchen sind, ebenso wie u und v, alle nach demselben Schema gearbeitet (Abb. 30). Verschiedene Stoffrestchen wurden zur Hälfte gefaltet und mit zwei einfachen Vorstichnähten (je nachdem unten und an einer Seite bzw. an beiden Seiten) zum Beutel geschlossen. Der Nähfaden wurde mit einem Hinterstich gesichert und gleich weiter in Vorstichen als Zugschnur um den oberen Beutelrand geführt. Ein kleiner Knoten an seinem Ende sichert den Faden vor dem Zurückrutschen, Beuteleingriff und Nahtzugaben bleiben unversäubert.

Es ist anzunehmen, daß diese einfachsten aller Beutel alle gleichzeitig entstanden sind – Machart, Größe und auch Nähfaden stimmen sehr gut überein, Inv.-Nr. III/5 a, VIII/3 und VIII/7 bestehen zudem aus demselben Gewebe. *R. S.*

x) Hüllenartiger Seidenbeutel (Abb. 31)

Höhe 9,8 cm, Breite 5,9 cm

Leinwandbindung: Kette (Seide, Z-Drehung, rosa), 34 – 39 Fäden/cm. Schuß (Seide, rosa), 27 – 31 Einträge/cm. Webekante: am unteren Beutelrand erhalten.

Inv. Nr. VIII/6 *R. S.*

Hildesheim, Anfang 13. Jahrhundert

Höhe 57,5 cm
Messing

Hildesheim, Hohe Domkirche

I. Kunstgeschichtliche Einordnung

Die Tiergruppe des sich windenden Drachen mit dem in seinem Rücken festgekrallten Adler, welcher seine Schwingen ausbreitet, verbindet in ihrer Gestaltung auf nahezu ideale Weise »naturgetreue« Darstellung und Gebrauchsgerät (Abb. 1). Die Oberseiten der Flügel dienen als Pult; zwei zurückgebogene Schwanzfedern sorgen für den sicheren Halt des Buches (Abb. 14). Der schlanke Körper des Adlers ist von schuppenartig übereinandergelegten Federn unterschiedlicher Größe und Form bedeckt. Ihre charakteristische Zeichnung mit den gravierten Äderchen an den Rändern verleiht der Plastik eine regelmäßige Oberflächenstruktur. Der Kopf ist leicht nach rechts gewendet; ein mächtiger, in seinem Oberteil weit nach unten gebogener Schnabel, das von der durch kreisförmige Punzungen charakterisierten Lederhaut überzogene zart modellierte Gesicht und die großen, weit geöffneten, durch Bohrung der Pupille starr gerichteten Augen verleihen dem Tier den Ausdruck ungezähmter Wildheit. Mit mächtigen Krallen hat der Adler den Drachen gepackt. Dieser reckt in einer Drehung des langen Halses seinen schlanken Kopf in die Höhe und versucht, mit geöffnetem Maul, welches zwei spitze Zahnreihen sichtbar werden läßt, seinen Widersacher zu verjagen. Der gestreckte Drachenkörper mit geschupptem Rückenkamm, den zwei große Flügel an den Flanken bedecken, liegt, vom Adler niedergepreßt, fast frontal. Zwei Zapfen dienten ursprünglich der Befestigung.

Das Hildesheimer Adlerpult gehört in engen Werkstattzusammenhang mit dem *Taufbecken des Doms*, das nach der Stifterinschrift wohl in den frühen 1220er Jahren entstanden ist[1]. Die stilistische und motivische Nähe zwischen beiden Stücken wird schon anhand eines Vergleichs des Adlerkopfes mit dem Haupt des anthropomorphen *Johannessymbols* (Abb. 2) von der Wandung der Taufe deutlich. Trotz beträchtlicher Größenunterschiede und der am kleinen Johannesadler nur summarisch auszuführenden feineren Details bleibt doch in beiden Fällen eine so weitgehende physiognomische Übereinstimmung, daß man von Arbeiten nach gleicher Vorlage oder gleichem Modell sprechen darf. Hält man einen der *Adler von den Kapitellen des Marienaltars im Braunschweiger Dom* (Abb. 3) dagegen, einem Werk, das ziemlich sicher auf 1188 datiert werden kann[2], so erkennt man den eklatanten Unterschied, der sich zwischen dem mehr formelhaften Figurentypus der älteren Bronze und dem Versuch »individueller« Gestaltung des Pultadlers geltend macht. Für den Drachenkopf hatte Erich Meyer auf hildesheimspezifische Eigenheiten hingewiesen und durch Vergleiche mit Arbeiten aus der Taufwerkstatt ebenfalls die Lokalisierung in die Bischofsstadt und die Datierung ins frühe 13. Jahrhundert bekräftigt[3].

Die überragende Qualität der Adler-Drachen-Gruppe zeigt sich in der meisterhaften Gußtechnik wie in den feinteilig differenzierten Gravuren. Die Struktur der Fiederung war im Hochmittelalter allgemein gebräuchlich. Schon an Werken des frühen 12. Jahrhunderts kommt die schuppenartige Bekleidung des Vogelkörpers vor, meist schematisch über den Rumpf verteilt, wie noch bei den Adlern des Braunschweiger Altars. Der Hildesheimer Bronzegießer hat nicht nur versucht, hier eine der Anatomie des Tieres entsprechende Strukturierung durch die unterschiedlich gerichteten und gebildeten Federn zu erreichen, er belebte die Metallhaut auch dadurch, daß er den Federkiel – sonst häufig nur durch zwei parallel geführte Gravurstriche angedeutet – als erhabene Rippe in der zur Mitte hin leicht durchgebogenen Fiederung plastisch ausbildet. Vergleichbares findet sich wieder am Taufbecken, aber auch etwa in *rheinischer Steinplastik nach 1200*, z.B. an Fragmenten aus dem

Abb. 1: Adlerpult,
Hildesheim,
Hohe Domkirche

Umkreis des sog. Samsonmeisters[4]. An der Bronze-
taufe des Doms lassen darüber hinaus auch die Blätter
des Knaufes eine ähnliche Anlage erkennen, die, wie
weich durchgeknetet, Blattrippe und -fläche als eigen-
ständige plastisch geformte Werte gegenüberstellen.

Trotz aller »naturalistischen« Züge der Plastik
bleibt doch ein »künstliches« Moment deutlich erhalten. Das Federkleid auf Rücken und Flügelober-
seiten gewinnt in seiner Regelmäßigkeit fast den Grad
eines ornamentalen Schmucks, der in gewissem
Gegensatz zur Lebendigkeit des Kopfes steht. Wenn es
auch im Mittelalter Tierstudien »nach der Natur« gegeben haben sollte[5], so ist doch der Hildesheimer Adler
letztlich kein »Porträt« eines Lebewesens, sondern das
nach festen Vorlagen geschaffene Kunstwerk für liturgischen Gebrauch. *Villard de Honnecourt* gibt in
seinem Musterbuch regelhafte Anweisungen für die
Gestaltung eines Pultadlers[6] (Abb. 4); mittelalterliche
Beschreibungen der Tiere stützen sich immer wieder
auf das Ideal einmal festgelegter Typen[7].

Der Gebrauchsgegenstand »Adlerpult« ist in
Kirchen nördlich der Alpen im 13. Jahrhundert eine
Seltenheit; zumindest kennen wir heute – von Hildesheim abgesehen – nur noch den formal jedoch deutlich
abweichenden *Pultadler aus dem Berner Münster*[8]
(Abb. 5). Es ist durchaus möglich, daß es weitere Stücke
gegeben hat: Der Miniator, der im Evangeliar Heinrichs des Löwen das Johannesbild (Abb. 6) malte (fol.
172[v]), mag ein solches Pult vor Augen gehabt haben.
Der Adler dort – Symbol des Evangelisten – sitzt auf
einem hölzernen Ständer; auf seinem Rücken liegt das
Buch, in welches der Apostel schreibt[9]. Erst aus dem
14. und 15. Jahrhundert sind vermehrt Adler als Buch-
auflage erhalten – häufig Importstücke aus Dinant,
einem Zentrum europäischen Bronzegusses im späten
Mittelalter. Sogar in weniger begüterten Kirchen hat
man auf ein solches Gerät nicht verzichten wollen: Der

Abb. 2: Adlersymbol des Evangelisten Johannes, Taufbecken,
Hildesheim, Hohe Domkirche

Abb. 3: Adler vom Kapitell des Marienaltars, Braunschweig, Dom

185

Abb. 4: Adlerpult aus dem Bauhüttenbuch des Villard de Honnecourt

Abb. 5: Adlerpult, Bern, Münster

hölzerne Adler des 14. Jahrhunderts aus dem Stift Fischbeck an der Weser ist sozusagen die »Sparversion« eines in Metall zu teuren Gegenstandes[10].

Wegen fehlender einheimischer Tradition hat man für das Hildesheimer Pult wie auch für das Stück aus Bern die *Voraussetzungen in Italien* gesucht, wo seit dem 11. Jahrhundert Adlerfiguren in der Funktion als Buchständer an Kanzeln (Abb. 7) häufig anzutreffen sind[11]. Ausdrücklich hingewiesen sei in diesem Zusammenhang auf das möglicherweise italienische Pult im Hamburger Museum für Kunst und Gewerbe, das teilweise wohl dem 13. Jahrhundert angehört.[12]

Dies ginge recht gut mit Vermutungen zusammen, die Walther Greischel für die typologische Herkunft des Lettners der Hildesheimer Michaeliskirche angestellt hatte. Er sah die Vorbilder in italienischen Anlagen, u. a. in der Chorabschrankung des piemontesischen Kloster Vezzolano[13]. Ob das Adlerpult tatsächlich nach italienischer Vorlage angefertigt und vielleicht auf einem Lettner errichtet wurde, der ebenfalls nach dortigem Muster erbaut war, kann heute nicht mehr nachgewiesen werden. Die mittelalterliche Chorabschrankung des Doms wurde 1546 durch eine neue Anlage in Renaissanceformen ersetzt, in die man auch die Adlerplastik der Vorgängerin integrierte (Abb. 8 und 9).

Es ist jedoch keineswegs unmöglich, daß die Idee für das Bronzepult aus dem Süden stammt und von dort nach Hildesheim gebracht wurde; vielfältige Kontakte mit Italien sind gerade in der Zeit um und nach 1200 nachzuweisen. Konrad I. v. Querfurt, Bischof zwischen 1194 und 1198, hielt sich als Inhaber hoher Reichsämter seit Anfang 1196 häufig in den Ländern südlich der Alpen auf, so daß er während seiner Amtszeit Hildesheim nur selten betreten hat[14]. Auch Konrad II. (1221 – 1246), in dessen Pontifikat die Herstellung von Taufbecken und Pult fällt, war zwischen 1218 und 1220 für etwa eineinhalb Jahre am päpstlichen Hof in Rom gewesen[15]. Die Vermutung, daß die Darstellung der »Caritas« auf dem Deckel der Taufe italienische Vorbilder wiederholt, die Konrad vermittelt haben könnte[16],

Abb. 6: Johannesbild aus dem Evangeliar Heinrichs des Löwen (fol. 172 v)

187

Abb. 7: Adlerpult, Salerno, Kathedrale

ist angesichts der Miniaturen im (hildesheimischen) Elisabethpsalter zwar nicht haltbar, dennoch bleibt auch hier die Tatsache, daß die sonst in der Kunst recht seltene Ikonographie der Werke der Barmherzigkeit in Niedersachsen nur aus Hildesheim bekannt ist. Schließlich hatte sich auch der Stifter der Taufe, Wilbrand v. Oldenburg, seit 1219 Dompropst, etwa gleichzeitig mit Konrad in Rom aufgehalten[17].

Neben den Kanzeln gab es in Italien noch eine weitere Gruppe von Kunstwerken, die das Bild des Adlers, manchmal auch die Gruppe Adler und Schlange tragen. Es sind Reliefs, Kameen und Skulpturen, welche vor allem im Umkreis Kaiser Friedrichs II. entstanden[18]. Wird in neuester Literatur auch eindringlich – und zu Recht – davor gewarnt, alle diese Stücke als Produkte einer staufischen Repräsentationskunst zu sehen[19], und wird man sie auch nicht als formale oder stilistische Vorbilder für die ähnlich naturalistisch aufgefaßte Hildesheimer Gruppe in Betracht ziehen wollen, so kann doch die Frage, inwieweit in das Pult die Idee vom Stauferadler – die auch für Bern vermutet wurde[20] – eingeflossen ist, bei einem solch außergewöhnlichen Denkmal nicht übergangen werden. Bei dieser Gelegenheit ist daran zu erinnern, daß nach dem Übertritt Bischof Siegfrieds zu Friedrich II. 1218 die Hildesheimer Oberhirten stauferfreundlich waren. Konrad II. hatte selbst nach Friedrichs Absetzung 1245 zu diesem gestanden, was ihm den päpstlichen Bann eintrug. Eine Herleitung des Hildesheimer Gerätes »Adlerpult« ist dadurch nicht leichter geworden. Künstlerische Beziehungen zwischen Vogeldarstellungen unterschiedlicher Größe und auf verschiedenen Gegenständen sind wenigstens für Einzelfälle in Italien nachzuweisen[21]. Auch in den Adlerkameen z. B. überlagern sich häufig christliche Ikonographie und politische Aussage. Und immerhin gab es eine dieser

Abb. 8: Hildesheimer Adlerpult auf der zugehörigen Renaissancesäule vom Lettner des Domes

Abb. 9: Renaissancelettner des Domes mit Adlerpult (links neben der Kanzel), Zustand vor 1945

188

Abb. 8

Abb. 9

189

Abb. 10: Staufische Adlerkamee am Kelch Bischof Gerhards, Hildesheim, Domschatz

Kameen im mittelalterlichen Hildesheim; sie wurde 1367 an den Kelch Bischof Gerhards appliziert (Abb. 10)[22].

Für eine ausreichende Deutung der Adlerplastik wäre die Zusammenschau mit dem nicht mehr erschließbaren ikonographischen Programm des alten Lettners wichtig. Als Einzelstück dürfen wir in der Tiergruppe vielleicht – wie es mittelalterliche Literatur zur Tierallegorese vom Physiologus bis zu den Bestiarien des 13. Jahrhunderts nahelegt – das Exempel der Überwindung des Bösen durch das Gute, speziell einen Hinweis auf den Sieg Christi über den Teufel sehen[23]. Darüber hinaus mögen weitere Assoziationen und Vorstellungen dem Menschen des Mittelalters vertraut, dem gelehrten Kleriker durch sein Studium selbstverständlich gewesen sein. Wenn etwa der Adler auch als Symbol des durch die Taufe zu neuem Leben auferstandenen Christen interpretiert wurde, so mochte eine solche Beziehung bei ungefähr gleichzeitiger Entstehung von Taufbecken und Adlerpult und angesichts der ursprünglichen Aufstellung des Beckens im Mittelschiff des Doms durchaus absichtsvoll mit in die Ikonographie einfließen.

Das Hildesheimer Adlerpult zeigt jedenfalls, wie schwierig es ist, sich Gedanken über Sinn und Bedeutung mittelalterlicher Kunst zu machen, die heute nur noch fragmentarisch erhalten ist. Da solche Werke kaum jemals nur einschichtig, d. h. auf eine Interpretationsebene fixiert waren, erfordert die Ausdeutung, die über allgemeine und unverbindliche Sätze hinausgehen will, ein möglichst breites Quellenstudium.

K. N.

II. Zur technologischen Erforschung von mittelalterlichen Bronze- und Messinggüssen.

Detaillierte herstellungstechnische Aufarbeitungen mittelalterlicher Bronze- und Messinghohlgüsse im profanen wie sakralen Bereich finden bislang in der Literatur noch relativ selten qualifizierten Niederschlag[24].

Die geradezu zwanghafte Einbeziehung und der ständige Gebrauch von überlieferten Bronzeguß- und Bearbeitungstechniken aus den Schriftquellen ab etwa 1000 einerseits sowie die Nutzung moderner Gießereitechnologien als Grundlage für den Rückschluß auf antike wie mittelalterliche Herstellungsverfahren andererseits verhinderten oftmals den Blick auf tatsächliche Befunde an den Originalen[25].

So sind es ausschließlich die jeweils vorhandenen gußtechnischen Spuren an den Bronze- und Messinggegenständen selbst, deren Aufarbeitung und Interpretation je nach Untersuchungsaufwand den zeitgenössischen, bewußt durchgeführten Herstellungsprozeß erschließen. Wenn sich dann diese Spurenanalysen mit zeitgenössischen Aussagen bzw. niedergeschriebenen »Verfahren« decken, dann erst sind wirklich zuverlässige Aussagen möglich.

Naturwissenschaftlich-herstellungstechnische Untersuchungen sind heute gefordert, denn es gilt, viele aufgestaute und neu aufgeworfene Fragen zur Herstellung von Bronze- und Messinghohlgüssen zu beantworten, andererseits auch kunsthistorische Aussagen zu prüfen und zu festigen. Die Basis hierfür jedoch sind vermehrt publizierte Mitteilungen von Untersuchungen, eine sich daraus ergebende Statistik herstellungstechnischer Beobachtungen in Kombination mit der Materialzusammensetzung.

Im Gegensatz zu unserem mangelhaften Wissen um die Entwicklung der Herstellung steht die Aufarbeitung des Metalls selbst, die vergleichende Analytik mittelalterlicher Kupferlegierungen, auf wesentlich festeren Beinen. Hier gelang bereits der Aufbau größerer Analysenreihen von hoch- bis spätmittelalterlichen, aber auch von renaissancezeitlichen Bronze- und Messingarbeiten[26]. Die gewonnenen Metallanalysen können heute bereits zur vorsichtigen Beantwortung wesentlicher Fragen herangezogen werden: zur Untersuchung werkstattspezifischer Gemeinsamkeiten etwa im Mischungsverhältnis der Legierungen, zu provinziellen Zuschreibungen, zu relativen Datierungen, zur Lagerstättenzuweisung der Rohstoffe (etwa beim Blei durch sog. Bleiisotopenanalysen), zur Unterscheidung von Kopien, Reproduktionen und Fälschungen aus dem 18. und 19. Jahrhundert, aber auch zum Vergleich mit neuzeitlichen Produktionen und noch einiges mehr.

Groß angelegte Leitprojekte, die sowohl kunsthistorische, herstellungstechnische, materialanalytische und konservatorische Forschung an Bronzen und Messingen interdisziplinär miteinander verbinden, wurden daher notwendig und fanden in den 70er Jahren in Italien erstmals mit ungeheurem technischem Aufwand an antiken Bronzen, den sog. Riace-Bronzen, zwei überlebensgroßen Kriegerstatuen des 5. Jahrhunderts vor Christus, statt[27].

Erst seit oder nach dieser Untersuchungskampagne sind definitiv bedeutende Zusammenhänge und Entwicklungen in den Aufbauphasen der sog. direkten und indirekten Herstellung von antiken Großbronzen begriffen worden. Die Untersuchung setzte eindeutig einen Neuanfang für die künftigen archäometrischen Forschungen an archäologischen Kupferlegierungen, da bereits Jahrzehnte zuvor Fragen zu dieser Problematik von den altväterlichen Vorstellungen vom antiken Bronzeguß nicht mehr befriedigend beantwortet wurden und man nach neuen Informationen suchte[28].

Das vorläufige Leitprojekt der Erforschung bronzener und messingener Hohlgüsse des Mittelalters war die Untersuchung, Konservierung und Dokumentation des Braunschweiger Löwen in den 80er Jahren[29]. Es wäre wünschenswert, wenn auch andere mittelalterliche Großbronzen- und -messinge in einer so umfassenden Weise untersucht werden könnten[30], soweit die Gegebenheiten an Ort und Stelle dies zulassen. Weiterführend sind indessen auch kleinere und weniger aufwendige Maßnahmen. Die Gelegenheit zu einer solchen Untersuchung ergab sich vor einigen Jahren im Zusammenhang mit dem geplanten Abguß des Lesepultadlers aus dem Hildesheimer Dom.

III. Das Hildesheimer Adlerpult – Zustand 1984.

Aufgrund seiner jahrhundertelangen Benutzung als liturgisches Gerät und den damit verbundenen Abnutzungen und Beschädigungen entschloß sich das Domkapitel 1984 zur Umsetzung des Adlerpults vom Dom in das Diözesanmuseum. Zuvor jedoch wurde die Gruppe in Berlin untersucht und abgeformt, und in der Berliner Bildgießerei Hermann Noack entstand eine original- und materialgetreue Kopie für den weiteren Gebrauch im Hildesheimer Dom.

Bis 1945 diente die Adler-Drachen-Gruppe dort als Lesepult an der Kanzel des Lettners (Abb. 1, 9), dann folgte ihre Auslagerung in den letzten Kriegstagen. Später wurde das Gerät auf einem Steinsockel wieder neu aufgestellt und diente weiterhin als Buchträger während der Gottesdienste. Während seiner letzten Umsetzung Anfang der 70er Jahre erlitten die originalen Befestigungszapfen auf der Unterseite des geflügelten Drachen eine erheblich zerstörende Behandlung. Die Handwerker dieser Zeit hatten wohl in einem unbemerkten Augenblick kurzerhand die massiven Zapfen ihren Bohrlöchern im neuen Marmorsockel angepaßt. Zusätzlich angefeilte Facetten und Kerben dienten der besseren Haftbarkeit des verwendeten Marmorkitts zwischen Metall und Stein (Abb. 11).

Die in Berlin vorgenommene Oberflächenuntersuchung vor der Abformung des Lesepults ergab Ruß- und Wachsreste vor allem in den tiefen Verzierungen. Mit unterschiedlichen Lösungsmitteln gelang es leicht, diese Ablagerungen zu entfernen. Darunter zeigten Korrosionsflecken an vielen Stellen die Einwirkung von Feuchtigkeit an. Es ist sicher anzunehmen, daß das Adlerpult hin und wieder naß oder zumindest feucht gereinigt wurde. Aus diesem Grund muß auch mit partieller interkristalliner Korrosion gerechnet wer-

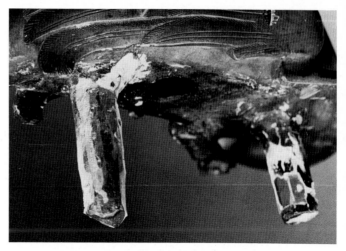

Abb. 11: Beschädigte Zapfen auf der Unterseite des geflügelten Drachen mit Resten des alten Marmorkitts.

den, die durch die Porosität des Gusses (anhand der Röntgenaufnahmen gut zu beurteilen) an einzelnen Partien (etwa an den Flügeln und den Schwanzfedern) durchaus gegeben sein kann. Hieraus ergab sich jedoch keinerlei Notwendigkeit einer umgreifenden oder auch nur prophylaktischen Konservierungsmaßnahme des Gesamtwerkes – beispielsweise durch Imprägnierung mit Korrosionsinhibitoren und einem Lack- oder Wachsüberzug des Metalls. Die Oberflächenreinigung und das Einbringen in konstante Klima- und Feuchtigkeitsverhältnisse innerhalb der Vitrine im Diözesanmuseum waren vollkommen ausreichend.

Hauptgrund zur Besorgnis um das Kunstwerk aber lag in der großen mechanischen Abnutzung, der Beweglichkeit des durch Nietung miteinander verbundenen Adlerkörpers mit den Beinen (Abb. 12). An den ehemals verdeckten Übergangsstellen der Einzelteile fand durch die Zeiten hindurch immer wieder der Versuch statt, das Metall mit Hammer und Punzen enger und haltbarer aufzuschieben. Durch die Versprödung des Metalls an diesen Partien und durch die permanente Belastung der Adler-Drachen-Gruppe als Lesepult mit seiner Kippbewegung nach vorne wurde jedoch Metall abgerissen und die Naht immer mehr sichtbar. Versuche, den Stand des Adlers mit kleinen Holzkeilen an den Verbindungsstellen festzustellen, konnten auf Dauer nicht erfolgreich sein.

Abgesehen nun von den hier kurz geschilderten mechanischen Zerstörungen zeigt sich das Metall generell dennoch in hervorragendem Zustand. Die gleichmäßige und zeitbedingte Patinierung sowie die nicht durch übermäßiges Putzen oder Polieren abgeflachten Oberflächenverzierungen des Gefieders und der Schuppung von Adler und Drachen erhöhen den allgemeinen ästhetischen Anblick.

IV. Die Materialbestimmung des Adlerpults

Für eine Metallbestimmung wurden acht Proben von der Adler-Drachen-Gruppe entnommen:

1. Rechter Zapfen unter dem Drachen
2. Drache, Flügel (Gußfehler – ohne Plattierung)
3. Adler, Bauch seitlich links
4. Adler, rechter Flügel hinten
5. Adler, rechter Flügel vorne (Reparaturanguß)
6. Adler, rechter Flügel – Metall zwischen Flügel und Adlerkörper
7. Adler, rechter Flügel – Nietung
8. Adler, Hals von oben

Ausgenommen die Position 6, zeigten die Metallproben bereits in der Röntgenfluoreszenzanalyse (RFA) einheitliche Werte zur Metallgruppenbestimmung. Danach kann die Adler-Drachen-Gruppe als konventionelles und für die Zeit typisches Messing (schwach blei- und zinnhaltig) mit einem mittleren Zinkgehalt angegeben werden.

Abb. 12: Rechteckiger Brust- und runder Bauchverschluß am Adler.

Die Tabelle der quantitativen Metallanalysen, durch die Atomabsorptionsspektralanalyse (AAS) ermittelt, zeigt die relative Homogenität der verwendeten Schmelze für die Einzelteile der Adler-Drachen-Gruppe[31]. Die Ausnahmen sind die Pos. 6 (neuzeitliche Reparatur) und die Pos. 7 (Nietmetall).

	Cu	Sn	Pb	Zn	Fe	Ni	Ag	Sb	As	Bi	Co	Au
Nr. 1	81,24	4,140	1,370	11,56	1,200	0,044	0,042	0,175	0,221	<0,025	0,011	<0,01
Nr. 2	80,16	4,270	1,530	12,56	0,970	0,043	0,048	0,159	0,245	<0,025	0,011	<0.00
Nr. 3	79,73	6,110	1,130	11,73	0,818	0,035	0,041	0,149	0,254	<0,025	0,0075	<0,00
Nr. 4	80,68	4,370	1,390	12,18	0,917	0,040	0,044	0,149	0,215	<0,025	0,0120	<0,00
Nr. 5	81,14	3,350	1,450	12,72	0,871	0,043	0,046	0,131	0,214	<0,025	0,0110	<0,02
Nr. 6	69,56	0,524	2,430	27,02	0,180	0,149	0,019	0,023	0,093	<0,025	0,005	<0,01
Nr. 7	78,45	4,830	8,960	5,36	0,580	0,351	0,136	0,760	0,559	<0,025	0,0120	<0,01
Nr. 8	79,13	6,730	1,410	11,34	0,945	0,037	0,037	0,148	0,221	<0,025	0,0058	<0,01

V. Zur Entwicklung des Bronze- und Messinggusses allgemein

Für die herstellungstechnische, aber auch für die chronologische Entwicklung autonomer Bronzehohlgüsse und Messinge von dreidimensionalen Bildwerken ist es maßgeblich, daß sowohl in der klassischen Antike der Mittelmeerkulturen als auch im europäischen Mittelalter nach der Jahrtausendwende bei großen Statuetten und Statuen im wesentlichen der gleiche technische Arbeitsablauf vorliegt.

Aus der sog. *direkten Aufbauphase* von keramischem Gußkern mit daraufliegender Wachsmodellur entwickelt sich in der klassischen griechischen Antike das *indirekte Verfahen* nach und nach zum *Serienguß* mit seiner großen Anzahl von Varianten und Vorteilen: Erhaltenes Modell (Urmodell), Abformung dieses Modells in kleineren Teilen, leichte Hantierbarkeit der Teilformen, unkompliziertes Einschwenken, Auslegen oder Auspinseln dieser (Gips-)Formen mit dem Wachsgemisch, schnelles und kontrolliertes Austrocknen der eingefüllten Gußkernmasse in die ausgeformten, mit Kernhaltern versehenen, zum Teil trommelförmigen Wachsteile, die Möglichkeit, mehrere Arbeiter gleichzeitig am Aufbau einer Statue oder einer Serie davon arbeiten zu lassen und schließlich Änderungsmöglichkeiten, Variationen zwischen diesen Teilformen (sog. variabler Gliedmaßenaufbau).

Diese Entwicklung des indirekten Gusses mit der Möglichkeit von kombinierten Ausführungen der direkten und indirekten Aufbauphasen beginnt im antiken Griechenland im 7. Jahrhundert vor Christus (altorientalische und altägyptische Hohlgußtechniken sind bereits 3000 bzw. 2000 Jahre früher der Wegbereiter für diese Entwicklung!) und steigert sich durch den ungeheuren Bedarf an kleinen und großen Bronzehohlgüssen jeglicher Art zur perfekten Serienproduktion im kaiserzeitlichen Rom etwa ab dem 1. Jahrhundert vor Christus. In der Spätantike dann überlebt der Bronzehohlguß sicherlich in den klösterlichen Werkstätten vor allem im Osten und kehrt vermischt mit byzantinisch-orientalischer Tradition nach Mitteleuropa zurück.

Hier nun findet gewissermaßen eine Neuentwicklung des Bronzehohlgusses im beginnenden Mittelalter nach 1000 statt, findet der serienmäßige Bronze- und Messingguß am ausgehenden Mittelalter, vor allem aber in der Renaissance seinen Höhepunkt. Das bedeutet konkret, daß vom 11. bis in das frühe 15. Jahrhundert hinein weder bei kleineren noch bei größeren Hohlgüssen mit dem indirekten Gußverfahren zu rechnen ist[32].

Wir finden hier ausschließlich über den direkten Kernaufbau hergestellte Bronzen und Messinge (z. B. die Aquamanilien). Die Kombination beider Verfahren oder das Vorziehen des indirekten Gußverfahrens nach einer gewissen Entwicklungszeit setzt erst im Quattrocento ein, die Beteiligung von mehrteiligen Modellformen von komplizierten Einzelteilen (etwa Köpfe oder Gliedmaßen) konnte bisher an früheren Kleinbronzen und -messingen nicht sichtbar gemacht werden[33].

Die Tradition kombinierter direkter und indirekter Verfahren bleibt von nun an ungebrochen bis in die Mitte des 19. Jahrhunderts bestehen, verändert sich danach aber wesentlich durch die industrielle Revolution der Zeit. Im 20. Jahrhundert nun sind es hauptsächlich die durch flexible Abformmassen geprägten Abformtechniken von Modellen, deren Einsatz nun

194

Abb. 13: Vorderansicht

Abb. 14: Aufsicht

endgültig mit der Tradition bricht, denn großflächigere Formteile mit meist vertikaler Nahtführung, neue Gußkern- und Formmassen sowie durch neu entdeckte oder nun leichter und variantenreicher zu legierende Metalle mit verbesserten Eigenschaften für die Mischung und vieles andere mehr veränderten das jahrtausendealte Gießerhandwerk grundlegend.

VI. Zur Gußtechnik des Adlerpults

Die Hildesheimer Adler-Drachen-Gruppe wurde nach dem direkten Gußverfahren im Wachsausschmelzprozeß zunächst in vier wesentlichen Einzelteilen hergestellt: Adlerkörper mit Kopf, zwei Flügel und der geflügelte Drache mit den daraufstehenden Adlerbeinen (Abb. 13, 14). Die beiden Zapfen für die Verankerung auf einer (Stein-)Basis, von denen oben bereits die Rede war, wurden separat im Überfangguß auf die Unterseite des Drachen aufgegossen. Eine starke Rißbildung an den Grenzen des rechten Überfanggusses in einem Durchmesser von 70 Millimetern sowie Gußfehler (Lunker) in der Nähe des linken Stiftes machen dies recht deutlich. In der weiteren Beschreibung sollen diese Zapfen keine nennenswerte Rolle mehr spielen (siehe die Maße in Tabelle I). Während die beiden Flügel des Adlers naturgemäß Vollgüsse sind, wurden der Adlerkörper und der geflügelte Drache als Hohlgüsse ausgeführt. Die Arbeitsabläufe für das *direkte Verfahren* von Hohlgüssen sind

195

Abb. 15: Rechter Adlerflügel. Angußstelle am oberen Flügelende (Pfeile).

allgemein bekannt: Modellieren eines Ton(Guß-)kerns mit oder ohne Kerngerüst, hierauf das Modellieren der Wachsschicht mit nahezu sämtlichen Oberflächendetails, Anbringung von eisernen oder bronzenen Kernhaltern (auch: Kernstützen oder Abstandhalter), Anbringung der Einguß- und Luftabzugskanäle, das Einmanteln des so hergestellten einmaligen Modells mit unterschiedlich gemagerten Ton- oder Lehmmassen, das Ausschmelzen des Wachses mit gleichzeitigem Vorbrand der Gußform und letztendlich der Einguß der Schmelze.

Dieses direkte Gußverfahren zeigt sich am Adlerpult schon an den stark variierenden Materialstärken (Tabelle I), aber auch in den Radiographien durch die fehlenden Formnähte, die durch die Verwendung von Teilformen (Negativformen des Urmodells) bei den Varianten eines indirekten Gußverfahrens an den Innenseiten der Güsse entstehen.

Vollständig massiv in Wachs modelliert wurden neben den bereits erwähnten Flügeln mit Zapfen auch die Adlerbeine mit ihren Zapfen und den Krallen. Diese wurden zunächst dem mit Kerngußmasse gefüllten wächsernen Hohlkörper des geflügelten Drachen aufmodelliert, was heute noch ganz deutlich an den einzel-

nen Krallen und deren Zwischenräumen erkennbar ist. Hier zeigt sich nämlich der Wachsschnitt, in Messing umgewandelt! Besonders unter den rechten Krallen wird der Unterschied zwischen Wachs- und Metallbearbeitung sowie einer stehengebliebenen Gußoberfläche (da ein Nacharbeiten unter den Krallen kaum noch möglich war) gut sichtbar.

Die getrennten Hohlgüsse von Adlerkörper und Drachen müssen jeweils kopfüber gegossen worden sein. Beim Adler entstand ein Fehlguß am unteren vorderen Schnabelende von etwa 22 Millimetern (durch die Röntgenfotographie eindeutig bestätigt). Zusammen mit dem ebenfalls fehlerhaft gegossenen (vielleicht in der Gußform »nicht gekommenen«) oberen rechten Flügelende (Abb. 15, 25) wurden die beiden Fehlstellen in einem weiteren Arbeitsgang im Angußverfahren, dem bereits erwähnten Überfangguß, repariert.

Der Adlerkörper enthält sechs deutlich erkennbare eiserne Kernhalter (Tabelle II), deren Aufgabe darin bestand, den inneren Tonkern nach dem Ausschmelzen des Wachses innerhalb des äußeren Gußmantels in Position zu halten. Das gleiche gilt beim einzeln gegossenen Drachen. Außerdem weisen der Adler- und Drachenkörper neben kleineren reparierten und nicht

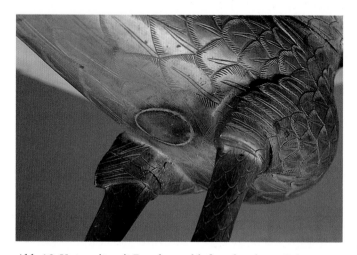

Abb. 16: Unterseite mit Bauchverschluß und rechtem Bein.

reparierten äußeren Gußfehlern drei große Öffnungen auf (Tabelle III). Eine davon befindet sich auf der Unterseite des Drachen, die, heute noch unverschlossen, dem Gießer zum Ausräumen der Kerngußmasse nach dem Messingguß diente. Zwei große verschlossene Öffnungen befinden sich im Adlerkörper. Einmal handelt es sich um einen großen rechteckigen Ausschnitt in der Mitte der Adlerbrust (Abb. 12), der nahezu unsichtbar verschlossen und kalt nachgearbeitet wurde (Abb. 24). Es ist vorerst noch unklar, ob die Verschlußplatte hier einplattiert oder im Überfangguß aufgebracht wurde. Eine einfache runde Abdeckplatte (etwa 1 mm dick) wurde mit Weichlot in eine Öffnung auf der Unterseite des Adlers eingelötet. Dies geschah recht oberflächlich mit ungenauer Anpassung und auch nur mit einer »Weichlotheftung« (Abb. 16, 24). Allerdings spricht bisher nichts dagegen, daß auch dieser zweite, weniger aufwendige Verschluß aus der Entstehungszeit des Adlers stammt. Der Handwerker wird wohl aufgrund der vom Betrachter nahezu unsichtbaren Plazierung seinen Arbeitsaufwand zum Verschluß des Loches besonders gering gehalten haben. Metallfarbe und Patinierung der eindeutig getriebenen Messingscheibe sind jedenfalls identisch, Bohrproben für Metallanalysen wurden mit Rücksicht auf den fehlerlosen Zustand beider Verschlüsse nicht unternommen.

Sowohl das etwa 25 Millimeter große, nicht verschlossene Loch unter dem Drachen (Abb. 11) als auch die 45 bis 50 Millimeter messende Öffnung auf der Unterseite des Adlers sind im Wachsmodell bereits berücksichtigte Vorrichtungen zur späteren Entfernung des Gußkernmaterials mit dessen möglicher Armierung (Drähte, Stäbe etc.).

Das große rechteckige, nahezu quadratische Fenster auf der Brust des Adlers findet seine Wiederholung in unterschiedlichsten Dimensionen an den hoch- und spätmittelalterlichen Gießgefäßen, den Aquamanilien[34]. Auch hier wurden im Brustbereich von Pferden, Vögeln, Drachen, Löwen und Fabeltieren derartige Öffnungen sorgfältig verschlossen und perfekt überarbeitet. Allgemein ist man der Ansicht, daß durch diese Fenster die Gußkernmasse der Hohlgüsse entfernt wurde.

Dennoch wissen wir aus Untersuchungen, daß oft noch reichlich festgebackene keramische Masse in den Körpern der Aquamanilien zurückblieb (in den Beinen finden sich manchmal noch die festgebackenen eisernen Stützen vom Kernaufbau!), die sicherlich leicht mit dem entsprechend gefertigten Werkzeug hätte herausgekratzt werden können. Und es stellt sich die Frage, warum die mittelalterlichen Gießer diese Öffnungen nun gerade im sichtbaren Bereich ihres jeweiligen Werkes angebracht haben, warum derart große Fenster überhaupt noch notwendig waren. Aquamanilien besitzen naturgemäß bereits zwei Öffnungen in ihrem Körper: einmal die obere Einfüllmöglichkeit für das Wasser (mit beweglichem Deckel verschlossen) und zum anderen weiter unten im Kopf oder im Maul eine kleine Ausgußöffnung oder Zotte[35]. Auf den großen plattierten (?) Brustöffnungen späterer Aquamanilien, etwa ab dem 14. Jahrhundert, finden sich vereinzelt absperrbare Ausgußhähne. Diese Gebrauchsgeräteentwicklung bezieht von einem bestimmten Zeitpunkt an (auch werkstattkreisbedingt) offensichtlich das Vorhandensein jener Brustöffnungen in die Funktion mit ein.

Die Brustöffnungen der Bronze- und Messinghohlkörper, auch die des Hildesheimer Adlers, müssen mit einer axialen Fixierung des großen Gußkerns in Verbindung stehen, und eine solche Vorrichtung muß dann als »Gußkernhalter« im engsten Sinne gedeutet werden. Weitere, oftmals regelmäßig, aber sparsam gesetzte, klein dimensionierte, rechteckige eiserne Kernhalter (Tabelle II), können dadurch als reine »Abstandhalter« definiert werden. Die Notwendigkeit einer stabilen Ausführung für das Aufmodellieren des Wachses auf die horizontal aufgespießten Gußkerne von Tierbronzen und -messingen, findet ihre Tradition wiederum in der Antike: Eine große protoarchaische Pferdestatuette aus Bronze des 7. Jahrhunderts vor Christus in Olympia, Griechenland, trägt als einer der frühesten Hohlgüsse seiner Zeit bereits einen etwa 15

Millimeter großen Verschlußpfropfen auf einer runden Öffnung der Brust[36].

Zum Ausräumen der Gußkernmasse aus dem Hildesheimer Adlerkörper hätten das große Loch, die im Durchmesser etwa 50 Millimeter messende Öffnung auf der Bauchunterseite sowie die beiden Öffnungen zum Einzapfen der Flügel bestens ausgereicht. Tatsächlich sind der Adlerkörper und der Drache äußerst sauber ausgeräumt (soweit eine Einsicht möglich war). Die Forschung wird sich weiter mit diesen Brustöffnungen und deren manchmal aus ganz unterschiedlichem Metall hergestellten Verschlußplatten zu beschäftigen haben, auch werden wir über eventuell zeitgenössisch aufgebrachte Patinierungen, Vergoldungen oder Bemalungen der Bronze- und Messingoberflächen nachdenken müssen[37]. Denn eine künstliche Patinierung oder Lackierung mit darauf folgender partieller Bemalung gäbe ebenfalls eine Erklärung zu den recht unterschiedlich sorgfältigen Ausführungen der Brustverschlüsse ab.

VII. Nachbearbeitung und Zusammenbau des Adlerpults

Nach dem Guß und dem Versäubern der Einzelteile (Entfernung der Eingußkanäle, der Gußhaut, das Ausräumen des Gußkerns, eventuelle chemische Oberflächenbehandlungen), wurden zunächst sämtliche in Wachs bereits vorgegebene Dekorationen des Federn- und Schuppenkleides von Adler und Drache nachgearbeitet. Ein spezialisierter Handwerker (Ziseleur) überarbeitete mit Hammer, Meißel, Punzen und Stichel die gesamte Oberfläche (Abb. 17). Anlage und Ausführung der Adlerfedern werden nicht nur in Parallelen etwa zu zeitgleichen oder auch älteren Vogel-Aquamanilien des sicherlich selben Werkstattkreises in Niedersachsen sichtbar[38], sondern stehen auch wieder in der Tradition antiker Vorbilder, wo ähnliche Federgravuren anzutreffen sind.

Abb. 17: Linke Seite mit eingesetztem und festgenietetem Bein.

Abb. 18: Federkleid am Kopf, Hals und Schulteransatz.

Die kurzen bis länglichen Federn des Hildesheimer Adlers enden halbrund oder spitzrund. In ihrer Mitte teilt eine Doppelgravur oder eine modellierte Mittelrippe jeweils die einzelne Feder, rechts und links davon naturalisieren gegeneinander stehende Strichgravuren, ausgenommen an den Kopffedern, das Gesamtkonzept (Abb. 18).

Der eigentliche Zusammenbau der Einzelteile des Adlerpults erfolgte durch Nietung. Die beiden Flügel wurden mit ihren mitgegossenen Zapfen (unregelmäßig: 90 x 35/50 mm – die Maße wurden anhand der Röntgenaufnahmen ermittelt) in den Adlerkörper geschoben und dort mit jeweils zwei Nieten ($\emptyset$ ca. 6–10 mm) im Abstand von 20 Millimetern beim rechten Flügel, bzw. 30 Millimetern beim linken Flügel von oben durchgenietet (Abb. 19, 20). Zwischen den rechten Flügel und den Adlerkörper ist ein keilförmiger Messingstreifen (ca. 1,5 – 2,5 mm stark) geklemmt. Diese Unterlage markiert eindeutig eine neuzeitliche Reparatur mit vorhergehender Abnahme des Flügels. Diese Tatsache wird vor allem von der Metallanalyse (siehe Tabelle, Pos. 6) unterstützt, denn der Zinkgehalt von 27,02 % entspricht keinesfalls der mittelalterlichen Norm. Zinkgehalte ab 20 % müssen bereits vorsichtig interpretiert werden, Gehalte von manchmal über 30 % Zink sind dann auf jeden Fall zweifelsfrei dem 19. und 20. Jahrhundert zuzuschreiben.

Auch der linke Flügel zeigt mit Hammer- und Punzeinschlägen die Reparatur an. Hier wurde das Metall gegeneinander gestaucht (getrieben), um die bestehende Flügelbeweglichkeit zu stoppen.

Die Vernietung des Adlerkörpers mit seinen auf dem Drachen stehenden Beinen (Abb. 21, 22) erfolgte zunächst ebenfalls durch den Einschub der an den Beinen mitgegossenen großen Zapfen (unregelmäßig: ca. 80 mm lang – das Maß wurde anhand der Röntgenaufnahme ermittelt) in den hohlen unteren Bauch des

Abb. 19: Eingenieteter rechter Flügel mit zwischengeschobenem Kupferstreifen (Pfeile).

Abb. 20: Eingenieteter linker Flügel mit Werkzeugspuren späterer Nacharbeitungen.

Adlers. Danach folgte die Vernietung mit jeweils einem Niet (∅ der Nieten ca. 6,5 mm). Das Metall der Beine wurde dann nach oben über die Beinansätze im Adlerbauch getrieben, um die Naht besser zu verdecken. Eine vollkommen andere Technik als etwa bei der Befestigung des rechten Flügels! Dieses zur Voransicht hin dünn aufgeschobene Metall ist, wie eingangs bereits berichtet, am rechten Bein durch die Schaukelbewegung weggebrochen, hier fehlen heute bis zu 4 Millimeter Material. Am linken Bein ist das Metall bereits stark ausgedünnt und ausgefranst. Kräftige Punzabdrücke auf dem Niet und Schläge auf das umliegende Metall des linken Beines bezeugen hier wiederum die späteren Versuche, die Kippbewegung durch weiteres Aufschieben des Materials zu stoppen. Die Folge davon war ein Verhärten, ein Verspröden des Messings und schließlich ein partielles Ausbrechen. Am rechten Bein wurde die Unbeweglichkeit vielleicht einmal durch ein nachträglich gebohrtes Loch und einen eingeschlagenen Niet aus Kupfer sichergestellt (Abb. 21), die Erstvernietung bot hier anscheinend keinen ausreichenden Halt mehr.

VIII. Ergebnisse der Röntgenuntersuchung

Da die Durchstrahlung dickwandiger Bronze- und Messinghohlgüsse wesentlich andere Anforderungen stellt als die der konventionellen medizinischen, industriellen oder archäologischen Radiographie[39], kommt es heute bereits zum Einsatz von radioaktiven Ir-(Iridium)192 und Co-(Kobalt)60-Strahlern – die sog. Gamma-Radiographie[40].

Das Hildesheimer Adlerpult jedoch wurde zerstörungsfrei mit konventionellen Röntgenstrahlen geprüft[41], da im Bereich bis 300 Kilovolt die Ergebnisse zur Beurteilung der Herstellung der Adler-Drachen-Gruppe ausreichend waren.

Abb. 21: Rechtes Bein mit Doppelvernietung und Materialverlust vorne (Pfeil).

Abb. 22: Linkes Bein mit Vernietung.

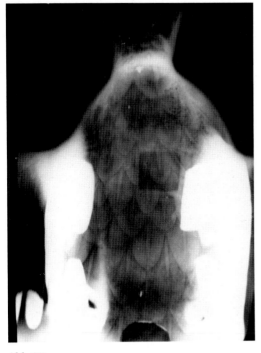  

Abb. 23   Abb. 24   Abb. 25

Die Röntgenaufnahmen bestätigen und ergänzen im wesentlichen die obige Beschreibung vom herstellungstechnischen Aufbau der Messinggruppe sowie dem Zusammenbau der gegossenen Einzelteile.

Details wie etwa Gußfehler (Lunker), Kernhalter, Angußstellen, Nietungen etc. werden ausreichend sichtbar. Drei Detailaufnahmen sollen hier stellvertretend wiedergegeben werden, denn eine befriedigende reproduzierbare Gesamtaufnahme war aufgrund der vielen Unter- und Überschneidungen des Gesamtwerkes nicht zu erzielen.

Abb. 23: Die Aufnahme zeigt den Adler von unten mit der Wiedergabe der beiden Beinzapfen, der beiden Flügelzapfen mit Vernietung, am unteren Bildrand eine Hälfte der runden Öffnung im Adlerbauch, weiter oben der rechteckige Brustausschnitt.
Museum für Vor- und Frühgeschichte, SMPK, Berlin (123/84)

Abb. 24: Hier werden die beiden Öffnungen in Bauch und Brust schärfer. Deutlich ist auf dieser Aufnahme die Brustplattierung (?) zu erkennen, die auf einem Rahmen aufsitzt, der rundum etwa 3 – 4 Millimeter kleiner ist als der daraufliegende Flicken (Abb. 16). Über dem Brustverschluß wird ein kleiner, rechteckiger, eiserner Abstandhalter gut sichtbar.
Institut für Schweißtechnik und Werkstofftechnologie der TU Braunschweig.

Abb. 25: Rechter Flügel des Adlers. Der Anguß (Überfangguß) oben an der Flügelrundung ist gut zu erkennen, ebenso die vielen größeren und unzähligen kleineren Gußfehler innerhalb des Messings. Die Flügelzapfung zeigt deutlich den dazwischenliegenden Streifen.
Museum für Vor- und Frühgeschichte, SMPK, Berlin (120/84).

Tabelle I:
Adlerpult – Maße und Gewicht

Nr.	Lokalisierung	Gewicht	Größe mm	Materialstärke mm
1	Gesamtgewicht des Adlerpults	22445 g		
2	Gesamthöhe		575	
3	Flügelspanne, gesamt		485	
4	Rechter Flügel		370	bis 18
5	Linker Flügel		380	bis 18
6	Schwanzfedern bis Schnabel		730	
7	Adlerschnabel innen			2,5 – 6,5
8	Adleraugen – Pupillen		⌀ 6 – 7	
9	Drache		400	
10	Drache, Unterseite am Loch			2 – 4
11	Drachenhals bis zum Kopf			bis 40!
12	Drachenunterseite, rechter Zapfen		⌀ 60	⌀ beide ehem. 33,
13	Drachenunterseite, linker Zapfen		⌀ 75	heute: ca. 22!

Tabelle II:
Adlerpult – Erkennbare eiserne Kern- oder Abstandhalter

Nr.	Lokalisierung	Größe mm
1	Adler, Oberseite – unterhalb des Nackens	3 x 2
2	Adlerkopf, von oben	ca. 3 x 3
3	Adler, in der Bauchunterseite, ca. 100 mm vom Schwanzende	3 x 2,3
4	Über Pos. 3, 75 mm nach oben	3,5 x 3
5	Bauch, seitlich rechts, ca. 100 mm neben Pos. 4	3,5 x 3,2
6	Bauch, seitlich links, ca. 90 mm schräg oben neben Pos. 4	5,2 x 2,2
7	Adler, rechtes oberes Bein (?)	⌀ 2
8	Im Drachenkörper sind Kernhalter nur im Innern ansatzweise zu erkennen – Beobachtungen durch die runde Öffnung auf der Unterseite!	

Tabelle III:
Adlerpult – Wesentliche Öffnungen und Gußfehler

Nr.	Lokalisierung	Größe mm	Materialstärke mm
1	Adler, große Verschlußplatte in der Brust	37/40 x 40/41	
2	Adler, runde Verschlußplatte auf der Bauchunterseite	⌀ ca. 45 – 50	1 – 1,2
3	Adler, Flicken über der großen Platte in der Brust, geschlossen	7 x 3	
4	Adler, Flicken im Rücken, geschlossen	7,5 x 3,5	
5	Adler, Kopf – Gußfehler nicht verschlossen		
6	Adler, Schwanzfedern – Gußfehler nicht verschlossen		
7	Drache, Halsunterseite, großes Rechteck, geschlossen	25 x 20	
8	Drache, unter der rechten Adlerkralle, geschlossen	6 x 4	

H. B.

Anmerkungen:

[1] K. Niehr; Die niedersächsisch-sächsische Plastik der ersten Hälfte des 13. Jahrhunderts und ihre Vorbilder. Phil. Diss. masch. Bonn 1987, S. 431 ff. Kat.-Nr. 63.

[2] Katalog Braunschweig 1985, S. 1155 f. (M. Brandt)

[3] Meyer, S. 253 f.

[4] B. Kaelble, Untersuchungen zur großfigurigen Plastik des Samsonmeisters (Beiträge zu den Bau- und Kunstdenkmälern im Rheinland Bd. 27), Düsseldorf 1981, Abb. 41 und 42.

[5] Vgl. bes. W. Yapp, The Birds of English Medieval Manuscripts, in: Journal of Medieval History 5, 1979, S. 315 – 348, bes. S. 315 ff. und ders., Animals in Medieval Art: The Bayeux Tapestry as Example, in: Ebd. 13, 1987, S. 15 – 73, bes. S. 19 f.

[6] H. R. Hahnloser, Villard de Honnecourt. Kritische Gesamtausgabe des Bauhüttenbuchs ms. fr. 19093 der Pariser Nationalbibliothek. 2., verb. u. erw. Aufl. Graz 1972, S. 33 ff., 349 f. und Tf. 13 u. 44.

[7] Vgl. H. Brinkmann, Zu Wesen und Form mittelalterlicher Dichtung. 2. Aufl. Darmstadt 1979, S. 117; ferner Hahnloser, S. 268 ff.

[8] M. Grütter, Das Adlerpult im Berner Münster, in: Zeitschrift für Schweizerische Archäologie und Kunstgeschichte 31, 1974, S. 79 – 96. Grundlegende Studie zum Gerätetypus mit reicher Literatur und einer Fülle von Vergleichsbeispielen. Dadurch überholt der Artikel im Reallexikon zur deutschen Kunstgeschichte Bd. 1 (1937), Sp. 187 – 195 (H. Lempertz).

[9] E. Klemm, Das Evangeliar Heinrichs des Löwen. Frankfurt/M. 1988, S. 125 f. u. Tf. 36.

[10] Katalog zur Ausstellung Kunst und Kultur im Weserraum 800 - 1600. Bd. 2. Münster 1966, S. 357 Nr. 49 mit Abb. 113.

[11] Vgl. etwa O. Lehmann-Brockhaus, Die Kanzeln der Abruzzen im 12. und 13. Jahrhundert, in: Römisches Jahrbuch für Kunstgeschichte 6, 1942/44, S. 257 – 428.

[12] Inv.-Nr. Lg 216. Vgl. Museum für Kunst und Gewerbe Hamburg, Handbuch, München 1980, S. 57, Nr. 105; O. Werner, Analysen mittelalterlicher Bronzen und Messinge, in: Berliner Beiträge zur Archäometrie 7, 1982, S. 169 – 172.

[13] W. Greischel, Die sächsisch-thüringischen Lettner des 13. Jahrhunderts. Eine Untersuchung über die Herkunft und die Entstehung ihrer Typen. Magdeburg o. J., S. 4 ff., 23 ff.

[14] Vgl. H. Goetting, Die Hildesheimer Bischöfe von 815 bis 1221 (1227) (Germania Sacra N. F. 20: Die Bistümer der Kirchenprovinz Mainz. Das Bistum Hildesheim 3), Berlin u. New York 1984, S. 457 ff. bes. S. 475.

[15] I. Crusius, Bischof Konrad II. von Hildesheim: Wahl und Herkunft, in: Institutionen, Kultur und Gesellschaft im Mittelalter. Festschrift für J. Fleckenstein zum 65. Geb. Sigmaringen 1984, S. 429 – 468, hier S. 443 f.

[16] E. Dinkler-v. Schubert, Der Schrein der hl. Elisabeth zu Marburg. Studien zur Schreinikonographie, Marburg 1964, S. 165.

[17] C. Dolfen, Das Taufbecken des Domes zu Osnabrück, in: Osnabrücker Mitteilungen 72, 1964, S. 25 – 37, hier S. 29.

[18] E. Nau, Staufer-Adler, in: Jahrbuch der Staatlichen Kunstsammlungen in Baden-Württemberg 5, 1968, S. 21– 56.

[19] R. Kahsnitz, Staufische Kameen, in: Katalog zur Ausstellung Die Zeit der Staufer Bd. 5. Stuttgart 1979, S. 477 – 520, hier S. 484/88.

[20] Grütter, wie Anmerkung 8, bes. S. 91 f.

[21] Vgl. A. Goldschmidt, A Sceptre of the Hohenstaufen Emperor Frederick II, in: Art in America 30, 1942, S. 166 – 173, jetzt auch Katalog zur Ausstellung Die Zeit der Staufer Bd. 1. Stuttgart 1977, S. 526 f., Nr. 708 (P. Bloch).

[22] Vgl. V. H. Elbern/H. Reuther, Der Hildesheimer Domschatz. Hildesheim 1969, S. 53 f., Nr. 42.

[23] Vgl. R. Wittkower, Eagle and Serpent. A Study in the Migration of Symbols, in: Journal of the Warburg and Courtauld Institutes 2, 1938, S. 293 – 325, bes. S. 312 ff., ferner Lexikon der christlichen Ikonographie Bd. 1 (1968), Sp. 72 (L. Wehrhahn-Stauch).

[24] Nur wenige Autoren setzten in den vergangenen Jahrzehnten Akzente. Hingewiesen sei in diesem Zusammenhang etwa auf den von U. Mende betreuten Band über »Die Türzieher des Mittelalters«, Berlin 1981, mit dem das 1935 von O. v. Falke und E. Meyer begründete Korpuswerk »Bronzegeräte des Mittelalters« fortgesetzt wurde. Hier ist nun zum erstenmal neben Typologie und Ikonographie auch die Technologie miteinbezogen worden. Bedauerlicherweise ist die hervorragende Reihe formal nicht standardisiert – was das Lesen und Arbeiten mit den inzwischen erschienenen fünf Bänden erheblich erschwert.

[25] Literatur zu Modellherstellungen und Bronzegußtechniken vor Cellini:
Theophilus Presbyter, Diversarum artium schedula, 12. Jahrh. Hrsg. v. W. Theobald, Berlin, 1933.
Cennino Cennini, Trattato della Pittura, Florenz od. Padua um 1390, Ed. Milanesi, Florenz 1859.
Leone Battista Albertis, Ars aeraria, 15. Jh. (verlorengegangen)
Porcello de Pandoni, De arte fusoria, 15. Jh. (verlorengegangen)
Pomponius Gauricus, De sculptura, Florenz 1504 (übers. v. H. Brockhaus), Leipzig 1886.
Vanoccio Biringuccio, De la Pirotechnia, Libri X, Venedig 1540.

[26] Wichtige Beiträge leisteten hier:
O. Werner, Analysen mittelalterlicher Bronzen und Messinge I, in: Archäologie und Naturwissenschaften 1, Mainz 1977, S. 144 – 221.
ders., Analysen mittelalterlicher Bronzen und Messinge II und III, in Archäologie und Naturwissenschaften 2, Mainz 1981, S. 106 – 171.
ders., Zusammensetzung neuzeitlicher Nachgüsse und Fälschungen mittelalterlicher Messinge und Bronzen, in: Berliner Beiträge zur Archäometrie 5/80, S. 11 – 37.
ders., Analysen mittelalterlicher Bronzen und Messinge, in: Berliner Beiträge zur Archäometrie 7/82, S. 35 – 175.
J. Riederer, Bibliographie zu Material und Technologie kulturgeschichtlicher Objekte aus Kupfer und Kupferlegierungen, in: Berliner Beiträge zur Archäometrie 7/1982, S. 287 – 342.

Art und Archaeology Technical Abstracts, Gruppe 7: Metals and Metallurgical by-products.

[27] Due bronzi da Riace: Rinvenimento, restauro, analisi ed ipotesi di interpretazione. Bollettino d'Arte, Serie speciale 3, Rom 1985.

[28] Das derzeit übersichtlichste Werk zur Herstellung antiker Bronzestatuen mit ausreichender Bibliographie zum Thema: Carol C. Mattusch, Greek Bronze Statuary, Ithaca/London 1988.

[29] Der Braunschweiger Löwe, Hrsg. von G. Spies, Braunschweig 1985.

[30] In jüngster Zeit sind H. Drescher einige interessante Beobachtungen an der Hildesheimer Bernwardssäule und an der Bernwardstür zu verdanken. Aus konservatorischen Gründen ist eine umfassende Dokumentation dieser beiden bedeutenden frühmittelalterlichen Großbronzen geplant, die weitere Aufschlüsse erwarten läßt.

[31] Für die kurzfristige Durchführung einer Materialbestimmung im Rathgen-Forschungslabor, SMPK, Berlin, bin ich Herrn Prof. Dr. Riederer sehr verbunden.

[32] Wie Anmerkung 25.

[33] R. E. Stone, Antico and the Development of Bronze Casting in Italy at the End of the Quattrocento, in: Metropolitan Museum of Art Journal 16/1982, S. 94 ff.
Zu diesem Thema auch:
D. Blume, Zur Technik des Bronzegusses in der Renaissance, in: Natur und Antike in der Renaissance Frankfurt 1986 S. 18 ff.
U. Mende, Die Türzieher des Mittelalters, Bronzegeräte des Mittelalters Bd. 2, S. 182–189, Berlin 1981, Die Formgebung und Verwendung von Modellen.

[34] O. v. Falke/E. Meyer, Romanische Leuchter und Gefäße – Gießgefäße der Gotik. Bronzegeräte des Mittelalters 1, Berlin 1935 – Nachdruck 1983.

[35] Möglicherweise bestehen Zusammenhänge zwischen den geschlossenen Brustöffnungen von Tieraquamanilien und einer geographischen Verbreitung der Werkstätten mit dieser Ausführung. Ein typisch skandinavisches (Jäger-)Aquamanil des 13. Jahrhunderts zeigt jedenfalls die große rechteckige Öffnung fast unsichtbar auf der unteren Bauchseite des Pferdes (Kunstgewerbemuseum, SMPK, Berlin, F 1479).

[36] J. Schilbach, Eine Gruppe großer protoarchaischer Pferdestatuetten aus Olympia, Athener Mitteilungen 99, Athen 1984, S. 5 – 15, Taf. 1.

[37] U. Mende, wie Anmerkung 24, S. 176, Anm. 21 – 29.
Schutz- und Abwehrsymbole (Apotropaia) als Waffen-, Tür-, Sarkophag und Wagenapplikationen in Form von bronzenen Löwen- und Greifenköpfen, Medusenhäuptern etc., wurden bereits in der Antike schwarz patiniert, partiell bemalt oder sogar farbig gefaßt. Das Auffinden derartiger Befunde an archäologischen Kupfer-, Bronze- und Messingobjekten wird durch die korrosiven Mechanismen einer Boden- oder Wasserlagerung nahezu vollständig zunichte gemacht.
Auch die mittelalterlichen Bronzen und Messinge, vor allem das Prunkgerät ritterlicher Haushalte wie etwa Tierleuchter und Gießgefäße haben ganz sicherlich die Reste einer ehemaligen »Farbigkeit« aufgrund falschverstandener, materialbezogener »Putzanleitungen«, wie sie beispielsweise für Kirchentüren belegt sind, in späteren Zeiten eingebüßt. Hinzu kommt, daß das Bronze- und Messinggerät, nachdem es als Sammlungsgut interessant wurde, spätestens seit dem 19. Jahrhundert sowohl im Kunsthandel als auch in den Museen geputzt wurde.
Zu diesem Thema:
H. Born, Polychromie auf prähistorischen und antiken Kleinbronzen, in: Archäologische Bronzen, Antike Kunst – Moderne Technik, hrsg. von H. Born, Berlin 1985, S. 71 – 85.
ders., Patinated and Painted Bronzes: Exotic Technique or Ancient Tradition. J. Paul Getty Museum, in Vorbereitung.
Mit Erdfarben bemalte mittelalterliche Messingepitaphe: Witness in Brass, Victoria and Albert Museum, London 1988.

[38] O. v. Falke/E. Meyer, wie Anmerkung 34, Abb. 180, 240, 245. Vergleiche hierzu Gravuren auch am Taufbecken im Hildesheimer Dom aus der 1. Hälfte des 13. Jahrhunderts.

[39] H. Born, Archäologische Bronzen im Röntgenbild, in: Archäologische Bronzen, Antike Kunst – Moderne Technik, Hrsg. von H. Born, Berlin 1985, S. 112 – 126. Bibliographie zum Thema.

[40] J. Goebbels/H. Heidt/A. Kettschau/P. Reimers, Fortgeschrittene Durchstrahlungstechniken zur Dokumentation antiker Bronzen, in: Archäologische Bronzen, Antike Kunst – Moderne Technik, Hrsg. von H. Born, Berlin 1985, S. 126 – 135.
H. Heidt, Entwicklungstendenzen bei den Durchstrahlungsverfahren, in: Zerstörungsfreie Prüfung von Kunstwerken / Bundesanstalt für Materialforschung und -prüfung, Berlin 1987.

[41] Im Museum für Vor- und Frühgeschichte, SMPK, Berlin wurden bereits im Dezember 1984 Röntgenaufnahmen vom Hildesheimer Adlerpult hergestellt (Röntgeninv.-Nr. 119 – 124 / 84).
Eine weitere Serie von konventionellen Röntgenaufnahmen wurde im Mai 1989 im Institut für Schweißtechnik und Werkstofftechnologie der TU Braunschweig ausgeführt.

Literatur: Katalog Stadt im Wandel. Kunst und Kultur des Bürgertums in Norddeutschland 1150 – 1650, Braunschweig 24. Aug. – 24. Nov. 1985. Stuttgart 1985, Bd. 2, S. 1219 Nr. 1057 (M. Brandt); E. Meyer, Über einige niedersächsische Bronzen des 13. Jahrhunderts. In: Zeitschrift des deutschen Vereins für Kunstwissenschaft 6, 1939, S. 251 – 260; J. Müler-Hauck, Das Taufbecken im Dom zu Hildesheim. Phil. Diss. masch. Göttingen 1965, S. 108.

2 BRONZEGRABPLATTEN AUS DEM HILDESHEIMER DOM

Während heute nur einige beschriftete Platten im Südquerhaus des Domes darauf hinweisen, daß die Bischofskirche auch als Grablege diente, bedeckten noch bis in die Mitte des vorigen Jahrhunderts zahlreiche Grabplatten den Fußboden. Im Zuge einer Renovierungsmaßnahme wurden sie dann in den Domkreuzgang übertragen.

Infolge der Luftfeuchtigkeit und des zunehmenden Schadstoffgehaltes der Luft bildeten sich im Laufe der Zeit vor allem an den Bronzeplatten Korrosionsschäden, die es geraten erscheinen ließen, diese wertvollen Denkmäler nicht länger der Witterung auszusetzen.

Die im folgenden besprochenen Bronzen wurden bis auf eine in den Jahren 1985 – 1988 konserviert. Ziel der Maßnahme war es, die über Jahrhunderte gewachsene Patina zu erhalten, zu reinigen und zu stabilisieren sowie gegen äußere Einflüsse schützend abzudecken. Dagegen zeigt die Grabplatte des 1494 verstorbenen Eckhard von Hanensee noch den unbehandelten Zustand.

Durch die Abnahme von der Wand war es erstmals möglich, auch die Rückseiten der Platten zu untersuchen und damit Einblick in den Herstellungsprozeß zu gewinnen.

M. B.

Es stellte sich heraus, daß alle Platten in geschlossenen Lehmformen und nicht im offenen Herdguß gegossen worden sind. Offensichtlich war der Guß so dünner Platten schwierig, denn es wurden die unterschiedlichsten Hilfsmittel angewendet. Auch mußten die Gußstücke zum Teil noch erheblich nachgebessert werden.[1]

Besonders wurde der Frage nachgegangen, wo sich beim Guß die Eingüsse und Luftabzüge der benutzten Form befanden, um daraus Schlüsse auf die Lagerung derselben beim Guß in der Dämmgrube ziehen zu können. Diese Frage ist nicht nur bezüglich der bisher noch nie gußtechnisch untersuchten Grabplatten, sondern auch für die gegossenen Türflügel von Bedeutung, da form- und gußtechnische Verbindungen offensichtlich sind.[2]

Gemeinsam ist allen untersuchten Platten, daß man nach dem Guß nur ihre Schauseiten überarbeitet hat und die Rückseiten im Gußzustand verblieben. Daher konnten an diesen viele interessante gußtechnische Details und auch Überreste des Formlehms beobachtet werden.

Die Schauseiten der Platten **a** bis **c** (Abb. 4; 13; 19) sind, nachdem man notwendige Ausbesserungen durch Nachguß vorgenommen hatte, sorgfältig mit Meißel, Feile und Schaber geglättet worden. In die völlig glatte Fläche wurden anschließend nur mit feinen Meißeln Schrift und Zeichnung angebracht. Alle Feinheiten, die Schraffur in der Fläche und die Musterungen der Gewänder sind mit dem Meißel einpunziert worden. Das Metall wird dabei etwas zusammengedrückt – nicht ausgraviert –, und die Zeichnung ist auch nicht eingeritzt oder war schon im Wachsmodell vorhanden, wie manchmal angenommen wird.

Auch bei den beiden Reliefplatten **d** und **e** (Abb. 25 und 29) erfolgte die Überarbeitung der Gußstücke mit den gleichen Werkzeugen wie bei den glatten Platten.

Der Erhaltungszustand der überwiegend grün patinierten Platten ist gut, so daß auf nähere Zustandsbeschreibungen im Folgenden verzichtet wird.

Die großen Platten **a** bis **d** haben an ihren Rändern einige in allen Fällen nach dem Guß eingebohrte Löcher. Den Rostspuren nach waren hier die Platten mit Hilfe eiserner Nägel auf den Abdeckungen der Gräber und Grüfte befestigt, denn direkt auf den Särgen lagen auch die drei leichteren, älteren Platten nicht.[3]

H. D.

a) Grabplatte des Bischofs Otto I.

Hildesheim, kurz nach 1279

Höhe 196,3 cm – Breite oben 76,5 cm, unten 75,5 cm
Messing

Hildesheim, Hohe Domkirche

Die rechteckige, durch ein umlaufendes Schriftband gerahmte Metallplatte (Abb. 1) zeigt frontal dem Betrachter gegenübergestellt als Ritzzeichnung das Bild des jugendlichen Bischofs in Pontifikalgewändern und mit den Insignien seines Amtes. (Der Ring ist nicht zu sehen.) Die Gestalt respektiert die Grenzen des Bildfeldes fast vollkommen; nur die Spitzen der niedrigen Mitra und eine Ecke der über die Füße sich ausbreitenden Albe überschneiden die Rahmung und lassen die Figur optisch ein wenig aus der Fläche heraustreten. Otto, bartlos und mit weichen Gesichtszügen, trägt eine weite Albe, darüber die am Saum mit breitem Schmuckband besetzte Dalmatik sowie eine große Glockenkasel mit edelsteinverzierter Halsborte; dazu einfache Stoffschuhe und eine schlichte Mitra. Manipel und Stola enden in gestickten, mit Fransen versehenen Besatzstücken. Mit der rechten erhobenen Hand ergreift der Bischof den Stab, seine linke hält vor der Brust das Modell einer Burg, welche inschriftlich als WOLDENBERCH bezeichnet ist.

Die Umschrift der Platte ist auch heute noch deutlich zu lesen:

† ANNO D(OMI)NI MCCLXXIX IIII NON(AS)
IVLII O(BIIT) DE BRVNSWIC ORTVS hIC PRESVL
NOBILIS OTTO HIC SITVS EST OPTO CELVM QVOD
SIT SIBI PORTVS hOC DEDIT
ES TIBI QVI CINIS ES WERNhERVS ET ORAT VT
REQVIES SIT PLENA Q(VE) SPES TVA P(RO) NECE
PLORAT
Sollten diese Worte in gebundener Form zu lesen sein (ortus – portus; orat – plorat), so hat der Verfasser ein sehr freies Versmaß zugrunde gelegt.

Abb. 1: Grabplatte a, Bischof Otto I., gest. 1279.
Kratz, Tafelwerk, 1. Teil, Tafel 7.

Durch die ausführliche Inschrift ist die dargestellte Person eindeutig zu identifizieren und damit die Zeitstellung der Platte gesichert, die wohl kurz nach 1279 vielleicht am Ort selbst hergestellt wurde. Es handelt sich um das – nicht zuletzt auch hinsichtlich seiner ursprünglichen Plazierung im Dom – außergewöhnliche Denkmal für eine außergewöhnliche Persönlichkeit.

Otto I. (1260 – 1279), 31. Hildesheimer Bischof, stand während seiner Amtszeit zwischen den Fronten welfischer und bischöflich-hildesheimischer Politik, ja er, der vierte Sohn Herzog Ottos des Kindes, darf geradezu als Exponent dieses Konfliktes im späten 13. Jahrhundert gelten[4], dessen Ursprünge weiter zurückreichen.

1235 hatte Kaiser Friedrich II. auf dem Reichstag zu Mainz das Herzogtum Braunschweig(-Lüneburg) wiederhergestellt und Otto, den Enkel Heinrichs des Löwen, als Herzog eingesetzt[5]. Dieser verlangte sofort wieder die alte Oberhoheit über das im welfischen Territorium liegende Gebiet des Hildesheimer Hochstifts[6]. Bischof Konrad II. weist den Anspruch zurück, und es gelingt ihm in der Tat, sein Bistum von herzoglicher Gerichtsbarkeit befreit zu halten. Nach der Resignation Konrads 1246 versucht Otto jedoch erneut, den Streit um einen Nachfolger des Bischofs auszunutzen. Seine Unterstützung des Kandidaten Hermann v. Gleichen, Propst an St. Ägidien in Braunschweig, zieht er erst zurück, als der Papst 1249 sich endgültig für den anderen Bewerber, Propst Heinrich v. Heiligenstadt, entscheidet, der bis 1257 dem Bistum vorstehen sollte.

Ottos Sohn Albrecht (1252 – 1279) führt die Auseinandersetzungen mit Heinrich vor allem um Asseburg und die Grafschaft Peine fort, bis es unter Heinrichs Nachfolger Johann v. Brakel (1257 – 1260) 1258 zu einem Waffenstillstand kommt, bei dem die territorialen Verhältnisse zumindest zeitweilig geklärt und die Rechte wenigstens vorläufig festgeschrieben werden.

Die jahrelangen Streitigkeiten mit den Braunschweiger Herzögen dürften das Hildesheimer Domkapitel 1260 bewogen haben, Albrechts Bruder Otto, also einen Welfen, zum neuen Bischof zu wählen[7]: Erst 1264 erhält dieser die Bestätigung durch den Papst; die Weihe erfolgt dann noch einmal zehn Jahre später, 1274 auf dem Konzil von Lyon. Der zur Zeit seiner Wahl erst 13 Jahre alte und damit noch nicht volljährige Otto soll als Bedingung für die Übernahme des Amtes von Albrecht gefordert haben, die Grafschaft Peine dem Bistum zu belassen. Auch in der Folgezeit hat Otto die Interessen Hildesheims oft gegen den Anspruch des Herzogs verteidigt und durch eine geschickte Kaufpolitik den Einfluß des Hochstifts noch ausdehnen können. Dabei kam ihm zugute, daß die finanzielle Lage des Welfenhauses inzwischen prekär geworden war und sich deshalb größere Ausgaben auch für die Ausweitung oder Festigung des herzoglichen Machtgebietes verboten[8].

Eine der wichtigsten Erwerbungen Ottos für die Hildesheimer Kirche war die 1275 gegen erhebliche Widerstände Albrechts durchgesetzte Einverleibung der Burgen Wohldenberg und Werder in den Jurisdiktionsbezirk des Bistums[9]. Besonders Wohldenberg, an strategisch günstiger Stelle südöstlich Hildesheims gelegen, bedeutete in der Hand des Bischofs einen erheblichen Sicherheitsgewinn für das Territorium des Hochstifts.

Der Auftraggeber der Grabplatte muß in dieser Begebenheit ein Geschehnis von solchem Rang gesehen haben, daß er Otto die Burg Wohldenberg in die Hand gibt und somit die Tat als das wesentliche Ereignis des Pontifikats verewigen läßt. Eine solche Art der »Geschichtsschreibung« ist an sich in Hildesheim nicht ungewöhnlich: Schon beim Grabstein Adelogs (†1190) war die Erwerbung der Herrschaft Assel durch eine Inschrift auf dem Buch des Bischofs festgehalten worden[10]. Bemerkenswert ist jedoch die Form, in der im jüngeren Denkmal die historische Begebenheit dargestellt wird. Das Burgenmodell in der Hand Ottos verleiht diesem eine besondere, ihm nicht zustehende Ikonographie: die des Stifters oder Patrons. Die sich hier manifestierende Aufwertung des Verstorbenen wird noch bekräftigt durch die ursprüngliche Lage der Platte

Abb. 2: Grabplatte Bischof Yso von Wölpe,
gest. 1231, Verden, St. Andreas

über dem Begräbnisort des Bischofs. Otto war als erster und einziger vor dem Kreuzaltar des Doms, d. h. an der Stelle in der Kirche bestattet worden, die normalerweise Fundatoren vorbehalten war[11]. Damit aber ist der alte Typus des Stiftergrabes[12] seines Sinnes vollkommen entleert und nur noch als besondere Auszeichnung der Persönlichkeit benutzt. Ob hierbei als Vorbild das Grabmal von Ottos Vorfahr Heinrich dem Löwen und seiner Frau Mathilde im Braunschweiger Dom eine Rolle gespielt hat, muß letztlich offenbleiben (auch Magdeburger Erzbischöfe waren z. B. vor dem Kreuzaltar ihrer Kathedrale bestattet worden), erscheint aber auch keineswegs zwingend. Denn völlig unabhängig vom Braunschweiger Denkmal ist die typengeschichtliche Voraussetzung der Hildesheimer Grabplatte zu sehen.

Metallplatten mit dem eingeritzten Bild des Verstorbenen sind für das 12. und 13. Jahrhundert verhältnismäßig selten, so daß eine deutliche Traditionslinie, die zu Ottos Platte hinführt, nicht aufgezeigt werden kann[13]. Neben einer Anzahl solcher Denkmäler in England[14] haben sich in Deutschland nur zwei ältere Stücke erhalten: die Platte für das Grab des hl. Ulrich in St. Ulrich und Afra in Augsburg, entstanden gegen 1187, und die für Bischof Yso v. Wölpe († 1231) in der Andreaskirche zu Verden[15] (Abb. 2). Stilistische Verbindungen zwischen dieser Bronze und der knapp fünfzig Jahre jüngeren aus Hildesheim gibt es ebensowenig wie formale Gemeinsamkeiten . Doch die Auffassung der Dargestellten als Stifter – Yso trägt durchaus berechtigt seine Gründung, nämlich das Andreasstift, in Händen – ist gleich. Denkbar wäre, daß man sich 1279 an dieser älteren Platte orientierte. Immerhin war Ottos jüngerer Bruder Konrad inzwischen zum Bischof von Verden aufgestiegen (1268/69 – 1300); er könnte durchaus der Vermittler für die Idee des ungewöhnlichen Bronzewerks nach Hildesheim gewesen sein. Vielleicht kam ja schon die Werkstatt für Ysos Grab aus Hildesheim. Ist die Anregung für Ottos Denkmal aus Verden importiert worden, so enthöbe uns dies weiterer Bemühungen, eine Abhängigkeit von ähnlichen in Stein geritzten Platten zu konstruieren, die im

13. und 14. Jahrhundert nicht nur in Westfalen[16], sondern auch in Niedersachsen und der Mark Brandenburg weit verbreitet waren[17].

Wenn in Hildesheim für die Grabplatte Ottos Darstellungskonvention (Wiedergabe Verstorbener als 33jährige) und reales Lebensalter des Toten (Otto stirbt mit 32 Jahren) zusammenfallen, wird man bei der Ritzzeichnung dennoch nicht von Porträtähnlichkeit sprechen wollen. Was sich für die Gesichtszüge Ottos allerdings nicht mehr nachweisen läßt, macht ein Blick auf den Bischofsstab deutlich: Mit dem im Domschatz erhaltenen Stab Ottos[18] hat der schlichte Hirtenstab auf der Platte mit dem Blattmotiv und dem Tierkopf in der Krümme nichts gemein.

Die Zeichnung auf der Bronzeplatte in Hildesheim gehört stilistisch in den Zusammenhang von Buch- und Monumentalmalerei um und nach Mitte des 13. Jahrhunderts in Niedersachsen, zu Arbeiten, die in die letzte Phase einer Kunst fallen, welche mit dem Begriff »Zackenstil« umschrieben wird. Gut vergleichen lassen sich Teile der Malereien des Braunschweiger Doms, die um 1250 entstanden sein dürften; etwa Figuren aus der Darstellung des Tanzes der Salome (Abb. 3). Die Vorlage für die Ritzzeichnung im Metall ist wohl aus einer Malereiwerkstatt gekommen, die in Hildesheim oder Braunschweig zu lokalisieren wäre. Eine solche Übernahme von Mustern setzt eine Tradition fort, die sich in Niedersachsen etwa schon an der Steingrabplatte des Propstes Bodo aus Kloster Barsinghausen um 1250 nachweisen läßt[19]. Wie weit der Typus des zeichnerisch angelegten Memorialbildes mit dem umlaufenden Schriftband in das Gebiet der Malerei hinüberreicht, mögen zwei Beispiele illustrieren: In der Handschrift des Klosters Ottobeuren, British Library, Ms. Add. 19767, wird auf fol. 216ᵛ kurz vor 1246 Abt Berthold dargestellt als stehende Ganzfigur vor dunklem Hintergrund einer mit einfacher Bordüre eingefaßten Buchseite[20]. Etwa fünfzig Jahre später entsteht an der Sakristeitür der Dominikanerkirche zu Friesach in Kärnten das Bild des hl. Nikolaus[21]. In dieser Malerei ist die Gestalt des Bischofs in ein von einem Schriftrahmen umzogenes Feld gesetzt, ähnlich wie die Figur

Abb. 3: Tanz der Salome, Braunschweig, Dom

Ottos auf der Bronzeplatte. Solche Gegenüberstellungen über Zeit- und Ortsgrenzen hinweg machen klar, daß eigentlich nicht mehr zu entscheiden ist, ob die Grabplatte (und das gilt auch für das Denkmal Ysos v. Wölpe) als vergrößerte Buchseite anzusehen ist oder ob die Miniatur und die Tafelmalerei eine aus dem Maßstab der Grabkunst umgesetzte Form der Füllung einer Buchseite oder einer Tür darstellen. Die Aufhebung gattungsspezifischer Charakeristika, die sich in den Bildern zeigt, dokumentiert für das fortgeschrittene 13. Jahrhundert in Niedersachsen das Fehlen einer eigenen Monumentalplastik und von dort angeregter spezieller Gestaltungskriterien.

K. N.

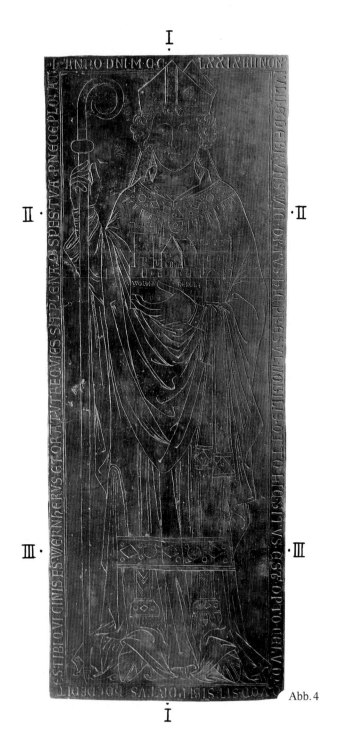

Abb. 4

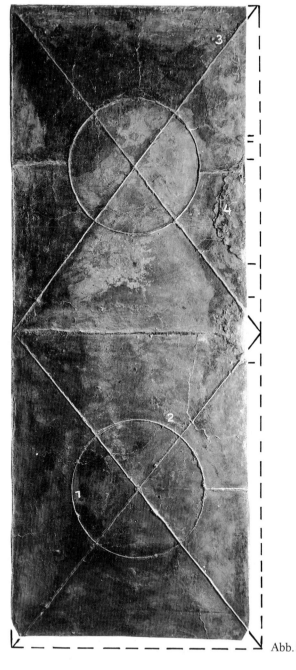

Abb. 5

Technologische Untersuchung

Dicke der Platte: 4,5 - 12,5 mm, am Rand 9 - 16 mm
Zusammensetzung der Legierung:
86,78 - 91,50 Kupfer; 1,02 - 1,91 Zinn; 0,755 - 1,75 Blei; 5,14 - 8,01
Zink (Angaben in %, vgl. Analysentabelle)
Gewicht (errechnet): um 95 kg

Die Figur des Bischofs (Abb. 4) ist offensichtlich nach einer sehr guten Vorlage oder Vorzeichnung in die geglättete Platte eingepunzt worden. Doch ist die Arbeit sehr ungleichmäßig ausgeführt und entspricht nicht der Qualität der Vorlage. Vermutlich war der damit betraute Handwerker in solchen Punzarbeiten ungeübt. Auch die am Rand angebrachte Inschrift – ihre Buchstaben sind 3,2 - 3,4 (3,6) mm hoch – ist mit dem Meißel hergestellt, doch ist hier nicht nur mit dem Meißel verdrängend gearbeitet worden wie bei der Bernwardstür[22], denn stellenweise hat man zunächst mehrere Meißeleinhiebe nebeneinander gesetzt und dann das Metall herausgenommen (Abb. 6, 8). Wahrscheinlich mußte man hier so vorgehen, um die dünn gegossene Platte nicht zu beschädigen. Interessant ist, daß selbst sehr kleine Details, wie die Angeln des Burgtores im Modell von Wohldenberg, das der Bischof in der Hand hält, oder im daneben dargestellten Gebäude sogar die Giebelzier (anscheinend die in Niedersachsen heute noch üblichen Pferdeköpfe), abgebildet worden sind. Offensichtlich um Webmuster anzudeuten, sind in das Manipel und am Ärmelsaum Muster mit feinen Stempeln eingeschlagen worden. Es handelt sich um 10 mm breite Tatzenkreuze, um Rosetten mit einem Durchmesser von 2,8 mm und um kleine, 1,5 mm große Punkte oder Ringe (Abb. 7). Es ist anzunehmen, daß die benutzten Spezialwerkzeuge aus einer Goldschmiedewerkstatt stammen, wo sie ursprünglich zum Verzieren von Blecharbeiten gedient haben dürften.

Abb. 4: Grabplatte a, Vorderseite. I-I; II-II; III-III.
Lage der Längs- und Querschnitte (vgl. Abb. 10).

Abb. 5: Grabplatte a, Rückseite. Die ursprünglich vorgesehene Abmessung gestrichelt; 1 – 3: Entnahmestellen der Analysenproben; 1 und 2 am Rand: Nachbesserungsstellen (vgl. Abb. 9).

An der Rückseite fällt zunächst ein »Muster« (Abb. 5) auf, das erhaben aus der Platte hervorsteht und mit dieser aus einem Guß ist. Die Querschnitte der Rippen und Kreise sind dreieckig, doch von ganz unterschiedlicher Höhe (Abb. 10 e). Es ist zu erkennen, daß diese Muster nicht als Modellteile z. B. auf ein Wachsmodell gesetzt, sondern daß sie in die Form eingeschnitten bzw. eingeritzt worden sind. Genauso arbeiteten zur gleichen Zeit die Gießer bei der Anbringung der Schrift an Glocken und Taufbecken. Für die Herstellung der Kreise wurde ein Zirkel benutzt, dessen Spitzeneinstich im unteren Kreis noch gut zu erkennen ist.

Offensichtlich wurden diese Linien und Kreise zur Verstärkung der Platte und zum besseren Einfließen des Metalls angeordnet (Abb. 5). Der Haupteinguß dürfte sich in Verlängerung der Mittelrippe und am Endpunkt zweier Diagonalen befunden haben. Ein weiterer – oder ein Luftabzug – lag etwas oberhalb davon, dort wo sich die Nachbesserung 1 befindet (Abb. 9).

Diese obere Stelle liegt 470 mm vom oberen Plattenrand entfernt und mißt 330 mm. Die 150 mm darunter befindliche Nachbesserung 2 ist am Rand 150 mm, sonst 195 mm lang und reicht wie die andere 100 mm in die Platte hinein. Am Rand oberhalb von Stelle 1 und im Übergang vom Nachguß zur Platte liegen weitere Nachbesserungen. Besonders oberhalb der Hand mit dem Bischofsstab finden sich mehrere z. T. größere Lunker und Risse. Hier hat man das Metall von der Rückseite her nach außen geschlagen und mehrere Risse »zugehämmert«. Reste von hartgebranntem, graubraun bis rotbraun gefärbtem Formlehm haften an vielen Stellen, besonders an den Gußgraten.

Die Ränder der Platte sind ganz unterschiedlich geformt, wie auch die Stärke der Platte sehr variiert (zu den Maßen siehe unten und dazu die Randprofile Abb. 10,1 – 5).

Es ist zu erkennen, daß das Plattenmodell, bzw. die Gießform, größer als die vorhandene Platte gewesen sein muß und sich die Form in ihrem unteren Teil geöffnet hatte. Am oberen Rand, im Bereich der Eingüsse

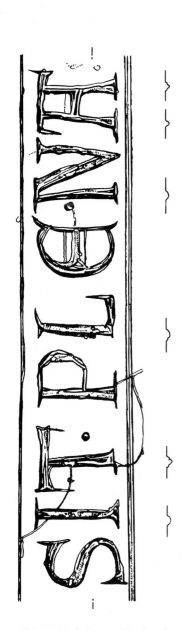

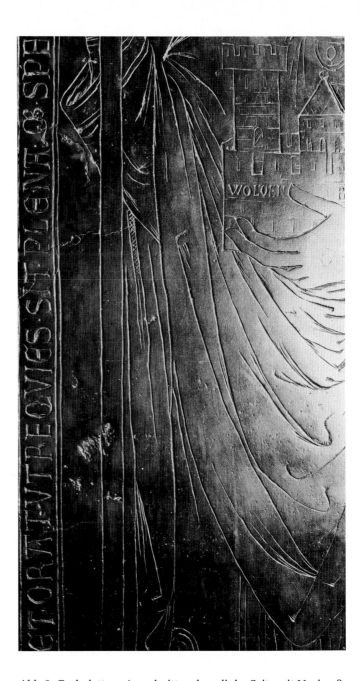

Abb. 6: Grabplatte a. Buchstaben
der Inschrift über Nachgußstelle 1 (vgl. Abb. 8). M. 2 : 3.

Abb. 7: Grabplatte a.
Punzmuster
auf Manipel.
M. 2 : 3.

Abb. 8: Grabplatte a. Ausschnitt – obere linke Seite mit Nachgußstellen und porigem Guß.

und Luftabzüge, reichte daher das Metall nicht aus und das Gußstück wurde schmaler als vorgesehen (vgl. die rekonstruierte ursprüngliche Plattengröße in Abb. 5).

Aber auch unten ist die Platte etwas kürzer geworden, als ursprünglich vorgesehen, obwohl sich hier keine erkennbaren Gußfehler befanden. Da aber die Größe der Platte offensichtlich trianguliert wurde, wobei die Breite der Platte das Grundmaß für die Dreiecke war (Abb. 11), ist es möglich, daß man auch die Plattenlänge auf das »richtige Maß« brachte[23]. Bemerkenswert ist, daß die Dreieckskonstruktion der Vorderseite keinen erkennbaren oder sicheren Bezug zur Figur und auch keine Verbindung zu den Diagonalen, Kreisen und Mittellinien auf der Rückseite hat. Die Figur des Bischofs ist dagegen wohlproportioniert. Legt man das Maß des Kopfes oder das des Gesichtes von 171 mm zugrunde – die nach klassischem Verständnis ein Achtel bzw. ein Zehntel der menschlichen Körperlänge ausmachen, ergibt sich eine Größe von 1,71 m, die durchaus der tatsächlichen Größe des Dargestellten entsprechen könnte.

Dicke der Platte in mm:

Linke Seite, Einguß
(von oben nach unten): 7,5 6,3 6,9 4,9 5,3

Rechte Seite
(von oben nach unten): 9,7 11,0 7,8 7,0 4,5 4,5

Obere Seite
(von links nach rechts): 7,5 7,8 12,5 9,7

Untere Seite
(von links nach rechts): 5,3 5,0 5,0 4,2 4,5

Abb. 9: Grabplatte a. Rückseite, Ausschnitt mit Nachgußstellen 1 und 2 (vgl. Abb. 5), Wischspuren und Gußgraten.

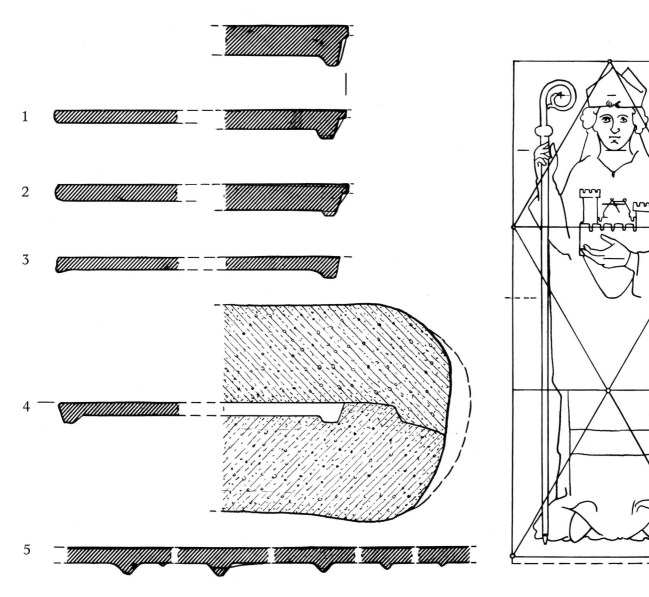

Abb. 10: Grabplatte a. Schnittzeichnungen (zur Lage vgl. Abb. 4). 1. I-I; 2. II-II; 3. III-III; 4. Rekonstruktion der vorgesehenen Querschnitte und der Gießform. 5. Querschnitte der Rippen unterer Plattenabschnitt, rechts (vgl. Abb. 5). M. 1 : 2.

Abb. 11: Grabplatte a. Rekonstruktion der Triangulation der Platte und Eintragung der klassischen Körperproportionen. M. 1 : 20.

H.D.

b) Grabplatte des Dompropstes Eckart von Hanensee I

Hildesheim, nach 1405

Höhe 191,5 cm – Breite 76,5 cm
Messing

Hildesheim, Hohe Domkirche

Die Grabplatte (Abb. 12) wird an drei Seiten von einer zweizeiligen Umschrift in gotischen Minuskeln gerahmt:

M(ille) et bis binis annis domini quoque quinis /
Virtutum nardus festo ghertrudis / eghardus /
Stirpe hanense natus / vir providus arte docatus /
Hildensemmensis ac prepositus aelidensis /
Ecclesie iura defendens non sine cura /
Dono certe dei moriens datur hic requiei /
Hinc succurre pia / nunc te rogo virgo Maria /
Ne penis detur sed cum sanctis glorietur.

Übersetzung:

In tausend und zweimal zweihundert Jahren des Herrn, ebenso fünfen, Nardenöl der Tugenden, Eckart am Gertrudentag, aus dem Stamm Hanensee geboren, ein vorausschauender, gebildeter Mann, ein Hildesheimer sowie tatkräftiger Propst, welcher die Rechte der Kirche nicht ohne Sorgfalt verteidigte.
Sicherlich wird er als Geschenk Gottes im Tode der ewigen Ruhe übergeben.
Komme hieher zu Hilfe, fromme Jungfrau Maria, jetzt da ich Dich rufe, damit er nicht dem Strafgericht übergeben, sondern mit den Heiligen verherrlicht werde.

Die einzelnen Zeilen sind durch Ornamente voneinander abgesetzt und gegliedert. Es handelt sich dabei um Blätter und Blattranken, Blumen in einer Vase, geometrische Muster und einen kleinen Drachen. In den Ecken befinden sich Medaillons mit den Symbolen der vier Evangelisten, die durch Schriftbän-

Abb. 12: Grabplatte b, Dompropst Eckart v. Hanensee I., gest. 1405, Kratz, Tafelwerk, 1. Teil, Tafel 9 a.

215

der bezeichnet sind. Ein Engel am oberen Rand der Darstellung hält ein gewundenes Band mit der Inschrift: sit domino gratus cum iustis salvificatus. Übersetzung: Er sei dem Herrn genehm und mit den Gerechten erlöst.

Der Verstorbene steht frontal unter einem mit Nasen besetzten Spitzbogen, das Wappen mit dem Hahn zu Füßen. Auf dem Kopf, vor einem Kissen, trägt er eine Kapuze: die Gugel. Seine übrige Tracht besteht aus Tunicella und dem über den rechten Arm gelegten Manipel, das in reichen Fransen ausläuft und mit rechteckigen bunten Stoffteilen bestickt ist. Der große Foliant, den er hält, zeigt auf der Vorderseite Christus auf dem Regenbogen, der Rand ist mit kostbaren Steinen besetzt. Ein Fußboden fehlt.

Eckart von Hanensees Biographie ist unklar, obwohl er von 1391 bis 1405 in Urkunden erwähnt wird. Bekannt ist nur sein Schicksal in den letzten beiden Lebensjahren, die er aus noch nicht geklärten Umständen im Turm zu Steuerwald eingesperrt verbrachte. Darauf weisen die eindringlichen Bitten in der Umschrift hin, die auf eine unbewiesene und bestrittene Beschuldigung hindeuten. Um Gerüchten über einen gewaltsamen Tod zu begegnen, versicherte Bischof Johann II. öffentlich seine Unschuld an seinem Tod.[24] Hanensee soll ein Mann von großer wissenschaftlicher Bildung gewesen sein.

Die dem fortgeschrittenen weichen Stil verpflichtete Grabplatte mit der höfisch geschnittenen Kleidung des Verstorbenen ist ein Zeugnis der ungebrochenen großen Tradition der Bronzegrabplatten in Flachtechnik in Hildesheim. Statt der Wappen tauchen beim Hanensee erstmals die Evangelisten an den Ecken auf.

H.-G. G.

Technologische Untersuchung

Dicke der Platte: 3,5 – 6,5 mm
Material: 76,88 Kupfer; 6,57 Zinn; 2,79 Blei; 12,43 Zink (Angaben in %, vgl. Analysentabelle)[25]

Im mittleren Bereich der etwas stärker abgelaufenen Platte (Abb. 13) zeichnen sich die Umrisse von zwei größeren Nachbesserungen ab. Die linke ist 130 mm hoch und 310 mm breit, die andere mißt 145 mm : 255 mm. Vom rechten Rand ausgehend bis über die Mitte der Platte hinaus war diese fehlerhaft und mußte ergänzt werden. Die Ursache des Schadens dürften Lunker und Blasen unter dem am Rand anzunehmenden Einguß gewesen sein.

Weiter ist am linken Rand in Höhe des Ellbogens eine 18 : 18 mm große Stelle zu sehen, in der ursprünglich ein eingepaßter und anscheinend zusätzlich mit einem Niet befestigter Flicken war. Etwas tiefer am Rand befindet sich eine hakenförmige Fehlstelle, aus der der eingegossene Flicken wieder herausgefallen ist. Noch etwas tiefer im Schriftband ist eine 38 : 45 mm große Nachbesserung, ein eingepaßter Flicken, zu sehen. Gegenüber am Rand ist eine ähnliche Stelle zu erkennen.

An der Rückseite (Abb. 14) sind nur wenige Gußgrate, also Abgüsse von Formrissen, zu sehen, dafür aber besonders im unteren Teil sehr viele z. T. kreuzweise geführte Wischspuren und die Überreste der in mehreren Reihen nebeneinander angeordneten Verbindungsstifte (Abb. 15). Diese hatten überwiegend einen rechteckigen Querschnitt und bestanden ausnahmslos aus Bronze. Sie sind weitgehend mit der Platte verschmolzen, so daß sich an der Vorderseite keine Spur von ihnen abzeichnet.

Am linken Rand der Rückseite (und vom unteren Rand an aufgeführt) beträgt ihr Abstand in mm 75; 65; 70; 75; 85, dann folgt eine 290 mm breite Zone, in der

Abb. 13: Grabplatte b. Vorderseite.

Abb. 14: Grabplatte b. Rückseite.
    Zahlen am Rand: Plattendicke in mm.

Abb. 13

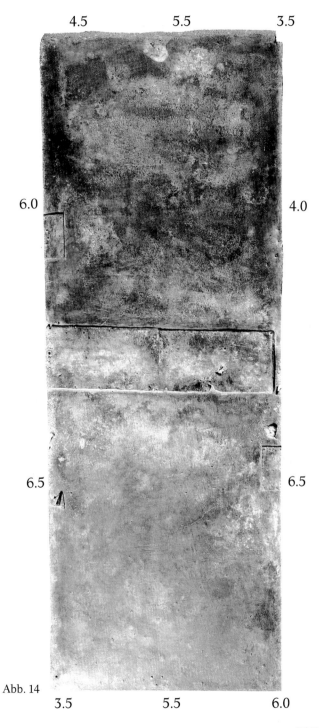

Abb. 14

217

die Stifte zerschmolzen sind, aber im Abstand von 110 und 100 mm sind zwei weitere zu erkennen.

Warum diese Stifte sich besonders im unteren Teil, bzw. vom Einguß aus gesehen im linken und kaum im oberen rechten Abschnitt finden, ist nicht zu sagen, dürfte aber mit dem Einfließen und der Temperatur des Metalls beim Guß zusammenhängen. Da der Form-

Besonders im oberen linken Abschnitt der Platte befinden sich mehrere mit Hilfe eines Kugelhammers verdichtete und geschlossene Fehlstellen (Abb. 16).

Die Ausbesserungen in der Plattenmitte haben nicht die unregelmäßige Gestalt wie an der Vorderseite, sondern sind gleichmäßige Rechtecke, 180 mm hoch, 340 und 350 mm breit (Abb. 14). Es sieht aus, als seien diese

Abb. 16: Grabplatte b. Rückseite. Ausschnitt. Risse und zuge-hämmerte Risse im oberen linken Teil.

Abb. 15: Grabplatte b. Rückseite, Ausschnitt. Unterer linker Teil mit Abstandhaltern, Wischspuren und einem aufgenieteten Beschlag (vgl. Abb. 17).

Teile unmittelbar in die entsprechend ausgeschnitte-nen Fehlstellen gegossen worden.

Es ist aber auch denkbar, daß man hier zunächst Wachsplatten abgenommen und diese für sich ein-formte und einpaßte, denn beide Platten zeigen umlau-fende Nietreihen. Andererseits ist es möglich, daß diese nachträglich und zusätzlich angebracht worden sind. Diese Platte hatte ursprünglich vier gegossene, in etwas ungleichmäßigem Abstand an den Längsseiten ange-nietete Befestigungsteile. Doch blieb nur einer mit drei-eckigem 50 mm breitem Fuß und einem hervorstehen-den gelochten Zapfen, der aber abgebrochen ist, erhal-ten (Abb. 17). Später hat man diese ursprünglichen Befestigungsteile durch 120 – 130 mm lange Blechstrei-fen ersetzt, das zeigen die entsprechenden Abdrücke

hohlraum weitgehend durch Stifte stabilisiert und gesi-chert war, variiert hier die Stärke nicht so sehr wie bei Platte 1 und liegt zwischen 3,5 und 6,5 mm. Es finden sich die niedrigsten und die höchsten Werte sowohl am rechten wie am linken Rand (Abb. 14 mit den eingetra-genen Maßen, Querschnitte Abb. 36.1). Reste des Formlehms – sie sind graubraun und sehr hart – haben sich an mehreren Stellen, darunter auch an den großen Flickstellen der Rückseite, erhalten.

Abb. 17: Grabplatte b. Beschlag an der Plattenrückseite (vgl. Abb. 15). M. 2 : 3.

und Nietlöcher. Das Maß dieser Platte könnte wie das der von 1279 trianguliert worden sein, wenn man nicht die ungefähren Maße der anderen Platte einfach übernahm.

Das Gesicht des Dargestellten mißt 185 mm und der offensichtlich zu groß bemessene Kopf ein Sechstel der Körperlänge.

H. D.

c) Grabplatte des Dompropstes Eckart von Hanensee II

Hildesheim, nach 1460
Höhe 198,5 cm – Breite 75 cm
Zinnbronze

Hildesheim, Hohe Domkirche

Die Grabplatte (Abb. 18) ist gerahmt von einer Umschrift in gotischen Minuskeln: Anno . d(omi)n i . m° . cccc° . lx . Kale(n)das dece(m)bris . obiit . ven(era) bilis d(omi)n(u)s . eghard(us) . de . hane(n)ze . p(re)posit(us) . – p(er) longa . te(m)pora . – eccle(sie) . hilden (semen)sis . et . p(re)p(osi)t us . eccle(sie) . s(anc)ti . mauricii bene . meri(tus) . cui(us) . a(n)i(m)a . req(ui)escat i(n) pace . amen.

Abb. 18: Grabplatte c. Dompropst Eckart von Hanensee II., gest. 1460, Kratz, Tafelwerk, 1. Teil, Tafel 9 b.

Übersetzung: Im Jahre des Herrn 1460 in den Kalenden des Dezember starb der ehrenwerte Herr Eckhard von Hanensee, lange Zeit verdienstvoller Propst der Hildesheimer Kirche und von St. Mauritius, dessen Seele in Frieden ruhe. Amen.

In den vier Ecken sind die Symbole der Evangelisten in Medaillons angeordnet.

Der Verstorbene steht auf dem Fußboden unter einem Spitzbogen mit Eselsrückenabschluß, das Wappen mit dem Hahn zu Füßen. Trotzdem steht der Kopf vor einem Kissen, so daß unklar bleibt, ob es sich um eine Stand- oder um eine Liegefigur handelt. Auf dem Kopf trägt er ein hohes, weiches Birett. Der Oberkörper ist vom Beschauer aus leicht nach links gewendet. Kleidung und Haltung des Buches entsprechen dem üblichen Typus. Das Buch zeigt den Heiland auf der Weltkugel mit der Inschrift ihesus.

Eckhard von Hanensee reformierte die Hildesheimer Klöster, setzte sich für die Verbesserung des Leprosenhauses ein und war maßgebend beteiligt an der Errichtung der Antoniuskapelle. Er war Propst am Dom, an St. Moritz und Archidiakon von St. Andreas.

H.-G. G.

Technologische Untersuchung

Dicke der Platte: Teil I oben 9,5 – 14 mm; Teil II unten 9 – 11 mm
Material: 86,30 Kupfer; 8.81 Zinn; 1,97 Blei; 1,10 Zink (Angaben in %, vgl. Analysentabelle) [26]

Diese Platte (Abb. 19) ist, vermutlich um ein geringeres Risiko einzugehen, von vornherein in zwei Teilen gegossen worden. Die Hälften überlappen sich um 25 mm und sind miteinander vernietet worden (Abb. 20). Zusätzlich schmolz man aber noch Blei in die Fuge. Der Querschnitt beider Plattenteile zeigt, daß sich die Formnähte nicht wie bei Platte **a** etwa in Plattenmitte, sondern am unteren Rand derselben befanden (vgl. Abb. 36.3) [27].

Beim Guß des oberen, 1,01 : 0,75 m großen, vermutlich zuerst gegossenen Plattenteils lief ein maximal 180 mm breiter Streifen nicht aus und wurde nach entsprechender Vorbereitung der zu ergänzenden Partien und Herstellung einer neuen Form angegossen (Abb. 21). An seinen Rändern wurden weitere kleinere Ausbesserungen vorgenommen, und ein 150 mm breites Stück wurde dort nachgegossen, wo vermutlich der Einguß der Ergänzungsform war. Hier ist merkwürdigerweise die Platte nur 8 – 9 mm dick, also deutlich dünner als der übrige nachgegossene Streifen von 11 – 18 mm. Einige an der Rückseite erkennbare, mit Metall gefüllte Lochpaare gehören zu einem 150 mm langen, schmalen Nachguß und dienten zum Verklammern der Teile, ähnlich wie es bei den Nachbesserungen am Braunschweiger Löwen geschah (Abb. 22) [28]. Der untere zweite Plattenteil ist fehlerfrei gegossen und zeigt lediglich an der Rückseite einige sogenannte Kaltschweißen, die hier auf ein ungleichmäßiges Einfließen des Metalls hindeuten.

Vermutlich um Fehler wie beim Guß des ersten Teils zu vermeiden, hat man hier mit besonderen Abstandhaltern eines sonst noch nicht beobachteten Typs gearbeitet. Diese sind um 10 – 14 mm groß und rund.

Sie bestehen aus Bronze und sind anscheinend – wie Nägel – aus einem Stück (Abb. 23).

Die 20 zu beobachtenden Exemplare sind gleichmäßig auf der 0,73 m² großen Platte verteilt (Abb. 20; 36.4).

Während diese Stützen an der Rückseite gut zu erkennen sind (Abb. 36.4 unten), ließen sich an der Vorderseite nur dreimal Spuren von ihnen entdecken, denn trotz ihrer Größe sind diese runden dicken Abstandhalter vollständig mit dem Metall der Platte verschmolzen.

Abb. 19: Grabplatte c. Vorderseite.

Abb. 20: Grabplatte c. Rückseite. Am Rand Kennzeichnung der Plattenteilung und Nachgußstellen.

Abb. 19

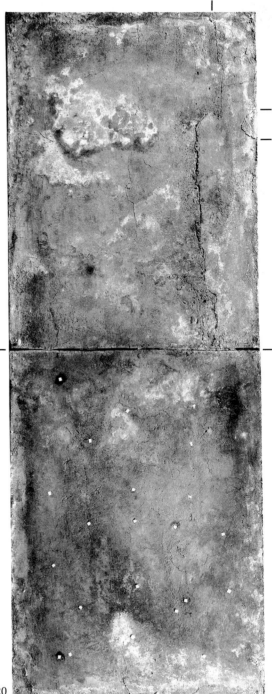

Abb. 20

221

Abb. 21: Grabplatte c, obere Platte mit nachgegossenem rechten Teil.

Abb. 22: Grabplatte c. Rückseite, Detail vom mittleren Teil der großen Nachgußstelle (vgl. Abb. 21).

An dieser Platte lassen sich gut die Schwierigkeiten eines solchen Gusses erkennen: Vorsichtshalber Guß in zwei Teilen, der mißlungene Guß des ersten Teils wird nicht in einer neuen Form wiederholt, sondern die schadhaften Partien werden im Angußverfahren ausgebessert, ebenso weitere Fehlstellen. Beim Guß der zweiten Platte verwendet man besondere Stützen und erzielt so einen weitgehend fehlerfreien Guß.

Geringe graubraune Formreste der üblichen Art fanden sich an einigen Gußgraten.

Das Gesicht ist 157 mm lang, der Durchmesser der wie alles übrige gepunzten Evangelistensymbole beträgt 197 – 198 mm. Das für sich gefertigte, aufgenietete Wappen mißt 175 : 205 mm. Das Maß der Platte c ist offensichtlich nach der älteren Platte b genommen worden.

Abb. 23: Grabplatte c. Rückseite, untere Platte (vgl. Abb. 36.7). Ausschnitt mit Abstandhaltern – Riß und (unten rechts) Befestigungsniete des Wappens.

H.D.

d) Grabplatte des Archidiakons Eckart von Hanensee III

Hildesheim, nach 1494
Höhe 188,5 cm – Breite oben 89 cm, unten 91 cm
Messing

Hildesheim, Hohe Domkirche

Die Grabplatte (Abb. 24) ist von einer Umschrift in gotischen Minuskeln gerahmt: Anno . d(omi)ni . millesi(m)o – quadri(n)ge(n)thesi(m)o nonagesi(m)o q(ua)rto alte(r)a die p(os)t b(ar)tholo(me)i – obiit vene(r)abil(is) d(omi)n(u)s – Eggeh(ar)d(us) de Hane(n)ze Cano(n)ic(us) et archidiacō(nus) h(ujus) eccl(es)ie. – Übersetzung: Im Jahre des Herrn 1494 am Tage nach Bartholomäi starb der ehrenwerte Herr Eckhard von Hanensee Domherr und Archidiakon dieser Kirche.

Abb. 24: Grabplatte d, Archidiakon Eckart von Hanensee, gest. 1494, Kratz, Tafelwerk, 1. Teil, Tafel 11.

Analog zu den Grabplatten der beiden Dompröpste Hanensee (Kat.-Nr. 12 **b** und **c**) sind auch hier die Ecken mit den Symbolen der vier Evangelisten geschmückt.

Der Verstorbene steht auf dem Fußboden über seinem Wappen. Wieder ist nicht klar, ob es sich um eine Stand- oder um eine Liegefigur handelt, denn wieder ist der Kopf mit einem Kissen, vor einem Bogen mit durchbrochenem Maßwerk als Abschluß, hinterlegt (Dieser Widerspruch ist erst bei den vom Benediktmeister abhängigen Bronzeplatten eindeutig zugunsten der Standfigur beseitigt.). Der Archidiakon trägt ein Birett, seine Kasel über der Albe ist mit einem Gabelkreuz bestickt, sein Manipel zeigt ein Rautenmuster. Genau in der Achse hält er einen Meßkelch. Alles ist auf monumentale Einfachheit gestimmt.

Der 1494 verstorbene Kanoniker dotierte 1482 einen Altar des hl. Bernward und machte Stiftungen für die Antoniuskapelle am Kreuzgang. 1489 schenkte er dieser Häuser im Hückedal.[29]

H.-G. G.

Technologische Untersuchung

Dicke der Platte: (7) 9 – 11,5 mm
Material: 85,86 Kupfer; 1,84 Zinn; 1,01 Blei; 10,21 Zink (Angaben in %, vgl. Analysentabelle)
Gewicht: ca. 140 kg (errechnet)

In der gut modellierten, sauber gegossenen und sehr sorgfältig überarbeiteten Oberfläche sind kaum Gußfehler und nachgebesserte Stellen zu erkennen (Abb. 25).

Es ist anzunehmen, daß die flache Figur und auch die Evangelistensymbole aus Wachs modelliert wurden und die Schrift, genau wie bei den Glocken dieser Zeit, mit Hilfe von aus Matrizen gewonnenen Wachsbuchstaben auf die Grundplatte aufgesetzt worden ist.

Zwei längliche Lunker (Abb. 26), die etwa oberhalb der Mitte rechts zwischen Rand und Figur zu sehen sind, könnten die Lage des Eingusses anzeigen. Eine 275 mm über dem unteren Rand an derselben Seite befindliche 100 mm lange und 70 mm tiefe Nachgußstelle könnte ebenfalls mit einem Einguß oder aber einer Windpfeife in Zusammenhang stehen. Es befindet sich jedoch auch eine angegossene Stelle an der Ecke darunter.

An der Vorderseite, kaum sichtbar, ist ein 80 : 180 mm großer Nachguß, der in Höhe des rechten Ellenbogens liegt und bis 40 mm an den Rand heranführt.

Eine quadratische, 140 mm breite und 137 mm hohe Nachbesserung befindet sich im unteren Teil der Figur. Hier wurde ein sauber modelliertes Stück in eine aber nicht bis zur Rückseite reichende Vertiefung eingefügt.

Die Dicke der Platte ist sehr gleichmäßig, so mißt sie am oberen Rand 11 und 10 mm und unten 11,5 und 9,5 mm. Die Maße der Seiten betragen von oben nach unten und von links nach rechts gemessen 10 bzw. 9,5 mm; 9 bzw. 9 mm; 7 bzw. 10 mm.

Wie beim unteren Teil der Platte **c** wurden auch hier ähnliche, aber viel größere »Abstandhalter« verwendet. Solche noch nie beobachteten »Klötze« sind zwischen 12 : 17 bis 20 : 25 mm groß und wurden offensichtlich aus gegossenen Metallplatten gemeißelt und gebrochen (Abb. 27; 36,5)[30].

Die Stücke sind etwas dünner als die Platte, denn sie sind besonders an der Vorderseite in der Regel vollständig mit Metall überdeckt, und nur in einigen Fällen ließ sich ihre quadratische Spur auch an der Oberfläche erkennen (Abb. 36.5 rechts unten). An der Rückseite dagegen sind die »Klötze« besonders außerhalb der Figur überall gut zu sehen, auch schloß das Metall der Platte nicht immer an die Klötzchen an, so daß sich ihre

Abb. 25: Grabplatte d, Vorderseite.

Abb. 26: Grabplatte d. Rückseite, mit Einzeichnung der Abstandhalter (vgl. Abb. 27 und 36.5 und 8). Weißumrandet drei Nachgußstellen.

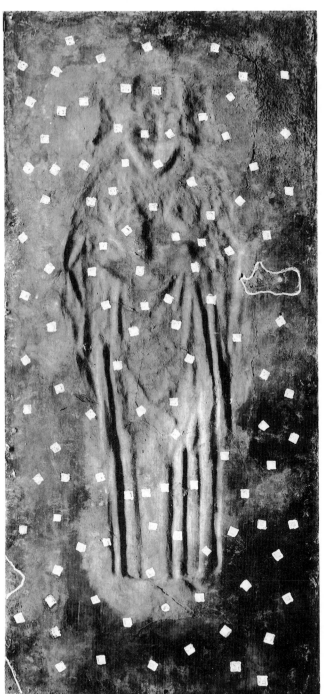

Abb. 26

225

Abb. 27: Grabplatte d. Rückseite, Ausschnitt mit zwei Abstandhaltern im unteren Plattenteil.

seite, besonders gut links oben in Randnähe, an beiden Seiten des Kissens und im unteren Schriftband an der linken Seite, zu sehen.

Es fällt auf, daß an der Rückseite im Bereich der Figur und besonders in deren oberem Teil die Abstandhalter weitgehend von Metall überflossen sind und dort nur Überreste der eisernen Nägel zu erkennen sind.

Merkwürdig und durch nichts begründet ist die große Anzahl von mindestens 110 Abstandhaltern auf einer nur 1,70 m² großen Fläche (Abb. 26).

H. D.

e) Grabplatte des Domvikars Hermann Berkenvelt

Hildesheim, nach 1519
Guß nach Entwurf des Benediktmeisters
Höhe 121,5 cm – Breite 56,5 cm
Messing

Hildesheim, Diözesanmuseum

Die Umschrift der Grabplatte (Abb. 28) in gotischen Minuskeln lautet: A(n)no . d(omi)ni . M° . – d.xix . xxix mensis dece(m)bris . obiit . honorabilis . vir . d(omi)n(us.) – herman(nus) . berke(n)velt . vicarius . hui(us) . eccl(es)ie . cui(us) . a(n)i(m)a . requiescat . i(n) . pace . ame(n) . – Übersetzung: Im Jahre des Herrn 1519 starb am 29. des Monats Dezember der ehrenwerte Mann, Herr Hermann Berkenvelt, Vikar dieser Kirche, dessen Seele in Frieden ruhen möge. Amen.

Zu Füßen des Dargestellten findet sich sein Wappen mit Birke. Die Umschrift wird in den Ecken, noch immer in Art der Grabplatten seit dem frühen 15. Jh., von den Evangelistensymbolen besetzt. Auch das Grundmotiv der Darstellung des Verstorbenen hat sich nicht geändert.

Stärke noch bis in 6 mm Tiefe ertasten ließ. Alle Klötze hatten in der Mitte einen Stift, der in eingeschlagene rundliche bis rechteckige Öffnungen eingesetzt war. Überwiegend wurden nagelartige eiserne Stifte benutzt. Es sind aber auch massive Bronzestifte und auch solche, die man aus Blech röhrenartig gebogen hat, verwendet worden. Die eisernen Köpfe der durch die Abstandhalter führenden Nägel sind an der Außen-

Der Verstorbene mit breitem Birett steht in einer perspektivisch verkürzten Nische, die durch ein Kreuzrippengewölbe auf vier dünnen Diensten mit profilierten Basen und einem Wirtel unter dem Kapitell zu einem kleinen Innenraum erweitert ist. Angetan mit einer weiten Tunicella (einer Art Dalmatik für Subdiakone) mit angesetzten Ärmeln, preßt er mit beiden Armen einen großen Kirchenrechtsband am oberen und unteren Ende gegen seine Brust. Vom linken Arm hängt das Manipel herab. Mit seiner Linken zieht er einen Teil des Mantels hoch, so daß darunter die Alba sichtbar wird. Unter dem Birett kommen breite körnerartige Haarbüschel zum Vorschein.

Zwischen 1499 und 1512 wird Berkenvelt mehrmals in Urkunden erwähnt, u. a. 1499 bei einer Zwistigkeit mit Ilsebe Helmeken, die vom Hildesheimer Rat beigelegt wurde.[31]

Die Grabplatte entspricht motivisch derjenigen für den bereits 1502 verstorbenen Kanonikus Diedrich von Alten. Abweichend ist lediglich, daß von Alten nicht frontal, sondern in Wendung des Kopfes nach links gegeben ist. Berkenvelt, sein Freund, Nachfolger als Kirchenrechtler und Testamentsvollstrecker, wird dafür gesorgt haben, daß der Entwurf für seine Platte weitgehend dem für von Alten folgte. Habicht setzte beide Platten um 1520[32], Stuttmann/Von der Osten die von Alten-Platte bereits gegen 1515 an[33], was aufgrund früherer Stilmerkmale zutreffen dürfte. Sie dürften auch mit der Vermutung recht haben, daß beide Platten vom gleichen Gießer ausgeführt worden sind. Beide Platten sehen sie in enger Verbindung mit dem Benediktmeister, der Modelle bzw. eine Vorzeichnung dazu geliefert hat, die vom Gießer in der räumlichen Umsetzung des Stands, hinter dem Wappen, nicht richtig verstanden worden sind. Daß sie bei der von Alten-Platte einen Vorgänger des Benediktmeisters[34] vermutet hätten, ist unzutreffend. Sie lassen sie nur zeitlich dem

Abb. 28: Grabplatte e, Domvikar Hermann Berkenvelt, gest. 1519, Kratz, Tafelwerk, 1. Teil, Tafel 6.

späteren, 1518 entstandenen namengebenden »Alabaster-Altar« für den hl. Benedikt in St. Godehardi vorangehen.

Beide Platten reflektieren verschiedene Stilphasen im Werk des Benediktmeisters. Bei von Alten ist die räumliche Gestaltung der Nische noch unsicher (s. die verunglückten Basen der Dienste). Die Faltenformationen sind straff und etwas dünn herabgeführt, der rechte Ärmel schräg nach oben geöffnet. Motivisch »mißverstanden«, aber stilistisch gerechtfertigt ist, daß bei Berkenvelt der linke Arm unter den verdeckenden rauschenden Mantelfalten erst vom Handgelenk an sichtbar wird und eine Ärmelöffnung fehlt. Der Kopf ist lebensvoller und weist die charakteristischen kornartigen Haarbüschel unter dem Birett auf.

H.-G. G.

Diese Abstandhalter sind meistens mitsamt ihren Nägeln vollständig mit dem Metall der Platte verschmolzen. An der Vorderseite ließen sich keine Spuren von ihnen entdecken. Unten links befindet sich eine etwa handgroße Fläche gebrannten Formlehms. Dieser ist rotbraun bis graubraun gefärbt, locker und war stark mit organischem Material gemagert (Abb. 32). Die Formrisse verliefen überwiegend seitlich der Figur, doch gibt es auch etliche querverlaufende Grate (Abb. 30; 33). Zum Guß dieser Platte benutzte man offensichtlich ein geschnitztes Modell. Am wahrscheinlichsten ist, daß das Modell von dem »Benediktmeister«, dessen unverkennbare Stilmerkmale die Platte zeigt, selbst in Holz oder Wachs geschnitten worden ist. Die Oberfläche der Rückseite des Gußstückes, die ja die Oberfläche einer Formseite bzw. die des Modells wiedergibt, sieht stellenweise so aus, als sei hier grobes Sacktuch abgeformt worden (Abb. 33). Wenn diese Beobachtung richtig ist und es sich nicht um Abgüsse besonderer Wischspuren handelt, wäre daraus zu schließen, daß die Rückseite des Modells vor dem Aufbringen des Formlehms mit Gewebe abgedeckt war.

H. D.

Technologische Untersuchung

Material: 87,34 Kupfer; 0,758 Zinn; 0,676 Blei; 10,20 Zink (Angaben in %, vgl. Analysentabelle)

Die Wandstärke dieser vorzüglichen, insgesamt um 65 mm hohen Platte (Abb. 29) liegt ziemlich gleichmäßig zwischen 15 und 16 mm.

Abgesehen von einigen Gußgraten und einem 16 : 16 mm großen eingepaßten Flicken mitten am oberen Rand der Rückseite in porigem Umfeld, das die Lage des Eingusses anzeigt, sind keine Fehler zu beobachten.

An der Rückseite sind, in jeweils zwei Reihen parallel zu den Rändern angeordnet, 26 – von ursprünglich wohl 30 – quadratischen Abstandhaltern zu sehen (Abb. 30). Diese hatten in der Mitte eingesetzte, aus Kupfer geschmiedete Stifte, die nach dem Guß abgebrochen worden sind (Abb. 31; 36.6).

Abb. 29: Grabplatte e. Vorderseite.

Abb. 30: Grabplatte e. Rückseite mit Einzeichnung der Abstandhalter (vgl. 31, 32, 36.6).

Abb. 30

229

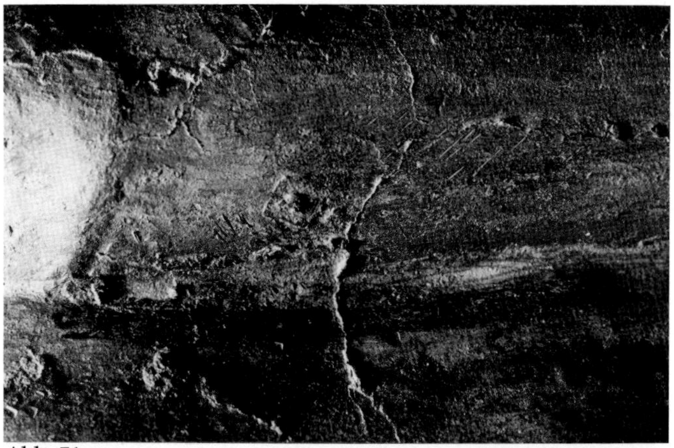

Abb. 31

Abb. 32 ▲   Abb. 33 ▼

Zum Guß der Platten

An den fünf untersuchten Hildesheimer Grabplatten ließen sich einige besondere technische Einzelheiten beobachten. So benutzte man ganz unterschiedliche Hilfsmittel, um zu verhindern, daß die Form durch das einfließende Metall auseinandergedrückt wurde, bzw. zu erreichen, daß, wenn die Form riß, deren Teile trotzdem an ihrem Platz verblieben und den Formhohlraum nicht einengen konnten.

Die fünf im Zeitraum von 240 Jahren gegossenen Platten – und auch der Vergleich mit älteren und zeitgleichen anderen Grabplatten – zeigen, daß es keine verbindliche Plattengußtechnik gab. Auch die benutzten Kupferlegierungen sind nicht einheitlich (vgl. Analysentabelle). Das gilt sowohl für die dünnen, glatten Platten wie für die reliefartig gegossenen. Gemeinsam scheint lediglich zu sein, daß die Eingüsse in die Formen der großen Platten und die notwendigen Luftabzüge an den Längsseiten der Platten angeordnet waren.

Schon bei den um und vor 1138 gegossenen, im Mittel um 5 mm dicken Platten der Türbeschläge von San Zeno in Verona[35] steckte man vor dem Auftragen des Formlehms einige eiserne Stifte mit einem Querschnitt von 1,5-2 : 3-4 mm Durchmesser durch die Wachsmodelle (wie Abb. 36.2).[36]

Bei anderen Platten derselben Tür – sie stammen von mehreren Meistern – benutzte man diese Verbindungsweise nicht. So brauchte man, wenn die Wachsmodelle der Platten an vielen Stellen durchbrochen gearbeitet waren und dadurch zwischen beiden Seiten der Lehmumhüllung eine Verbindung bestand,

Abb. 31: Grabplatte e. Rückseite, Ausschnitt mit Abstandhaltern.

Abb. 32: Grabplatte e. Rückseite, Ausschnitt mit Resten von Formlehm im unteren linken Plattenteil.

Abb. 33: Grabplatte e. Rückseite, Ausschnitt mit Abstandhaltern.

solche Abstandhalter – Verbindungsstifte nicht. Bei anderen Platten ordnete man in den glatten Flächen ca. 15 bis 18 mm große Löcher an, so daß eine Verbindung zwischen beiden Seiten der Formen bestand. Beim Guß sind diese Formen aber manchmal auseinandergedrückt worden, so daß die Löcher etwas zugeflossen sind. Die unterschiedlich großen Türplatten von San Zeno sind – das läßt sich einwandfrei sagen – stehend gegossen worden. An den meisten läßt sich sogar noch gut die Stelle erkennen, wo sich der Einguß befand, denn dort ist das Material der Platten auffallend porig und in einigen Fällen waren auch größere Nachgüsse erforderlich.

Wie die Eingüsse gestaltet waren, ist nur von zwei näher untersuchten Platten (Nr. 39 und 46) bekannt. Bei der 445 : 445 mm großen Platte (Nr. 46) ist der Einguß etwa 30 mm breit und im Anschnitt 6 mm dick, während er bei der anderen 425 : 425 mm großen Platte unmittelbar am Rand 75 mm breit gewesen ist. Von dort gehen aber drei strahlenförmig in die Platte führende Arme aus, deren Spitzen 100 mm auseinander liegen. Neben dem Einguß waren am Rand zwei Luftabzüge angeordnet, die von der Mitte des Eingusses gemessen 90 bzw. 75 mm entfernt lagen.

Diese Platte, sie gehört dem zweiten, jüngeren Stil an, ist am oberen Rand beim Einguß zwischen 4 und 5 mm und am unteren 6 bis 7 mm stark. Offensichtlich hat sich hier die Plattenform etwas geöffnet, wie es schon bei der Grabplatte Bischofs Otto I. von Hildesheim beschrieben wurde.

Die Platte (Nr. 46) im Stil 1 mit dem einfachen Einguß ist auffallend leicht und nur 2,5 – 3 mm dick. Hier wurden zur Verbindung der Lehmform mindestens 6 der kleinen schon beschriebenen Stifte eingesetzt, während bei der anderen dicken Platte solche Hilfsmittel nicht benutzt worden sind.

Eine Vorstellung, wie Gießformen für Platten ausgesehen haben, vermitteln einige Fundstücke von Bonn – Schwarzrheindorf, die um 1151 zu datieren sind.[37]

Leider ließ sich an den geborgenen Formresten nicht mehr erkennen, um welche Art und Größe von Platten es sich handelte, doch dürften sie glatt und 6 – 8 mm dick gewesen sein. Die Wandung der geborgenen Formstücke beträgt 35 – 40 mm, was auch für größere Platten sprechen dürfte, denn die der ebenfalls mitgefundenen mit Wachsmodellen hergestellten Gießformen für Beschlagleisten sind dünner.

Das 0,63 : 1,978 m große Grabmal Friedrichs von Wettin, (gest. 1153) im Magdeburger Dom ist offensichtlich nach einem Wachsmodell gegossen und nach dem Guß, wie üblich, mit Meißel, Feile und vor allem dem Schaber geglättet worden. Muster, Linien und anderer Zierat sind danach wie üblich eingepunzt worden.

Die Lage verschiedener Nachbesserungen, von Gußfehlern und Poren könnte darauf hinweisen, daß die Platte stehend gegossen und der Einguß über dem Kopf der Figur am Rand lag. Leider ist die Rückseite des Grabmals noch nicht näher untersucht worden. Bekannt ist nur, daß die Wandung verhältnismäßig dünn, um 5 mm, ist und daß anscheinend keine Kernstützen benutzt worden sind. Die nächst jüngere Grabplatte, die des Erzbischofs Wichmann von Magdeburg, (gestorben 1192), ist 0,80 : 2,32 m groß und wesentlich stärker mit einer Wandung von 8 – 12 mm – in umlaufend breitem Rand 15 mm dick gegossen. Außerdem wurden mindestens 11 im Querschnitt 10 : 12 und 12 : 12 mm starke Nägel als Verbindungseisen angeordnet. Diese zeichnen sich heute als rostige Stellen in der Fläche ab und gleichen denen der Hildesheimer Bernwardssäule von um 1022.[38]

Die ältere Grabplatte des Gegenkönigs Rudolf von Schwaben (gestorben 1080) in Merseburg ist vor 1085 gegossen worden. Das geschah, obwohl dünnwandiger als die Platte von 1192, ohne erkennbare Abstandhalter oder dergleichen. Die erkennbaren Nachbesserungen liegen in der Mitte zwischen dem Reichsapfel und den Unterschenkeln und lassen – ohne Kenntnis der Rückseite – keinen Schluß auf die Lage der Eingüsse zu.

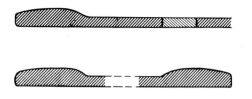

Abb. 34: Grabplatte, Bischof Yso von Wölpe, gest. 1231, Verden. Randquerschnitte der Platte, oben mit eingegossenen »Stützplättchen«. M. 1: 2.

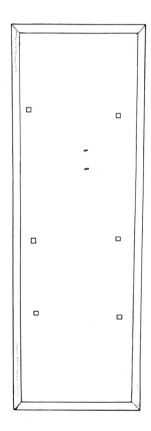

Abb. 35: Grabplatte, Bischof Yso von Wölpe, gest. 1231, Verden. Aufsicht der Platte mit »Stützplättchen« (vgl. Abb. 34) und mit zwei eingegossenen flachen Eisen unbekannter Bestimmung. M. 1 : 20.

Die älteste erhaltene flache Grabplatte aus Metall ist die des 1231 gestorbenen Bischofs Yso von Wölpe in der Andreaskirche zu Verden. Sie ist 2,05 m lang, oben 0,75 und unten 0,705 m breit, 5 mm stark und hat umlaufend einen 40 mm breiten und 10 mm dicken Rand (Abb. 2, 34). Dieser verstärkte die Platte wesentlich und bot auch gießtechnische Vorteile.

Um die Formhälften auseinander zu halten, wurden acht zwischen 18 : 22 und 22 : 25 mm große quadratische »Plättchen« in die Form gesetzt (Abb. 34, 35 oben). Diese entsprechen den seit der Mitte des 13. Jahrhunderts bis um 1500 von den norddeutschen Grapengießern benutzten plättchenförmigen Kernhaltern.[39] Die Verdener Platte ist der früheste sichere Beleg dieses Hilfsmittels. Einige Ausbesserungen und Gußfehler und Poren deuten an, daß sich der Einguß seitlich in der Mitte befand. Wahrscheinlich hat man aus diesem Grund die mittleren Plättchen etwas seitlich angeordnet.

Die Frage, aus welchem Material das Modell der Verdener Platte war, ist nicht zu beantworten. Es kann sich um ein Wachs-Talg-Modell, aber auch (dem Gebrauch der Grapen- und Glockengießer dieser Zeit entsprechend) um ein durch Fett isoliertes Lehmmodell gehandelt haben. Auch ein hölzernes Modell ist denkbar. Zweifelsfrei ist, daß die Form nach dem Glühen – Brennen geöffnet und die Abstandplättchen hineingelegt wurden, genau, wie man beim Grapenguß vorging. Auch bei der Platte von Otto I. (Platte **a**) ist die Frage nach der Art des Modells nicht sicher zu beantworten, obwohl sich an der Rückseite der Platte deutliche Abgüsse von Wischspuren zeigen (vgl. Abb. 9). Auch hier wurden nach dem Glühen – Brennen die Form geöffnet und die Muster der Rückseite aus dem Lehm geschabt, was genau der Arbeitsweise entspricht, die man zu dieser Zeit beim Guß von Glocken und Taufbecken anwendete, wenn man Inschriften anbringen wollte.

Die Hildesheimer Platte **b** von 1405 kann nur, wie die Überreste der Verbindungsstifte zeigen, nach einem Wachsmodell, d.h. einer großen, glatten Wachstafel, gegossen worden sein. Das Verfahren entspricht dem der Platten von San Zeno oder dem der Grabplatte des Erzbischofs Wichmann von 1192 in Magdeburg. Die Platte c von 1460 wurde in zwei Teilen geplant. Nach einem mißlungenen Versuch, die kleineren Platten ohne Abstandhalter und Verbindungsstifte zu fertigen, ordnete man bei der zweiten, unteren Hälfte dicke runde Abstandhalter mit nagelartigen Spitzen an. Diese waren nur anzubringen, wenn man die Form öffnen konnte (Abb. 36,7). Das Prinzip dieser Abstandhalter mit Nagelspitze wurde bei der Platte d von 1494 auch benutzt, nur daß hier die Abstandhalter wesentlich größer und quadratisch sind (Abb. 36,8). Die Nägel – meistens waren sie aus Eisen – wurden in die durchlochten Klötze gesteckt oder geschlagen. Warum man diese Vielzahl von Abstandhaltern anbrachte, ist nicht zu erkennen. Möglicherweise hat man das Prinzip mißverstanden.

Bei der kleineren Platte e von 1519 wurden Abstandhalter wie bei Platte d benutzt, aber in normaler Anzahl. Auch bezüglich der Reliefplatten d und e ist die Frage der Modelle nicht sicher zu beantworten. Obwohl, wie bei Platte d zu erkennen ist, die schwach reliefierte Figur die Evangelistensymbole und mit Sicherheit auch die umlaufende Inschrift aus Wachs aufgesetzt wurden, so zeigt die Rückseite dieser und auch der Platte e keinesfalls den typischen Abguß eines Wachsmodells, sondern den einer besonderen »Füllung«. Diese war bei Platte e sogar auch noch mit Gewebe abgedeckt, als der Formlehm der Rückseite aufgebracht wurde. Wahrscheinlich formte man in beiden Fällen zunächst die Schauseiten nach einem im wesentlichen aus Wachs bestehenden Modell[40] ab, löste dieses nach dem Trocknen der Form heraus - es braucht nicht unbedingt ausgeschmolzen zu werden - isolierte und füllte in das Negativ der Schauseite in der gewünschten Stärke der Platten und den Konturen der Vorderseite folgend eine geeignete Masse ein. Das kann Lehm oder auch Nudelteig sein, wie ihn Cellini im 16. Jahrhundert für diese Zwecke empfiehlt.[41]

Nach dem Aufbringen des Formmaterials und Trocknen desselben wurde die Form geöffnet, die Füllung entnommen und vor dem Zusammensetzen der Form die Abstandhalter mit ihren Stiften in die Formrückseite gesteckt. Diese blieben später beim Brennen der Form und auch beim Einfließen des Metalls, wie der Befund zeigt, im wesentlichen an der Rückseite haften.

Da das Metall die Form beim Einfließen etwas auseinanderdrängte, überfloß es die Abstandhalter, so daß diese an den Schauseiten kaum zu sehen sind (vgl. die Rekonstruktionszeichnungen Abb. 36,7, 8).

Die Technik des Plattengusses ließe sich durch weitere Untersuchungen genauer erforschen, vor allem wäre interessant zu wissen, wo noch diese großen »Klötze« mit eisernen Nägeln, wie bei der Hildesheimer Platte von 1519, verwendet wurden, und woher möglicherweise diese Anregung nach Hildesheim gekommen sein könnte. Leider ist noch unbekannt, ob solche »Klötze« z. B. an den in großer Zahl im 16. Jahrhundert in Nürnberg gegossenen Grabplatten verwendet worden sind.

Eine große Grabplatte des 1623 verstorbenen Domherrn Cuno von Lochow am westlichen Vierungspfeiler des Magdeburger Doms – sie gilt als eine Arbeit des bedeutendsten Magdeburger Bildhauers dieser Zeit, Christoph Dehne[42], – wurde ganz offensichtlich nach den seit dem 16. Jahrhundert üblichen Regeln des Kunstgusses gefertigt, denn an ihrer Rückseite gehen vom Einguß, der sich am oberen Rand befindet, mehrere sich noch verästelnde Gußkanäle und -arme bis zum unteren Rand der Platte. Interessanterweise wurde diese nach dem Guß nicht abgenommen.

Betrachtet man die Metallanalysen der Hildesheimer Grabplatten, so fällt auf, daß es sich nicht um eine für diesen Zweck zu harte Glockenbronze und auch nicht um zeitübliches Grapengut mit 65 – 75 % Kupfer, 12 – 21 % Zinn und 4 – 23 % Blei handelt.

Auch entspricht es nicht der Legierung des Braunschweiger Löwen von 1166 oder der von norddeutschen Leuchtern, Rauchfässern und Gießgefäßen des 12. – 15. Jahrhunderts. Die Legierungen der Platten sind aber denen des Kleingeräts dieses Raumes ähnlich,

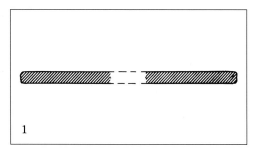

1

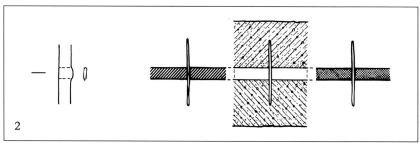

2

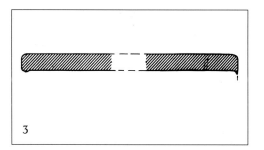

3

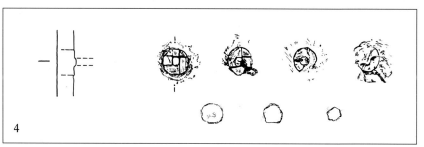

4

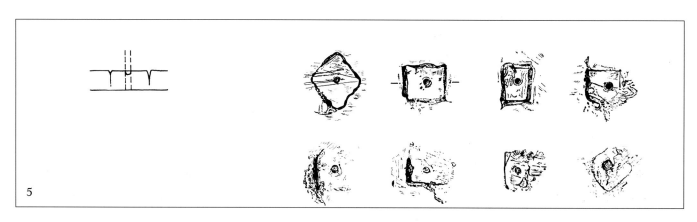

5

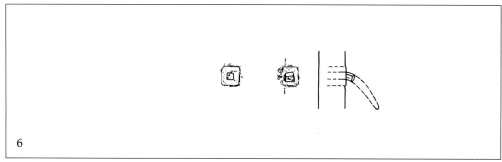

6

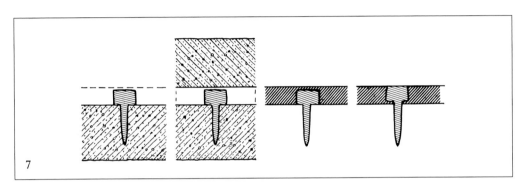

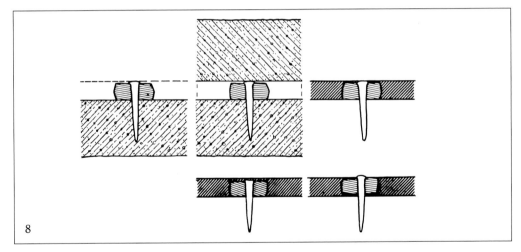

Abb. 36: Grabplatten a – e. Einzelheiten. M. 1 : 2.

1. Grabplatte b, Querschnitte.
2. Abstandhalter zu 1 und von links nach rechts – im Querschnitt – rekonstruierte Abstandhalter im Wachsmodell, in der Form vor dem Guß und nach dem Guß.
3. Grabplatte c. Querschnitt.
4. Abstandhalter zu 3, Querschnitt, daneben.
   Aufsichten an der Rückseite, darunter Vorderseite.
5. Grabplatte d. Abstandhalter an der Rückseite, unten rechts von der Vorderseite.
6. Grabplatte e. Abstandhalter, Aufsichten und Querschnitte.
7. Zu 3. Abstandhalter. Rekonstruktion von Arbeitsstufen im Querschnitt.
   Von links: Halter in der Formrückseite; Halter im Formhohlraum und von Metall umgossen – zwei Varianten.
8. zu 5. Abstandhalter. Rekonstruktion von Arbeitsstufen im Querschnitt:
   Von links: Halter in der Formrückseite, Halter im Formhohlraum und von Metall umgossen – 3 Varianten.

doch können völlige Übereinstimmungen kaum erwartet werden.[43]

Die schon 1983 von J. Riederer vorgelegten Metallanalysen von Erzeugnissen der Nürnberger Vischer-Werkstatt aus dem Zeitraum von 1457 – 1556 bieten – wie nicht anders zu erwarten – nichts Vergleichbares, da die Hildesheimer Platten offensichtlich lokale Erzeugnisse sind. Das gleiche gilt für die Analysen der Bronzen des Maximiliangrabes in Innsbruck.[44]

Von der Platte a von 1279 konnten 4 Proben analysiert werden. Da der Einguß in die Form am rechten Rand lag und sich dort auch die oberen Partien der Form befanden, wurde zunächst eine Probe aus dem unteren Bereich (1) (vgl. die Entnahmestellen in Abb. 5), eine aus dem mittleren (2) und eine oben (3) entnommen, um zu sehen, ob gleichartige Kupferlegierung eingeflossen ist oder ob sich die Zusammensetzung des Metalls so unterscheidet, daß auf den Guß aus mehreren Öfen, Pfannen oder Tiegeln geschlossen werden kann.[45]

Die Werte unten und Mitte unterscheiden sich im Zinnanteil nur gering, beim Blei betragen sie 1,57 unten und 1,75. Oben und beim Zink ist der untere Wert deutlich niedriger als der aus der Mitte.

Bei der oberen Probe ist der Zinnanteil deutlich niedriger, der Bleianteil gegenüber der Mitte halbiert und der Zinkwert der niedrigste aller drei Messungen. Auch wenn man unter Berücksichtigung mittelalterlicher Möglichkeiten kein homogenes Gußstück erwarten kann, auch ein Entmischen des Bleis oder Verbrennen von Zink während des Gußvorganges annimmt, führt das nicht zu derartigen Unterschieden.

Selbst wenn man erwägt, daß bei der oben genommenen Probe (3) der Bleianteil so gering ist, weil das Blei sich im unteren Teil des Schmelzofens abgesetzt hat und daher zuerst in die Form lief und vom Zink im Laufe des Gießvorganges etwas verbrannte, lassen sich die deutlichen Abweichungen der Spurenelemente der oberen Probe (3) von denen der Probe unten (1) und Mitte (2) – so bei Silber, Antimon und Kobalt – nicht

erklären. Es bleibt nur der Schluß, daß gleichartiges Material in mehreren Öfen oder Tiegeln geschmolzen wurde und nacheinander in die Form lief. Daß das Metall des Nachgusses (4) von den anderen Werten der Platte a abweicht, ist nicht verwunderlich, denn offensichtlich hat man der Schmelze etwas bleihaltiges Zinn oder Zinn und Blei zugesetzt.

Die Platte b von 1405 ist Messing mit 12,43 % Zink, 6,57 % Zinn und 2,79 % Blei. Die Platte c von 1480 ist dagegen eine Zinnbronze mit 8,81 % Zinn und einem geringen Bleianteil von 1,97 %. Das Blei kann aus dem Kupfer stammen und die ebenfalls vorhandenen 1,10 % Zink dürften auf die Verwendung von etwas Altmetall hinweisen. Auffallend sind an dieser Probe die hohen Antimon- und Arsenwerte.

Die Platten d und e von 1494 und 1519 sind sich verhältnismäßig ähnlich. Es handelt sich um Messing mit 10,20 % Zink.

Weitere Erkenntnisse bezüglich mittelalterlicher »Bronzen« aus Niedersachsen lassen sich nicht durch Einzeluntersuchungen, sondern durch umfassende Forschungen gewinnen, die nicht nur kunsthistorische Fragestellungen berücksichtigen, sondern auch technische Beobachtungen einschließen. Hier konnten nur Anregungen gegeben werden.

Da sich an den untersuchten flachen Grabplatten mehrfach Arbeitsweisen der zeitgenössischen Gießer von Glocken, Grapen und Kleingerät erkennen ließen, ist anzunehmen, daß derartige ortsansässige Handwerker auch diese Platten fertigten, einschließlich der Punzarbeiten.

Für die Reliefplatten ist bezüglich der Modelle die Hilfe hervorragender Bildschnitzer offensichtlich. Der Guß und seine Überarbeitung sprechen für Erzeugnisse guter Glocken- oder Geschützgießer.

Die älteste, hier zum Vergleich mit herangezogene Grabplatte Bischof Ysos von 1231 in Verden weicht gußtechnisch in der Schriftausführung und in der Art der Punzierung deutlich von den Hildesheimer Platten ab und kann diesen nicht zugeordnet werden. Vielleicht wurde sie im nahegelegenen Bremen gegossen.

Analysentabelle

Atomabsorbtionsanalysen, Rathgen – Forschungslabor Berlin, Prof. Dr. J. Riederer, Mai 1989.[46]

	Cu	Sn	Pb	Zn	Fe	Ni	Ag	Sb	As	Bi	Co	Au	Cd
Pl. a, 1279													
unten 1	88,91	1,82	1,57	7,19	0,718	0,080	0,105	0,337	0,269	<0,005	<0,005	<0,01	<0,002
Mitte 2	86,78	1,91	1,75	8,01	0,682	0,074	0,110	0,436	0,245	<0,025	<0,005	<0,01	<0,002
oben 3	91,50	1,02	0,755	5,14	0,918	0,088	0,078	0,259	0,237	<0,025	0,0096	<0,01	<0,002
Nachguß 4	89,80	2,53	2,40	3,98	0,261	0,083	0,122	0,502	0,318	<0,025	0,0050	<0,01	<0,002
Pl. b, 1405	76,88	6,57	2,79	12,43	0,389	0,270	0,095	0,146	0,416	<0,025	0,017	<0,01	<0,002
Pl. c, 1460	86,30	8,81	1,97	1,10	0,118	0,141	0,098	0,790	0,670	<0,025	<0,005	<0,01	<0,002
Pl. d, 1494	85,86	1,84	1,01	10,21	0,409	0,178	0,053	0,133	0,303	<0,025	0,0057	<0,01	<0,002
Pl. e, 1519	87,34	0,758	0,676	10,20	0,425	0,187	0,050	0,117	0,245	<0,025	0,0054	<0,01	<0,002

H. D.

Anmerkungen:

[1] Zum Gußverfahren, zum Formlehm, Kernhaltern, dem Nachguß von Herstellungsfehlern u. a. mit weiterführender Literatur vgl.: H. Drescher: Zur Gießtechnik des Braunschweiger Burglöwen. In: G. Spies (Hrsg.), Der Braunschweiger Löwe. Braunschweiger Werkstücke 62, 1985, 289 – 428.

[2] Eine genaue Untersuchung antiker und mittelalterlicher Türflügel zeigte, daß sie in geschlossenen Formen gefertigt sind, doch werden auch andere Ansichten vertreten, z. B. H. Beelte, Bernwardus presul fecit hoc! Ein Blick in St. Bernwards Metallwerkstätte. In: Unsere Diözese in Vergangenheit und Gegenwart 29, Hildesheim 1960, S. 1 – 37; P. C. Bol, Antike Bronzetechnik, Kunst und Handwerk antiker Erzbildner, München 1985, S. 95. – Bedingt durch die Arbeit mit Formkästen werden in neuerer Zeit die Platten ganz allgemein waagerecht liegend gegossen, doch hebt man die Form einseitig etwas an und gießt »steigend«, d. h., die Eingüsse liegen an der tiefsten Stellen und füllen die Form von unten her aus.

[3] Eine genaue Untersuchung zur Bauweise mittelalterlicher Bischofssärge, Gräber und Grüfte fehlt noch.

[4] Vgl. zur Person: Allgemeine deutsche Biographie 24 (1887), S. 699 / 700 (K. Janicke); dort Angaben zu den Quellen. Dazu jetzt auch U. Stanelle, Die Hildesheimer Bischofschronik des Hans Wildefuer (Veröffentlichungen des Instituts für Historische Landesforschung der Universität Göttingen Bd. 25), Hildesheim 1986, S. 134 – 137. Vgl. ferner Bertram, Bischöfe, S. 73 f. und Bertram, Geschichte, Bd. 1, S. 282 ff.

[5] E. Boshof, Die Entstehung des Herzogtums Braunschweig-Lüneburg. In: W.-D. Mohrmann (Hrsg.), Heinrich der Löwe (Veröffentlichungen der Niedersächsischen Archivverwaltung H. 39). Göttingen 1980, S. 249 – 274.

[6] Für dies und das folgende vgl. S. Zillmann, Die welfische Territorialpolitik im 13. Jahrhundert (1218 – 1267) (Braunschweiger Werkstücke Reihe A Bd. 12. Der ganzen Reihe Bd. 52). Braunschweig 1975, S. 24 ff.

[7] Zillmann, S. 37 f.

[8] Vgl. R. Gresky, Die Finanzen der Welfen im 13. und 14. Jahrhundert (Veröffentlichungen des Instituts für Historische Landesforschung der Universität Göttingen Bd. 22). Hildesheim 1984, S. 14 ff., bes. S. 27.

[9] Vgl. W. Petke, Die Grafen von Wöltingerode-Wohldenberg. Adelsherrschaft, Königtum und Landesherrschaft am Nordwestharz im 12. und 13. Jahrhundert (Veröffentlichungen . . . Bd. 4), Hildesheim 1971, bes. S. 470 ff.; ferner Zillmann, S. 77 ff.

[10] V. H. Elbern/H. Engfer/H. Reuther 1974, S. 97 f. mit Abb.

[11] S. den Bischofskatalog bei H. V. Sauerland, Hildesheim Inedita, in: Neues Archiv für ältere deutsche Geschichtskunde 13, 1888, S. 623 – 626, hier S. 625; vgl. dazu den Plan des Doms bei Bertram, Bischöfe, Tf. I (entspricht Tf. I im Kunstdenkmälerinventar) mit der Grabstelle bei Nr. V.

[12] Vgl. die wichtigen methodischen Anmerkungen bei M. Borgolte, Stiftergrab und Eigenkirche. Ein Begriffspaar der Mittelalterarchäologie in historischer Kritik, in: Zeitschrift für Archäologie des Mittelalters 13, 1985, S. 27 – 38.

[13] Überblick etwa bei M. Norris, Monumental Brasses. The Craft. London u. Boston 1978.

[14] Vgl. P. Binski, Monumental Brasses. In: J. Alexander/P. Binski (Ed.), Age of Chivalry. Art in Plantagenet England 1200 – 1400. London 1987, S. 171 – 173.

[15] K. Bauch, Das mittelalterliche Grabbild. Figürliche Grabmäler des 11. – 15. Jahrhunderts in Europa. Berlin u. New York 1976, S. 292 f. mit Abb. 439 und 440.

[16] Vgl. J. Luckhardt, Grabdenkmäler in Zisterzienserkirchen. Eine Studie zu den Werken in Marienfeld, Gravenhorst und Fröndenberg, in: Katalog Monastisches Westfalen. Klöster und Stifte 800 – 1800, Münster 1982, S. 459 – 472, bes. S. 461 ff.

[17] Vgl. K.-H. Priese, Mittelalterliche Grabplatten in der Mark Brandenburg (erscheint 1990 in einem von den Staatlichen Museen Berlin-Ost herausgegebenen Sammelband).

[18] Katalog Braunschweig 1985, S. 82 mit Abb.

[19] R. Kroos, Byzanz und Barsinghausen, in: Niederdeutsche Beiträge zur Kunstgeschichte 6, 1967, S. 103 – 110.

[20] Katalog zur Ausstellung: Die Zeit der Staufer, Stuttgart 1977, Bd. II, Abb. 525.

[21] Graz, Joanneum, Alte Galerie, Inv.-Nr. 301. Vgl. Katalog zur Ausstellung: Die Zeit der frühen Habsburger. Dome und Klöster 1279 – 1379, Wien 1979, S. 403, Nr. 186.

[22] H. Drescher, Einige technische Beobachtungen zur Inschrift auf der Hildesheimer Bernwardstür, in: M. Gosebruch (Hrsg.), Bernwardinische Kunst. Schriftenreihe der Kommission für nieders. Bau- und Kunstgeschichte Bd. 3. Göttingen 1988, S. 71 – 75.

[23] H. Drescher, Zeichnerische Konstruktion plastischer Figuren durch »Magdeburger« Gießer im 12. Jahrhundert. Ein Beitrag zur Form- und Gießtechnik des Mittelalters, in: E. Ullmann (Hrsg.), Der Magdeburger Dom – ottonische Gründung und staufischer Neubau, Leipzig 1989.

[24] A. Bertram 1896, Bd. 1, S. 368 f.

[25] Die Proben wurden nicht von der Platte selbst, sondern am unteren Rand der großen Nachbesserung rechts an der Rückseite genommen.

[26] Die Proben wurden von der kleinen Nachbesserung rechts am oberen Plattenrand der Rückseite entnommen.

[27] Die Naht verlief also zunächst senkrecht nach unten von der Platte aus. Man benutzte hier eine bei den Grapengießformen übliche Verbindung der Formteile.

[28] Vgl. Anm. 1 (S. 411, Abb. 8 – 9).

[29] R. Doebner, Urkundenbuch der Stadt Hildesheim, Teil 8, 1481 – 1557, Hildesheim 1901, S. 183, Nr. 191 u. a.

[30] Es könnten die von Leonardo da Vinci erwähnten viereckigen »Bronzeblöcke« sein. Vgl. Anm. 1 (Anm. 49).

[31] R. Doebner, Urkundenbuch der Stadt Hildesheim, Teil 8, 1481 – 1557, Hildesheim 1901, S. 333 f., Nr. 398, 7. 5. 1499.

[32] V. C. Habicht, Die mittelalterliche Plastik Hildesheims, Straßburg 1917, S. 208 – 210.

[33] F. Stuttmann, G. von der Osten, Niedersächsische Bildschnitzerkunst des späten Mittelalters, Berlin 1940, S. 41.

[34] V. H. Elbern, H. Engfer, H. Reuther, Der Hildesheimer Dom. Architektur, Ausstattung, Patrozinien, Hildesheim 1974, S. 93.

[35] U. Mende, Die Bronzetüren des Mittelalters, München 1983.

[36] Einige Türplatten konnten 1987 während der Restaurierungsarbeiten zusammen mit Frau Dr. U. Mende und mit Unterstützung der Soprintendenza per i beni Artistici Storici di Verona untersucht werden. Leider fanden technische Beobachtungen, die die unterschiedlichen Arbeiten von den »Türmeistern« erkennen lassen, im veröffentlichten Restaurierungsbericht keine Berücksichtigung. Vgl. Il Restauro dell porte broncee di S. Zeno. Verona (Banca popolare di Verona 1988).

[37] H. H. Drescher: Ergänzende Bemerkungen zum Gießereifund von Bonn-Schwarzrheindorf. In: W. Janssen, Eine mittelalterliche Metallgießerei in Bonn-Schwarzrheindorf. Beiträge zur Archäologie des Rheinlandes, Köln 1987, S. 201 – 235.

[38] Vgl. Anm. 3, (S. 421, abb. 53).

[39] Zwei im Abstand von 100 mm auf der Brust der Grabfigur sichtbare Flacheisen waren kaum Bestandteil der Gießform. Bezüglich der Plättchen vgl.: H. Drescher, Zu den bronzenen Grapen des 12. – 16. Jahrhunderts in Nordwestdeutschland. Aus dem Alltag der mittelalterlichen Stadt. Hefte des Focke-Museums. Bremen, Nr. 62, 1982, S. 157 – 174. Mit weiterer Literatur.

[40] Es kann aber auch eine hölzerne Unterlage gehabt haben. Zu den Möglichkeiten vgl. O. Knittel, Die Gießer zum Maximilians-Grab, Handwerk und Technik. Innsbruck o. Jahr. V. Biringuccio, De la pirotechnica, Venedig 1540. Übersetzung O. Johannsen, (Braunschweig) 1925.

[41] Vgl. Anm. 3, (S. 355, Anm. 53).

[42] Vgl. E. Schubert, Der Dom zu Magdeburg, Union – Verlag Berlin (ohne Jahr).

[43] Vgl. demnächst: H. Drescher, Einige besondere Funde vom Kirchenplatz in Hittfeld, Landkreis Harburg. Hammaburg NF (in Vorbereitung).

[44] J. Riederer, Metallanalysen an Erzeugnissen der Vischer-Werkstatt. Berliner Beiträge zur Archäometrie Bd. 6, Berlin 1983, S. 89 – 99. – Zu Analysen der Innsbrucker »Bronzen« vgl. Anm. 40 O. Knittel.

[45] Die Frage, welche Schmelzvorrichtungen benutzt wurden, kann noch nicht beantwortet werden. Allgemein wurden zinkhaltige Legierungen, um größeren Abbrand zu vermeiden, in Tiegeln geschmolzen, doch sind archäologische Nachweise selten. Vgl. Anm. 37 und 40.

[46] Die untersuchten Proben waren keine Bohrspäne, sondern Teilchen von Gußgraten und Kanten.

Literatur: A. Bertram, Die Bischöfe von Hildesheim. Ein Beitrag zur Kenntnis der Denkmäler und Geschichte des Bisthums Hildesheim, Hildesheim, 1896; ders., Geschichte des Bistums Hildesheim, Hildesheim 1899 (Bd. 1), Hildesheim + Leipzig 1916 (Bd. 2), Hildesheim; E. Borgwardt, Die Typen des mittelalterlichen Grabmals in Deutschland, Schramberg 1939; Katalog zur Ausstellung »Stadt im Wandel, Kunst und Kultur des Bürgertums in Norddeutschland«, Braunschweig 1985, Stuttgart 1985, Bd. 1, S. 80 – 82; J. M. Kratz, Der Dom zu Hildesheim, Hildesheim 1840, Tafelwerk, 1. Theil; A. Zeller, Die Kunstdenkmäler der Provinz Hannover II, Stadt Hildesheim, Kirchliche Bauten, Hannover 1911.

Zwei Kaselkreuze

Norddeutschland (?)
um 1500
Hildesheim, Diözesanmuseum

Die beiden Stickereien aus dem Besitz des Hildesheimer Diözesanmuseums[1] sind typische Beispiele spätmittelalterlicher Kaselbesätze. Auf der Rückseite des Meßgewandes angebracht, sollten sie sowohl durch ihren kreuzförmigen Umriß als auch durch die Darstellung des Kreuzesopfers Christi eine Verbindung zum eucharistischen Opfer herstellen. Prägnantes Kennzeichen fast all dieser gotischen Stickereien ist der angelegte Goldgrund als verklärender Hintergrund für die in farbiger Seide gestickten Figuren. Er wird auch in der Spätphase beibehalten, die bezüglich der Darstellung durch das Streben nach mehr Ausdruckskraft und höchstem Naturalismus gekennzeichnet ist.

Während man in manchen Regionen dieses Ziel durch immer engere Anlehnung der Sticktechnik an die Ausdrucksmittel der Tafelmalerei mit ihren feinsten Farbschattierungen zu erreichen sucht (z. B. niederländisch-flämischer Bereich), führt andernorts die gleiche Intention zu stärkerer Ausbildung des plastischen Aspekts. Die Figuren werden mit verschiedenen textilen Materialien (z. T. auch feinen Holzspänen/Brot?) plastisch ausmodelliert und mit Stoffen überzogen. Die Stickerei wirkt nicht mehr als wesentliches Ausdrucksmittel, sondern dient der Ausschmückung im Detail oder der Farbgestaltung.

Bei aller Verschiedenheit im Stil und in der technischen Ausführung ist das Bildprogramm der beiden Kaselkreuze weitgehend identisch. Auszunehmen sind hier die Darstellungen in den jeweils unteren Abschnitten. Sie sind, durch eine Querunterteilung vom oberen Teil des Kreuzes getrennt, separat zu sehen, da sie zumeist im Zusammenhang mit der Stifterperson oder mit dem Patrozinium des Altars stehen, zu dessen Ausstattung neben Vasa Sacra auch Paramente gehörten.

Im Zentrum der Kaselkreuze steht auf beiden Stickereien die Kreuzigungsgruppe: Maria und Johannes unter dem Kreuz. Sie sind als reale Zeugen des Kreuzestods Christi anzusehen, während die Präsenz Gottvaters mit Segensgestus und Weltkugel (oben) und der Apostelfürsten Petrus und Paulus (rechts und links) im übertragenen Sinne zu verstehen ist.

Beide Kreuze sind weitgehend original erhalten. Lediglich das untere Ende des Kreuzbalkens von Kreuz Kat.-Nr. 13 (1) wurde beschnitten – vermutlich anläßlich einer Umbearbeitung im Barock, einer Zeit, in der sich die Kaselform stark verkürzte.

Offenbar wurde die erste sichernde Überarbeitung beider Kreuze erst 1978 vorgenommen. Während bei dem Kreuz Inv.-Nr. AB 1 nur die zerstörten Bereiche in den Inkarnaten lose durchstopft wurden, hinterlegte man die gesamte Fläche des Kreuzes Inv.-Nr. 173 mit Baumwollnessel und sicherte darauf lose Fäden und gebrochenes Gewebe mit farblich passender Nähseide. Gleichzeitig befestigte man beide Kreuze auf einem kaselrückenförmigen, grünen, handgewebten Wollstoff, der hinten mit einer Aufhängemöglichkeit für einen Kaselständer versehen ist. Zwar wurden all diese Arbeiten – wenn auch eher Reparatur denn Restaurierung – mit viel Feingefühl durchgeführt, doch gibt es verschiedene Gründe, heute zu wünschen, daß sie nicht stattgefunden hätten.

Restaurierung versteht sich heute als das Erfassen eines Objektes unter all seinen Aspekten (Sujet, Material, Technik, geschichtliche Eingriffe) sowie das verantwortliche Bemühen um seine Erhaltung im umfassenden Sinn. Schäden bieten dem Restaurator – und damit der Wissenschaft – nicht selten die Chance, an Informationen zu gelangen, die unter normalen Umständen verborgen bleiben. Diese zu dokumentieren, gehört zu seinen vordringlichsten Aufgaben. Leider gibt es zu der letzten Reparatur, bei der die freiliegende Rückseite zumindest eines der beiden Kaselkreuze durch den untergelegten Stoff weitgehend unzugänglich gemacht wurde, keinerlei Aufzeichnungen. Dabei stellt der Blick auf eine freiliegende

Abb. 1: Kaselkreuz, Hildesheim, Diözesanmuseum
(Inv.-Nr. AB 1)

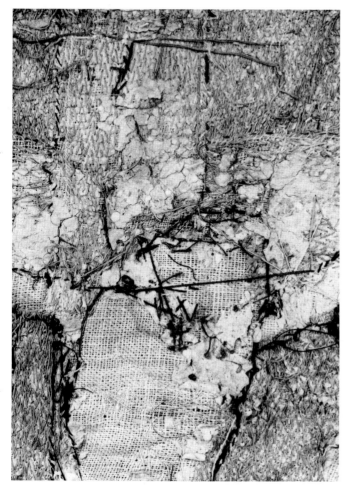

Abb. 2: Rückseite, Ausschnitt im Oberkörperbereich des Gekreuzigten

Abb. 3: Vorderseite, Ausschnitt wie in Abb. 2

Rückseite auch für den Restaurator keineswegs eine Selbstverständlichkeit dar: Liegt eine originale oder zumindest als historisch einzustufende Montage vor, verbietet sich wegen ihrer Einmaligkeit und Unwiederbringlichkeit ein Eingriff – es sei denn, er ist aus konservatorischen Gründen unumgänglich.

Das Fehlen einer Dokumentation zu diesem Stück ist um so bedauerlicher, als gerade hinter spätgotischen Stickereien häufig beschriebene oder bedruckte Papiere als Verstärkung des Stickgrundes angebracht

wurden, die Aufschlüsse zur Datierung und Lokalisierung einer Arbeit geben können. Zudem befinden sich beim Kreuz Kat.-Nr. 13 (2) in den zugänglichen Randbereichen Anhaltspunkte, die Vermutungen über eine recht bemerkenswerte Art der Befestigung auf dem Kaselrücken (?) nahelegen. Eventuell ließen sich diese durch weitere Hinweise hinter dem bei der Restaurierung unterlegten Nessel erhärten. Des weiteren wurden die Kreuze 1978 für Ausstellungsbedingungen präpariert, die offenbar bezüglich der Lichteinwirkung auf die empfindlichen textilen Exponate konservatorischen Anforderungen noch nicht genügten: allein die Nähfäden zur Befestigung auf dem grünen Wollgrund sind auf der Oberseite so stark ausgeblichen, daß auch von Schäden im Original seit dieser Zeit auszugehen ist.

Kaselkreuz (Abb. 1)

H. 108 cm – B. 62 cm – B. Kreuzbalken 19 cm

Stickerei auf Leinengrund mit Papierunterlage (Abb. 2), Figuren in gleicher Technik separat angefertigt und auf die ausgesparten Flächen im Grund appliziert, Polster aus zwischen Grund und Applikation eingeschobenen Leinenstoffen. Füllmaterial der Köpfe nicht zu ermitteln.
Grund: Flechtmuster; Anlegetechnik, Häutchengold (S-gedreht um Leinenzwirn S), mit musterbildenden Überfangstichen (Leinenzwirn S, beige).
Darstellung: Anlegetechnik, Flachstich, Spaltstich, Spannstich, Applikation, Material: Seidentaft (braun, grün, rosa), Halbseidensatin (hellbeige, dunkelbeige). Häutchengold (S-gedreht um Leinenzwirn S). Häutchensilber (S-gedreht um Leinenzwirn S), Filofloß-Seide (grün, 2 Brauntöne, blau, rot, violett, gelb, beige), Leinenzwirn S (hellbeige, braun). Silberpailletten, Silberperlen, Seiden- und/oder Leinenfäden um Kupferdraht gewickelt.
Rand: 1,2 cm breite gewebte Borte, Leinwandbindung, Leinen und Häutchensilber; grün, silbern, rot, in Kettrichtung gestreift.
Trennlinie zum unteren Feld: 1 cm breite Seidenborte, rot, Leinwandbindung.
Modellierungen im Inkarnat wie auch auf den farbigen Gewändern gemalt.

Hildesheim, Diözesanmuseum, Inv. Nr. AB 1

Das Kreuz zeigt die Figuren auf einem angelegten Flechtmustergoldgrund, dessen heutiges eher braunes Erscheinungsbild von der relativ schlechten Haltbarkeit des Häutchengoldfadens (um einen Faden gewickeltes dünnes vergoldetes Darmhäutchen) herrührt. Obwohl die Köpfe der Figuren äußerst differenziert plastisch ausgearbeitet sind (Abb. 3), ist die Gestaltung der Körper und Gewänder mehr einem flächigen Stil verhaftet. Durch Abpolsterungen von unten zwar im Ganzen leicht erhöht, erfolgt die Ausmodellierung durch gestickte Linien und Farbschattierungen. Die Freude an der Ausgestaltung im Detail wird vor allem in der Figur des hl. Nikolaus im unteren Abschnitt deut-

lich, die leider durch die Kürzung des Kreuzbalkens nur noch halb erhalten ist. Die Stickerei zeigt den Heiligen im Bischofsornat mit drei goldenen Kugeln auf einem Buch als persönlichem Attribut. Der Ornat ist reich verziert und in seinen Einzelheiten bis hin zu den Fransen an den Enden der Infeln oder den Falten im Handschuh dargestellt. Pailletten und Perlen auf Mitra, Buchdeckel und Pluvialbesätzen imitieren reiche Stickereien und Goldschmiedearbeiten.

Reste eines blauen Leinennähgarns an den Randkanten des Kreuzes lassen vermuten, daß das Kreuz ehemals auf einer blauen Kasel angebracht war.

Kaselkreuz (Abb. 4)

H. 118 cm – B. 54 cm – B. Kreuzbalken 19 cm

Stickerei auf Leinengrund mit Papierunterlage, plastisch ausmodellierte Figuren separat angefertigt und auf die ausgesparten Flächen im Grund appliziert. Füllmaterial nicht zu ermitteln. Grund: Rautenmuster; Anlegetechnik, Häutchengold (S-gedreht um Leinenseele S) gearbeitet über parallel gelegte Fäden Leinenzwirn (8fach, S). Überfangstiche (Leinenzwirn S) jeweils über 2 Goldfäden. Randlinie und Begrenzungslinie zum unteren Feld: vier parallel gelegte dicke Fäden Leinenzwirn Z, überstickt mit Häutchengold (S-gedreht um Leinenseele Z) und Leinenzwirn S (blau, gelb). Nach innen abgesetzt durch doppelten aufgenähten Faden Leinenzwirn Z. Darstellung: Anlegetechnik, Spannstich, Spaltstich, Kettenstich, Knopflochstich, Flachstich. Material: Seidensatin (hellbeige, rosa), 1,2 cm breites Seidenbändchen, in Kettrichtung gestreift (hellbeige, gold), dichtes Wollgewebe (naturbraun, Unterlage Kreuzbalken), Seidentaft (braun, Webekante beige mit feinem grünen Randstreifen), Seidentaft (blau).
Häutchengold (S-gedreht um Leinenseele S), Leinenzwirn S (hellbeige, schwarz), Leinenzwirn (S-gedreht aus 3 Fäden Leinen Z, 2 Fäden gelb, ein Faden weiß), Filofloß-Seide (grün, hellbeige, gelb, rot, blau), Seidenzwirn S (rot, beige verblichen). Haare: Leinen, ondé Z (gelb, hellbeige, mittelbraun, dunkelbraun). 3 kleine schwarze Holzperlen als Kreuznägel, große Holzperle als Weltkugel.
Randkanten des Stickgrundes nach hinten umgeschlagen, z. T. als Tunnel für Verstärkung mit Eisendraht. An den Enden der Querbalken zwei Messingösen (∅ 1,2 cm), oben mittig Reste einer Schlaufe aus 1 cm breitem gewebtem Leinenbändchen und Aufhänger aus festem Leinenzwirn. Rückseite des Kreuzes zumindest teilweise mit Leinen abgefüttert.

Hildesheim, Diözesanmuseum, Inv. Nr. 173

Abb. 4: Kaselkreuz, Hildesheim, Diözesanmuseum
(Inv.-Nr. 173)

Der Grund des Kreuzes besteht aus Häutchengoldfäden, die dicht nebeneinandergelegt über dicke Leinenschnüre laufen und in deren Zwischenräumen mit Überfangstichen so festgenäht sind, daß das Rautenmuster plastisch erscheint. In gleicher Weise ist auch die Randbordüre aus farbigen ineinandergreifenden Dreiecken gearbeitet. Die technischen Merkmale verweisen auf die Herstellung im norddeutschen Raum und stellen die Stickerei in Verbindung zu Kaselkreuzen aus dem Kloster Lüne und dem Danziger Paramentenschatz.

Bei der Gestaltung der Figuren tritt die Stickerei als Gestaltungsmittel hinter der plastischen Modellierung aus textilem Material zurück. Sie wird lediglich als Kontur oder als Mittel der Farbgebung und Oberflächenstrukturierung eingesetzt.

Die im unteren Feld befindliche Figur Johannes d. T. mit Buch und Gotteslamm als Attributen läßt dies in allen Aspekten deutlich werden: Gestickte Linien zeichnen das Gesicht wie auch die Zwischenräume von Fingern und Zehen. Das Obergewand ist in Anlegetechnik gearbeitet, diese dient aber lediglich der Farbgebung. Ein mit brauner Seide und Goldfäden besticktes Stoffstück, bei dem die Seidenfäden so locker eingestickt sind, daß eine fellähnliche Oberfläche entsteht, stellt den Leibrock dar.

Der Reiz dieser Arbeit liegt vor allem darin, daß textile Materialien und Techniken unbefangen, aber gekonnt eingesetzt wurden. Die Falten im Satin des Lendentuchs und der Gewänder wirken lebendig, da sie den typischen Fall des verwendeten Gewebes aufgreifen. Zum Beispiel die lockere Oberfläche des Johannesgewandes wie auch des Lamms mit den durch vereinzelte Goldfäden aufgesetzten Glanzlichtern und die struppigen Haare der Figuren nutzen die Möglichkeiten textilen Materials auf besonders reizvolle Weise aus.

Außergewöhnlich an diesem Kreuz ist das Fehlen von Spuren einer dauerhaften Befestigung auf textilem Grund, außerdem das Vorhandensein von Befestigungsmöglichkeiten (Ösen und Aufhänger) an den oberen Balkenenden. Da die der Kaselgröße angepaßten Maße trotzdem auf die Funktion als Kaselkreuz hindeuten, kann angenommen werden, daß es wechselweise auf verschiedenen Meßgewändern benutzt wurde.

Anmerkungen:
[1] Über die Provenienz ist nichts bekannt. Das Kaselkreuz Inv.-Nr. 173 wird bereits im alten Invertarbuch aufgeführt, das die vor dem Zweiten Weltkrieg vorhandenen Bestände erfaßt.

Literatur: Unveröffentlicht; Vergleiche: E. Behrends, Die Passionsdarstellungen auf deutschen Kaselkreuzen der Spätgotik, Diss. phil. Münster 1937, S. 15 ff.; J. Braun, Die liturgische Gewandung in Occident und Orient, Freiburg 1907, S. 149 ff.; S. Durian-Ress, Meisterwerke mittelalterlicher Textilkunst aus dem Bayerischen Nationalmuseum, München/Zürich 1986; L. Reichert, Spätgotische Stickereien am Niederrhein, Bonn 1938, S. 12 – 18; A. Stauffer, R. de Kegel, Die Entdeckung von Textfragmenten auf den Stickereien des Jaques de Romont, in: Zeitschrift für Schweizerische Archäologie und Kunstgeschichte, Bd. 44, 1/1987.

S.H.-L./U.P.

Schrein: Werkstatt des Baldassare degli Embriachi, 1. Drittel 15. Jahrhundert

Malerei: Wohl Umkreis des Fra Angelico da Fiesole, Florenz, 2. Drittel 15. Jahrhundert

Pappelholz, gefärbte und ungefärbte Knochen, Horn, Eibenholz und Pfaffenhütchenholz, Tempramalerei, Polimentvergoldung

Höhe 100,5 cm, Sockelhöhe 50,8 cm, Sockeltiefe 12,8 cm

Hildesheim, Diözesan-Museum, Inv. Nr. DS 88

»Das Bild wurde vor Jahren von dem kunstliebenden verewigten Bischofe erworben; aber weder der ursprüngliche Besitzer noch der Käufer kannten seinen Werth. Unscheinbar durch Staub und Schmutz ging es um geringen Preis von einem Besitz in den andern über. Weiter zurück läßt sich die Herkunft des Werkes nicht verfolgen. Keine Urkunde, kein Handzeichen, nichts auch nur von mündlicher Überlieferung über den Urheber des Werkes.«[1]

Diese Nachricht aus dem Jahre 1887 ist der früheste erhaltene Beleg zum Fiesole-Altar, dessen Einzigartigkeit zu wiederholten Diskussionen in der kunstwissenschaftlichen Forschung führte.

Gestalt und stilistische Merkmale dieses plötzlich im 19. Jahrhundert in Hildesheim auftauchenden Klappaltärchens (Abb. 1, 2) weisen es als spätgotische oberitalienische Arbeit aus. Eine nicht mehr nachvollziehbare Provenienz, Flickwerk in den Reliefs und wie beschnitten erscheinende Kompositionen der Malereien bringen den Altar in den Ruf eines Pasticcios des 19. Jahrhunderts.

Vorgeschichte

Um 1850/60 wird der Altar von Bischof Eduard Wedekin (1849 – 70 Bischof von Hildesheim) erwor-

Abb. 1: Inneres des Altars, Zustand 1911

Abb. 2: Altarrückseite mit geöffneten Flügeln nach Freilegung

245

Abb. 3: Restaurierung der beschädigten Flügel 1966

Abb. 4: Schrein nach Beschädigungen durch Wassereinbruch 1946, Zustand 1987

ben. Die Kaufurkunde wurde vermutlich im Zweiten Weltkrieg vernichtet. Über ihren Inhalt ist nichts bekannt.

Die beim Ankauf schwarz überstrichenen Gemälde der Altaraußenseiten[2] werden noch im 19. Jahrhundert (vor 1887) freigelegt. Auf der nur teilfreigelegten Schreinrückseite bedeckt diese Übermalungsfarbe die ursprüngliche tiefblaue Azuritschicht.

Nach der Freilegung der Gemälde beginnt die Diskussion über eine mögliche Zuschreibung an Fra Angelico da Fiesole (um 1400 – 1455). Aus dieser Zeit

stammt die Benennung des Altares. Die Zuweisung bleibt jedoch umstritten. Wird die Verkündigung der Flügelaußenseiten 1911 noch von Schottmüller[3] im Werkkatalog Fra Angelicos aufgelistet, so taucht sie in den nachfolgenden Publikationen zu dem Künstler nicht mehr auf.

1946 wird der zusammen mit dem Domschatz ausgelagerte Altar durch einen Wassereinbruch schwer beschädigt. Feuchtigkeit und Schimmelbefall zersetzen den Leim und »der Fiesole-Altar zerfiel plötzlich in seine Bestandteile. ...Dr. Deckert und Prof. Wehlte, Stuttgart, erklärten nach Besichtigung der

246

Trümmer den Altar als verloren.« 1966 restaurierte J. Bohland/Hildesheim[4], aus dessen Bericht die obige Schilderung und das Foto (Abb. 3) stammen, die Altarflügel. Der Schrein (Abb. 4) verbleibt im beschädigten Zustand in den Depoträumen des Diözesanmuseums.

1968 ergibt eine Untersuchung (Niedersächsische Landesgalerie/Hannover), daß der Altar »…im 19. Jahrhundert gemacht« sei. In diese Zeit werden auch Reliefs, Baldachine und Säulchen als »neugotisch oder noch jünger« eingeordnet. Die Gemälde seien »um oder vor 1600« entstanden und für den »Intarsienkasten« zugesägt worden, wobei der »Goldhintergrund (der Flügel) natürlich nicht alt« sei.[5]

1987 kommt der Altar zur Untersuchung, Konservierung und Restaurierung an das Institut für Technologie der Malerei, Stuttgart.[6]

Untersuchung

Ein Gemälde setzt sich in der Regel aus dem *Bildträger*, der *Grundierung* und der *Malschicht* zusammen. Bei dem Fiesole-Altar kommt ein weiterer Materialkomplex hinzu: die Intarsien und Reliefs.

Die in diesem Gefüge verwendeten Materialien, ihre Art, Qualität und Verarbeitung können für eine Kunstlandschaft und Epoche charakteristisch sein. Um Aufbau und Materialgefüge zu erforschen, bedient man sich verschiedener naturwissenschaftlicher Verfahren und Hilfsmittel.

Einige der Untersuchungsverfahren, die am Fiesole-Altar angewendet wurden, sollen zusammen mit ihren Ergebnissen kurz erläutert werden. Die beiden wichtigsten Fragestellungen der Untersuchungen waren einerseits, ob der Altar mit den Gemälden, den Reliefs und der Rahmenkonstruktion mit den Intarsien ein zusammengehörendes Kunstwerk bildet *oder* ob er aus Einzelteilen verschiedener Epochen zusammengestückt wurde; andererseits aus welcher Zeit der Altar bzw. die einzelnen Teile, aus denen er evtl. zusammengesetzt ist, stammen könnten.

Im Restaurierungsbericht der Flügel (1966) ist Nußbaumholz als Material der Flügeltafeln angegeben. Eine Überprüfung durch mikroskopische Holzbestimmung ergibt jedoch, daß das gesamte Altargerüst aus Pappelholz (Abb. 6) gefertigt ist.

Die Konstruktion des Altares besteht aus unterschiedlich starken Leisten, die auf die Schreintafel und die Flügeltafeln aufgeleimt sind (Abb. 7). Die originale Aufhängung der Flügel am Schrein ist nur noch in Resten vorhanden. Es handelt sich um Eisenangeln, deren Enden zur besseren Verankerung auf den Außenseiten umgeschlagen sind. Die umgeschlagenen Angelenden markieren sich unter der Bildschicht in Form kleiner Erhebungen. Ihren Verlauf im Holz, so wie ihn die Zeichnung (Abb. 5) zeigt, macht die Röntgenaufnahme der Schreintafel sichtbar.

Die Eisenangeln sind als Verbindung von Flügeln und Schrein *vor* dem Grundieren und Bemalen der Tafeln bereits montiert gewesen. Dieser Befund schließt aus, daß die Tafelgemälde nachträglich für den Altar zurechtgeschnitten wurden.

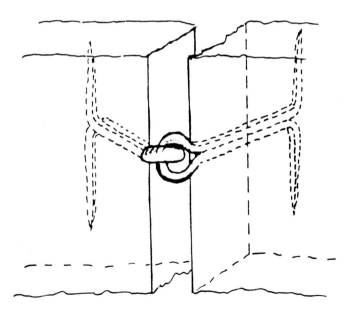

Abb. 5: Rekonstruktionszeichnung der originalen Aufhängung der Flügel am Schrein

247

Abb. 6:
Holzarten der
Holzkonstruktion

☐ Pappel
Die Pappel galt in Italien im 14. – 16. Jahrhundert
als der wichtigste Holzlieferant für Maltafeln (90 %).

▦ Eiche
Spätere Ergänzungen,
vermutlich aufgrund holzwurmbefallener Teile,
bestehen aus Eichenholz.

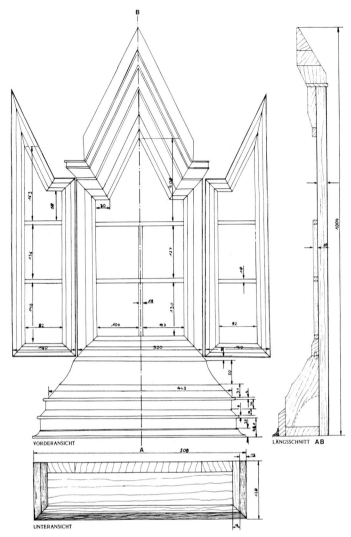

VORDERANSICHT

LÄNGSSCHNITT AB

UNTERANSICHT

Abb. 7: Holzkonstruktion (Maße in mm)

Intarsien

Die mikroskopische Materialuntersuchung der Intarsien ergab zwei verschiedene Hölzer (Eiben- und Pfaffenhütchenholz), Horn und Knochen (weiß und grüngefärbt).

Die Intarsien sind in der Technik des Blockmosaiks (Abb. 8, 9) gefertigt. Mit diesem rationellen Verfahren lassen sich dünne Intarsienbänder nahezu unbegrenzter Länge anfertigen – am Fiesole-Altar erreichen sie Längen bis zu 60 Zentimetern. Zur Sicherung dieser furnierdünnen Intarsienbänder während des Sägeprozesses und zum Übertragen auf das Blindholz sind sie mit Leinwandstreifen hinterklebt (Abb. 10). Die Nahtstellen (Abb. 11, 12), die beim Zusammentreffen zweier Intarsienbänder entstehen, sind ein Kennzeichen dieser Technik.

Gegenüber der reinen Holzintarsie wird die am Fiesole-Altar vorliegende Intarsienform mit dem Begriff »Certosina-Intarsie« belegt. Der Begriff »certosina« leitet sich von dem italienischen Wort »certosa« (Kartause: Kloster der Kartäusermönche) her.

Der Bezug zu den Kartäusermönchen ergibt sich daraus, daß in der größten italienischen Klosteranlage dieses Ordens, der Certosa di Pavia, ein bereits im 15. Jahrhundert berühmter Altar (Abb. 13) steht, der in dieser Technik verziert ist. Die feinteiligen Intarsien dieses 2,60 m hohen ehemaligen Hochaltares ließen das Gerücht entstehen, daß solche aufwendigen Intarsienarbeiten allein in mönchischer Abgeschiedenheit entstehen konnten, und gelten als »Kartäuserarbeit«.

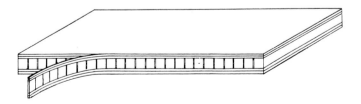

Abb. 8: Herstellung eines Intarsienbandes in der Technik des Blockmosaiks

249

Arbeitsschritte zur Herstellung des Mäanderbandes

Pfaffenhütchenholz
Horn
Pfaffenhütchenholz
Eibenholz
grüngef. Knochen
Knochen

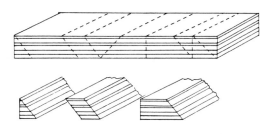

Verleimen der einzelnen Lagen zum Block

▽

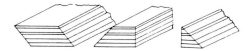

Zersägen des Blockes in die erforderlichen Teile
für das Mäanderband

▽

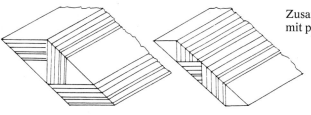

Zusammensetzen der gesägten Teile
mit präparierten Hornstangen

▽

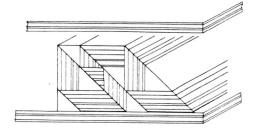

Verleimen der Kompartimente zusammen
mit Deckfurnieren zum Block,
der das endgültige Mäandermotiv
in unbegrenzter Länge liefert.

Abb. 9

250

Eine Detailaufnahme von diesem Altar (Abb. 14) zeigt jedoch, daß es sich um jenes eingangs beschriebene Herstellungsverfahren der Blockintarsie handelt.

Der Altar in der Certosa di Pavia, auf den sich der Ausdruck »Certosina-Intarsie« gründet, ist nachweislich kein Werk der Mönche, sondern das des Baldassare degli Embriachi. Er gilt als Leiter einer oberitalienischen Werkstatt (verm. Florenz), die zu Beginn des 15. Jahrhunderts serienmäßig Altäre, Kästchen und Spiegelrahmen in dieser Intarsientechnik mit eingepaßten Reliefs »produzierte«[7]. Der Vergleich einiger Embriachi-Arbeiten mit dem Fiesole-Altar (vgl. Abb. 15) klärt die Frage der Authentizität der Reliefs, Säulen, Baldachine und Intarsien.

Material, Technik und Stil der Intarsien und Reliefs des Fiesole-Altars fügen ihn in die Gruppe der Embriachi-Arbeiten ein.

Ein weiteres Indiz in der »Beweisführung« liefert ein bisher nicht beachteter blauer Anstrich der Altaraußenseiten (Indigo). Der Indigoanstrich liegt unter dem Bronzeanstrich der Seitenverblendungen und unter der Grundierung der Schrein- und Flügeltafeln (Abb. 16). Bei allen Flügelaltären, die der Embriachi-Werkstatt zugeschrieben werden und deren genaue Untersuchung möglich war, ließ sich ein vergleichbarer Anstrich auf den Außenseiten (Abb. 17) nachweisen. Er diente vermutlich als einfache Verzierungsform der holzsichtigen Partien auf Reise- und Hausaltärchen.

Eine vergleichbar qualitätvolle Malerei, wie sie am Fiesole-Altar vorliegt, zeigt keiner der untersuchten Klappaltäre.

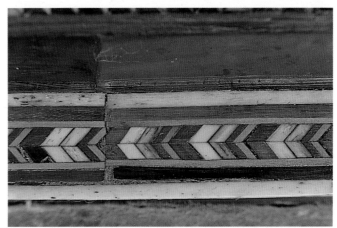

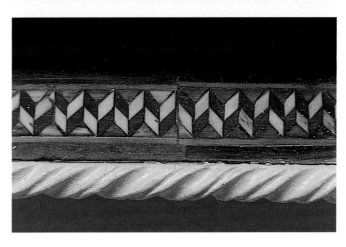

Abb. 10: Leinwandstreifen unter einem Intarsienband am Sockel des Altars

Abb. 11,12: Nahtstellen zweier Intarsienbänder

Abb. 13: Baldassare degli Embriachi, Altar der Certosa di Pavia, um 1400

Abb. 14: Baldassare degli Embriachi, Altar der Certosa di Pavia, Stoß zweier Intarsienbänder am Mäanderband des Sockels

Reliefs

In späterer Zeit wurden – vermutlich aufgrund verlorener originaler Knochenreliefs – Gipsergänzungen und Elfenbeinreliefs aus unterschiedlichen Jahrhunderten und Kunstlandschaften eingesetzt und dabei die ursprüngliche Anordnung der erhaltenen Knochenreliefs verändert (vgl. Abb. 1).

Abb. 15: Embriachi-Altar, Turin, Museo Civico

Bei der Restaurierung der Flügel – 1966 – werden die Reliefs in den Flügeln neu geordnet (Abb. 18).

Weder Paßgenauigkeit der Reliefs noch eine »unentdeckte« Rückseitennumerierung der Reliefs (Abb. 19) werden beachtet. Auch auf den Rückseiten der Baldachine und Säulen befinden sich römische Ziffern (Abb. 20). Diese Numerierung diente als arbeitstechnisches Hilfsmittel zur Montage der Reliefs im Altar. Sie scheint typisch für Arbeiten der Embriachi-Werkstatt zu sein, denn sie konnte auch an weiteren Embriachi-Arbeiten festgestellt werden. Aufgrund der Numerie-

Abb. 16: Fiesole-Altar, Indigoanstrich unter der Grundierung der Schreintafel

Abb. 17: Embriachi-Altar, Turin, Museo Civico, Rückseite

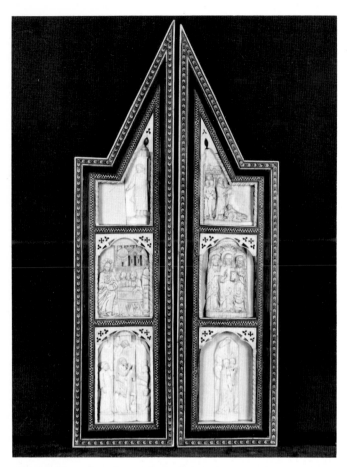

Abb. 18: Neue Anordnung der Reliefs in den Flügeln 1966

Abb. 20: Numerierung auf der Rückseite der Baldachine und Säulen

Abb. 19: Rückseite des Reliefs »Judaskuß« mit Kennzeichnung der einzelnen Beinstücke

Abb. 21:
Inneres des Altars nach
der Restaurierung 1987

rung und der Paßgenauigkeit in den entsprechenden Altarfeldern konnte die ursprüngliche Abfolge der Reliefs rekonstruiert werden (Abb. 21).

Bildprogramm

Der Bildzyklus, den die Beinreliefs und die Gemälde des Fiesole-Altares wiedergeben, umspannt das Leben und die Passion Christi.

Beginnend mit der Verkündigung auf den Flügeln als Hinweis auf die Inkarnation (Abb. 22), schließen die Reliefs mit elf Szenen aus dem Leben und der Passion Christi (Abb. 21) an. Die Darstellung des Schmerzensmannes mit den »arma Christi« (Abb. 23) beschließt das Programm auf der Rückseite.

Die Szenen zeigen:

das Haupt des auferstandenen Christus, das als die reduzierte Form des Mandylions anzusehen ist;

Zange und Kreuzbalken mit den eingeschlagenen Nägeln;

die Lanze des Kriegsknechtes, der Christus die Seitenwunde zufügt, am Kreuzbalken lehnend (Joh 19,34);

Petrus, der die Zugehörigkeit zu den Jüngern leugnet, als die Magd auf ihn weist (Mt 14, 68 – 72/Mk 14 – 72/Lk 22, 56 – 61/Joh 18, 15 – 27). Der Hahn im Giebelfeld steht im Zusammenhang mit dieser Szene, der die Weissagung Christi vorausgeht: »Ehe der Hahn krähen wird, wirst du mich verleugnen.« (Mt 26, 75);

die Handwaschung des Pilatus (Mt 27, 24);

die Rute als Hinweis auf die Geißelung Christi (Mt 27, 26/Mk 15,15/Joh 19,1);

den Verrat des Judas, symbolisiert durch die Silberlinge, die Judas aus der Hand des Hohepriesters Kaiphas erhält (Mt 26,6 – 16/Mk 14,3 – 6/Joh 12,3);

die beiden Fackeln als Symbol für die Leidensstation der Gefangennahme bei Nacht im Garten Gethsemane (Mt 26,31/Mk 14,27);

Abb. 22: Flügelaußenseiten nach der Restaurierung 1987

die Hand des Petrus, der bei der Gefangennahme Christi dem Diener des Hohepriesters, Malchus, das Ohr abschlägt. An dem hier mehr als Beil dargestellten Messer hängt noch das Ohr (Lk 22,50 – 51/Joh 18,10);

die Dornenkrönung und zweite Geißelung. Es ist der Moment dargestellt, der in Mt 27,29 – 30 beschrieben ist: »Und flochten ihm eine Dornenkrone und setzten sie auf sein Haupt…und nahmen das Rohr und schlugen damit sein Haupt«, ebenso bei Mk 15,17 – 19;

der Essigschwamm der Kreuzigungsszene (Mt 27,48 / Mk 15,36 / Joh 19,29);

um das Gewand Christi würfelnde und losende Hände der Soldaten (Mt 27,35/Mk 15,24/Joh 19,24).

Eine seltenere Darstellung unter den arma Christi ist die letzte Szene. Die mit dem Judasverrat in Bezug stehende Darstellung wird allein im Evangelium des Johannes 13,26 erwähnt. Den nach dem Verräter fragenden Jüngern antwortet Jesus: »…der ist es, dem ich den Bissen Brot, den ich eintauche, geben werde.«

Die Ikonographie stellt sich demzufolge als ein einheitliches Ganzes dar. Daß den Gemälden und Reliefs ursprünglich eine gesamtheitliche Planung vorausging, ist unwahrscheinlich. Wie die technologische Untersuchung ergibt, war der Altar mit der Intarsierung und den Beinreliefs bereits fertiggestellt, als die Bemalung erfolgte. Die dazwischenliegende Zeitspanne läßt sich nicht mehr rekonstruieren. Die erhaltenen originalen Beinreliefs zeigen, daß der Reliefabfolge eine ikonographische Ordnung zugrunde liegt. An dieser Vorgabe orientieren sich vermutlich die Gemälde auf den Außenseiten.

Malereien, Technik

Der Altar mit Intarsien und Flügelangeln war bereits fertiggestellt, als die Bemalung der Außenseiten erfolgt. Das ergibt sich aus der Tatsache, daß die Grundierung

Abb. 23: Altarrückseite nach der Restaurierung 1987

Abb. 24: Intarsienimitierende Sockelmalerei (Rückseite)

Abb. 25: Intarsien des Sockels (Vorderseite)

für die Malerei auf den Flügeln über den Eisenangeln liegt. Die Grundierung und der schichtenweise Aufbau der Malerei sind geradezu ein Musterbeispiel der traditionellen, mittelalterlichen Maltechnik, wie sie um 1390 Cennino Cennini in seinem »Buch von der Malerei« lehrt. Es handelt sich um eine der ausführlichsten Arbeitsanweisungen, die aus dieser Zeit erhalten geblieben sind.

Einblick in die Maltechnik gewinnt man bereits durch die mikroskopische Untersuchung. Zusätzliche Informationen geben Mikroschliffe, d. h. in Kunstharz eingebettete, winzige Querschnitte der Bildschicht, mikrochemische Nachweise und Elementanalysen.

Die so identifizierte zweischichtige Gips-Leim-Grundierung ist eine hauptsächlich südlich der Alpen anzutreffende Grundierungstechnik.

Vor dem eigentlichen Malvorgang ist eine Unterzeichnung auf der glattgeschliffenen Grundierung angelegt. Dabei sind Teile der Bildanlage mit einer Nadel in die Grundierung eingeritzt. Bei der intarsienimitierenden Sockelmalerei der Rückseiten dienten eingeritzte Hilfslinien zur Ausführung der Ornamente. Die Malerei ist eine direkte Fortführung der Intarsien und verlorengegangenen Knochenreliefs auf der Vorderseite (Abb. 24, 25). Als Hilfsmittel zur Anlage der Heiligenscheine läßt sich der Zirkel anhand der Einstichlöcher nachweisen. Hier zeigt sich auch ein »Fehler« in der Vorritzung; der Heiligenschein Petri war anfänglich zu klein angelegt (Abb. 26). Die übrige Unterzeichnung, die detailliert die Anlage der Augen, der einzelnen Finger usw. angibt, ist mit rotbrauner Farbe skizziert (Abb. 27).

258

Abb. 26: Vorritzung für die Anlage des Heiligenscheins Petri

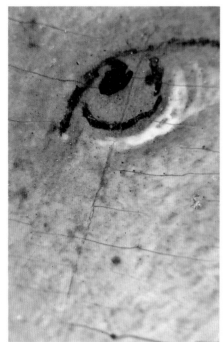

Abb. 27:
Auge der Maria

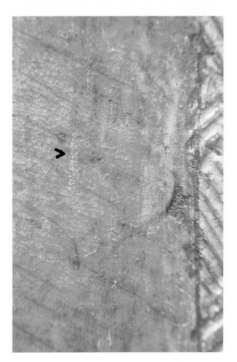

Abb. 28: Gewand des Engels mit Schabspuren in der
überschüssigen Vergoldung unter der Malschicht

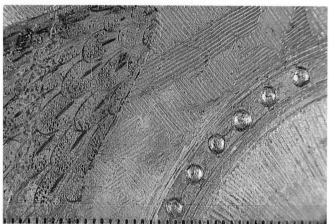

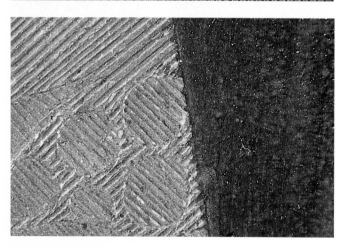

Diese Vorritzung ist für den nächsten Arbeitsschritt – die Vergoldung – notwendig. Beim Auflegen des rechteckigen Goldblättchens würde eine gezeichnete oder gemalte Linie verdeckt werden und die Komposition wäre verloren. Das mit rotem Bolus, einer fetten Tonerde, unterlegte Gold ist poliert; dazu wurden und werden in der Regel glattgeschliffene Halbedelsteine (Achat, Hämatit) verwendet.

Das über die vorgeritzten Konturlinien reichende Gold ist zur besseren Haftung der Malfarbe abgeschabt. Ein Makrophoto von dem Gewand des Erzengels zeigt die Schabspuren in der überschüssigen Vergoldung *unter* der Malschicht (Abb. 28). Die (an den Konturen) nahtlos *unter* die Malschicht laufende Vergoldung ist sicheres Kennzeichen für die originale Vergoldung der Tafeln.

Mit Trassieren und Punzieren bezeichnet man die in die Vergoldung eingedrückte Verzierungstechnik. Zwei Beobachtungen zur Verzierung des Goldhintergrundes sind in diesem Zusammenhang angesichts einer möglichen Zuordnung der Gemälde wichtig:

I. Die mit kleinen Eisenstiften, sog. Punziereisen, in die Goldfläche eingedrückten Vertiefungen können werkstattypische Formen besitzen. Sie liefern u. U. einen Hinweis bei Zuschreibungen an bestimmte Meister. Die Makrofotos (Abb. 29, 30) zeigen den Vergleich der Punzierung auf dem Fiesole-Altar mit der Punzierung auf einem Gemälde Fra Angelicos.

II. Auf dem Goldgrund der Altarflügel haben sich mikroskopisch kleine Reste von Farblack erhalten (Abb. 31, 32).

Abb. 29: Fra Angelico, Madonna mit Kind, Turin, Galleria Sabanda, Nimbus der Madonna mit der Punzierung, Detail

Abb. 30: Fiesole-Altar, Nimbus des Verkündigungsengels mit der Punzierung, Detail

Abb. 31: Flügelaußenseite, Detail, Reste von Farblack auf der Vergoldung

Abb. 32: Flügelaußenseite, Detail des Goldhintergrundes mit Granatapfelmotiv

Abb. 33: Fra Angelico, Madonna mit Kind, Rijksmuseum Amsterdam, Detail des Goldhintergrunds

Abb. 34: Fra Angelico, Madonna mit Kind, Rijksmuseum Amsterdam

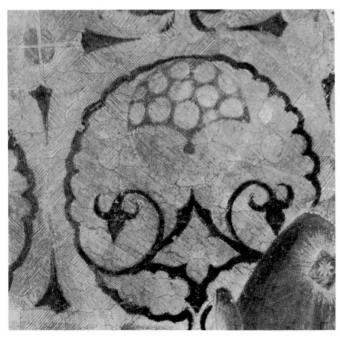

261

Abb. 35: Fra Angelico, Madonna mit Kind zwischen zwei Heiligen, Kopf des hl. Dominikus, Berlin, Gemäldegalerie Dahlem

Abb. 36: Fiesole-Altar, Altarrückseite, Kopf des Petrus

Der Umfang solcher transparenten Farbüberzüge auf Vergoldungen, sog. Lüsterungen, zeigt sich auf beiden Vergleichsbeispielen (Abb. 33, 34).

Die Malschicht oder besser die Malfarben bestehen prinzipiell aus *Pigmenten*, den Farbpulvern, und dem *Bindemittel* (Öle, Harze...). Bei den mit Hilfe der Elementanalyse nachgewiesenen Pigmenten handelt es

sich beim Fiesole-Altar um eine typische mittelalterliche Farbpalette. Eitempera dient als Bindemittel.

Die in aufeinanderliegenden Schichten aufgebaute Malerei soll kurz am Beispiel der gemalten Inkarnatpartien aufgedeckt werden: Auf einer grünbraunen Untermalung ist in strichelnden Farblagen die Fleischfarbe in drei Farbabstufungen aufgelegt. Während zu den Lichtern stärker mit Weiß ausgemische Farbe aufgetragen wird, bleibt in den Schattenpartien die grünliche Untermalung stehen. Zuletzt werden die Augen und Konturen mit wenigen Strichen aufgesetzt.

Die Gemälde des Fiesole-Altars gaben, wie eingangs erwähnt, immer Anlaß, sie der Werkstatt Fra Angelicos zuzuschreiben.

Die Annahme, daß es sich um Werke des Meisters handelt, die nachträglich für den Altar zugeschnitten wurden, ließ sich anhand der technologischen Untersuchung widerlegen. Die Malerei wurde auf dem Altar, der keine Anzeichen nachträglicher Formatveränderung zeigt, ausgeführt. Die Möglichkeit einer Kopie nach Werken Fra Angelicos läßt sich für den Zeitraum nach ca. 1700 ausschließen. Wichtige Hinweise liefer-

Florenz. S. Maria Novella, das Stammkloster des Dominikanerordens in Florenz, ist der einzige Ort, der sich bisher mit beiden Künstlern in Verbindung bringen läßt: Baldassare degli Embriachi, als »spendabler Gönner« des Klosters [9] und Fra Angelico, der sowohl Auftragsarbeiten (z. B. Reliquienschreine) Florentiner Bürger für das Kloster ausführte als auch lange Zeit im Kloster selbst arbeitete.[10]

Das Konzept der Restaurierung, das unter Absprache mit Herrn Dr. Brandt (Diözesanmuseum / Hildesheim), Herrn Prof. Bachmann, Herrn Prof. Dr. Richter und Herrn Rieber (Institut für Technologie der Malerei / Stuttgart) entwickelt wurde, sah neben der Konservierung auch die Restaurierung, d.h. die Rekonstruktion fehlender Bereiche in Malerei und

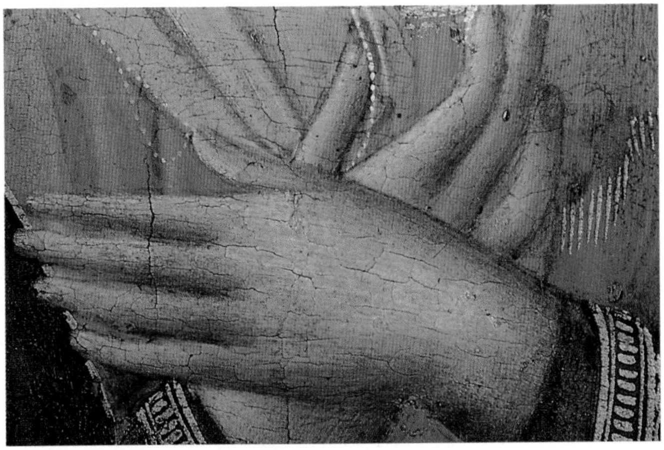

Abb. 37: Fra Angelico, Beweinung Christi, Detail, Florenz, San Marco

Abb. 38: Fiesole-Altar, Außenflügel, Hände des Verkündigungsengels

ten die Analyse der Pigmente und die Maltechnik (Abb. 35 – 38).

Es bleibt die vermutlich unlösbare Frage offen, ob es sich bei den Gemälden um Werkstattarbeiten[8] oder Kopien, die im Zeitraum zwischen 1430 und ca. 1700 entstanden sein können, handelt.

Ansatzpunkte liefern hier allein stilkritische Vergleiche (Abb. 35 – 38) und eventuell Archivstudien in

Intarsien, vor. Fehlende Partien wurden auf der Basis alter Fotovorlagen vor der Beschädigung und der sich wiederholenden Rapporte, wie sie bei den Intarsien vorliegen, reproduziert.

Die ursprüngliche Reliefabfolge wurde aufgrund von technologischen und ikonographischen Belegen rekonstruiert. Ehemals in Fehlstellen eingebaute Ersatzstücke (Gipsabgüsse / Elfenbeinreliefs) wurden

263

entfernt. Das byzantinische Kreuzigungsrelief (Abb. 39) und die byzantinisierende Deesis (Abb. 40) sollen künftig als Einzelstücke präsentiert werden, die Gipsergänzungen werden magaziniert. Alte, gefaßte Holzergänzungen, die stilistisch fehlenden Originalteilen entsprechend vor der Jahrhundertwende ausgeführt worden waren, sind belassen worden.

Anmerkungen:

[1] F. Willbrand, Über ein im Dom zu Hildesheim befindliches Hausaltärchen von Fiesole, in: St. Bernwardus-Blatt, Hildesheim 1887, Nr. 2, S. 9

[2] »Als die schwarz angestrichene Außenseite der Flügel und die hintere Wand etwas ausgebessert werden sollten, fand man unter der schwarzen Farbe der Vorderseite eine Verkündigung und auf der Rückseite die Halbfigur des ... Schmerzensmannes«.
S. J. Beissel, Fra Giovanni da Fiesole, Freiburg i. Br., 1905, S. 38

[3] F. Schottmüller, Fra Angelico da Fiesole, Stuttgart 1911, Abb. 220

[4] J. Bohland, Restaurierungsbericht, Hildesheim, 1966, S. 1

[5] P. H. Wackernagel, Bericht vom 5. 4. 1968, Hannover, Domarchiv Hildesheim

[6] Vgl. M. Burek, Der Fiesole-Altar im Domschatz zu Hildesheim. Untersuchungen zur Technologie von Intarsien und Malerei des Quattrocento, hrsg. vom Institut für Museumskunde an der Staatlichen Akademie der Bildenden Künste, Stuttgart 1988

[7] L. Beltrami, Storia documentata della Certosa di Pavia, Mailand 1896, S. 104 ff.; J. v. Schlosser, Die Werkstatt der Embriachi in Venedig, in: Jahrbuch der kunsthistorischen Sammlungen des Allerhöchsten Kaiserhauses 22, Wien 1899, S. 220 – 282

[8] Zum Werkstattbetrieb Fra Angelicos vgl. P. J. Cardile, Fra Angelico and his workshop at San Domenico – the development of his style and the formation of his workshop, Diss. of Yale University, Dec. 1976

[9] M. Caffi, Di alcuni maestri d'arte in Lombardia, in: Archivio storico Italiano, Ser III, Bd. 17, S. 368 f.

[10] Vgl. H. Lehmkul-Lerner, Zur Struktur und Geschichte des Florentiner Kunstmarktes im 15. Jahrhundert, in: M. Wackernagel, Lebensräume der Kunst 3, Wattenscheid 1936

M. Bur.

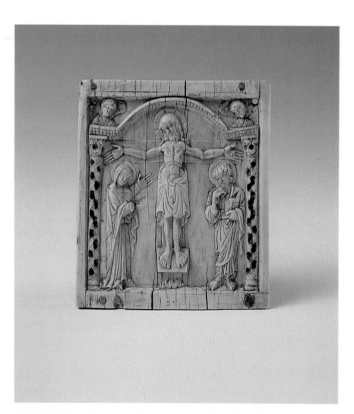

Abb. 39: Byzantinisches Kreuzigungsrelief, Elfenbein

Abb. 40: Byzantinisierende Deesis, Elfenbein

Die Apostel Johannes Evangelist und Andreas

Hildesheim, um 1510, Benediktmeister

Klein-Escherde, Katholische Kapelle

Kunstgeschichtliche Einordnung

Die Standfiguren auf nach vorn abgeschrägten, zweifach profilierten Sockeln sind hinten abgeflacht (Abb. 4, 5). Johannes und Andreas stehen beide nach rechts gewandt. Vom Evangelisten ist der nach vorn gedrehte Fuß sichtbar, von Andreas der zurückgesetzte, auf den Zehen abgeknickte linke. Der jugendliche Johannes hält mit der durch einen erhobenen Mantelzipfel verdeckten Linken einen Kelch mit gebuckeltem Nodus, mit der Rechten weist er auf die (fehlende) Schlange am oberen Rand der Kuppa. Er ist in einen Mantel mit langen splittrigen Falten gehüllt. – Andreas als älterer Mann, mit breiter Nase und vollem kornartigem Haar, stützt sich an die Astgabel des X-Kreuzes, das er mit der Linken umgreift, und hält in der Rechten ein großes aufgeschlagenes Buch. Sein Mund ist wie zum Vorlesen geöffnet. Das rechte vorgestellte Knie drückt sich durch den mächtig wogenden Mantelstoff, unter dem ein knittriges Ärmelgewand hervortritt.

Die Motive beider Bildwerke entsprechen denen der Schongauerstiche B 37 und B 35 (letzterer seitenverkehrt/Abb. 3, 7).

Beide Apostel standen, ihrer Wendung nach, im linken Flügel eines Altaraufsatzes. Von diesem erhalten ist noch das Relief einer Erasmusmarter (Abb. 1) mit alter Fassung. Deren Grund mit verkürzt ansteigender Bodenfläche entsprechen die perspektivischen Sockel und das gegenüber dem graphischen Vorbild stärker verkürzte Buch des Andreas. Über das weitere Aussehen dieses ursprünglich wohl aus einer Hildesheimer Kirche stammenden Altars ist nichts bekannt, die Erasmusmarter dürfte kaum das einzige Mittelrelief gewesen sein.

Die im Werk des führenden Hildesheimer Meisters des ersten Jahrhundertdrittels frühen beiden Apostel zeigen klar die Auseinandersetzung mit Werken Tilman Riemenschneiders, bei dem der Niedersachse auf der Wanderschaft gelernt haben dürfte. Etwa beim sitzenden Evangelisten Johannes aus Münnerstadt (Bayerisches Nationalmuseum München) wird der Kopf ebenfalls bis in die Stirn von einer mächtigen Haarkalotte eingefaßt. Doch charakteristisch sind die

Abb. 1: Altarschrein mit Johannes Evangelist, einer weiblichen Heiligen, dem Apostel Andreas und einer Erasmusmarter als Aufsatz, ehemals Klein-Escherde, katholische Kapelle

Abb. 2:
Johannes Evangelist,
Klein-Escherde, katholische Kapelle

Abb. 3:
Johannes Evangelist,
Stich von Martin Schongauer

Unterschiede. Der Hildesheimer bildet das Haupt kleiner, in den Gesichtszügen mit den ausgeprägten Backenknochen und den zusammengezogenen Augen individueller. Die in größeren spitzkantigen Faltenformationen als bei Riemenschneider ausgeführte Gewandung, stärker vom Körper weggeführt, wirkt wie erstarrt in abgebrochener rauschender Bewegung. Stuttmann weist zu Recht auf die bei beiden Künstlern vergeistigten langfingrigen Hände hin, was vor allem für die des Andreas gilt.

Die Wanderzeit des Benediktmeisters bei Veit Stoß in Nürnberg und Tilman Riemenschneider in Würzburg wird für die Zeit um 1505 angenommen. Für eine relativ frühe Entstehung der beiden Apostel um 1510 spricht auch die Benutzung immer noch schongauerischer Motive, die in Hildesheim um 1515 von solchen Dürers abgelöst werden. Die mächtige Steinfigur von Veit Stoß 1505 in St. Sebald hat nur allgemein auf den Benediktmeister gewirkt. *H.-G. G.*

Konservatorische Maßnahmen

Ungünstige klimatische Bedingungen haben dazu geführt, daß es bis in die letzten Jahre zu Schäden an der Fassung der beiden Figuren gekommen ist. Konservierende Maßnahmen waren deshalb unumgänglich. Eine umfassendere Restaurierung wurde vorerst nur bei der Skulptur des Apostels Andreas vorgenommen. Beim Johannes dagegen wurde lediglich die Substanz gesichert, um einem weiteren Fassungsverlust vorzubeugen. In der Gegenüberstellung wird jedoch deutlich, wie sehr die behutsame Abnahme entstellender Farblasuren, die von früheren Restaurierungen herrühren, und schließende Retuschen im Bereich größerer Fehlstellen dazu beitragen, ein geschlosseneres Erscheinungsbild zu gewinnen.

Abb. 4: wie Abb. 2, Rückenansicht

Abb. 5: wie Abb. 2, Seitenansicht

a) Johannes Evangelist (Abb. 2)

Lindenholz, aus zwei schmalen Blöcken zusammengefügt, verdübelt und geleimt, grundiert, farbig gefaßt und teilvergoldet.
Höhe 0,95 m, Breite 0,35 m, Tiefe 0,19 m

Die beiden Blöcke bilden eine auf der Rückseite vom Kopf bis zur Plinthe verlaufende Nute. Die einzelnen Blöcke haben sich geringfügig geworfen und zeigen eine leichte Fugenbildung. Durch unterschiedlichen Schwund der einzelnen Blöcke sind leichte Unebenheiten im Bereich der Fugen an der Vorderseite entstanden.

An der gesamten Rückseite, im Bereich der halbplastisch ausgearbeiteten Kopfseite und an den Gewandflanken sind zahlreiche Holzwurmlöcher sichtbar. Ein akuter Befall ist nicht zu beobachten.

Die nicht gefaßten Kopf- und Rückseitenbereiche zeigen deutlich erkennbar flächig aufliegende, holztonig gefärbte Lasurüberzüge sowie Rückstände früherer Holzschutz- und Festigungsmaßnahmen.

An der Unterseite der Plinthe befinden sich 8 Bohrlöcher unterschiedlicher Tiefe und Durchmesser, durch die das Festigungsmaterial in den Holzträger gelangte. Die Vielzahl und Größe der Löcher läßt auf eine Volltränkung des Holzkernes schließen – ebenso das enorme, für Lindenholz ungewöhnliche Gewicht.

Die Einspannöffnungen des Schnitzers sind durch Einbringen von Kittmassen geschlossen worden.

Ebenso sind zahlreiche Wurmlöcher mit älterem Kittmaterial gefüllt, das durch Materialschwund abgesackt ist.

Leichte mechanische Abbeilungsspuren an der Rückseite lassen auf eine Zweitverwendung schließen, was evtl. mit dem früheren Standort in einem nicht dazugehörigen Altargehäuse in der katholischen Kapelle in Klein-Escherde in Verbindung zu bringen ist.

Das Erscheinungsbild der Vorderseite ist durch zwei erkennbare Fassungsbereiche geprägt: zum einen den Bereich mit im wesentlichen erhaltenen Erstfassungsteilen des Gesichtes, der rechten Hand und relativ geschlossenen, allerdings farblos überlasierten Polimentgoldflächen der oberen Skulpturenhälfte, zum anderen den großflächig übermalten Bereich der Plinthe, aller Vergoldungen im unteren Drittel sowie der Gewandumwürfe.

Restauratorisch-technische Untersuchungen ergaben, daß die überfaßten Zonen teilweise gut erhaltene Farbbefunde abdecken. Über der gesamten Skulpturenoberfläche liegt ein verschmutzter, vergilbter, farbloser Schutzanstrich.

Ein Richten der Holzblöcke ist im vorliegenden Fall wegen der Geringfügigkeit nicht notwendig geworden. Gelockerte Farbschollen und Blasen konnten mit Hautleim gesichert und festgelegt werden (Abb. 6). Schwer zugängliche Farbschollenbereiche ließen sich nur durch Injizieren der Leimdosis wirkungsvoll postieren.

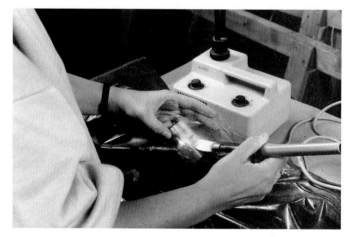

Abb. 6: Festlegung lockerer Farbschollen und Blasen

Die verschmutzten Oberflächen wurden mit einem Reinigungsalkohol gesäubert, wobei der Schutzfirnis mit seinen Tiefenverschmutzungen unangetastet blieb. Partiell aufliegende Wachsspritzer konnten mittels Heizspachtel und Japanpapier durch geringfügige Wärmeeinwirkung aufgesogen werden.

Abb. 7: Apostel Andreas, Stich
von Martin Schongauer

Abb. 8: Apostel Andreas,
Klein-Escherde,
katholische Kapelle

269

Holzhärtungsmaßnahmen mußten nur an wenigen zermürbten Rückseitenbereichen durchgeführt werden. Eine weitergehende Restaurierungsmaßnahme wurde nicht vorgenommen.

b) Apostel Andreas

Lindenholz, aus zwei schmalen Blöcken zusammengefügt, verdübelt und geleimt, grundiert, farbig gefaßt und teilvergoldet.
Höhe 0,955 m, Breite 0,33 m, Tiefe 0,16 m

Bei dieser Skulptur ist an der Rückseite keine Nute erkennbar. Geringfügige Verwerfungen der beiden Blöcke, dadurch leichte Fugenbildung an der Vorderseite erkennbar. Ansonsten zeigt diese Skulptur an der Rückseite die gleichen Schadens- bzw. Befundmerkmale wie der hl. Johannes.

An der Unterseite der Plinthe befinden sich hier fünf kreisrunde, ca. 8 cm tiefe und im Durchmesser ca. 3 cm große eingebrachte Holzhärtungs-Injektionsbohrungslöcher (Abb. 9). Die Vorderseite stellt sich ähnlich wie die beschriebene des hl. Johannes dar.

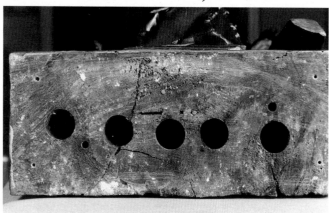

Abb. 9: Apostel Andreas, Unterseite der Plinthe mit fünf Bohrlöchern für eine Holzhärtungsinjektion

Der linke Balken des Astkreuzes ist abgebrochen und zeigt an den Bruchkanten bzw. -flächen krustig aufliegende Rückstände früherer Festigungsmaterialien.

Ebenso wie bei der Figur des Johannes waren auch hier im Vorzustand größere Partien der Erstfassung gut erkennbar. Übermalte Partien wurden restauratorischtechnisch untersucht (Abb. 10).

Abb. 10: Farbschichtenuntersuchung am Apostel Andreas

Durch das Anlegen diverser Freilegungsschnitte konnte im einzelnen der Umfang erhaltener Erstfassung vor der Restaurierung belegt werden.

Die übermalten Gewandumwürfe zeigen im Original Ansätze für eine plastisch geformte Bordüre (Abb. 11).

Abb. 11: Apostel Andreas, Gewandumwurf mit Ansätzen für eine plastisch geformte Bordüre

Abb. 12: Apostel Andreas, poliment-
versilbertes Gewand mit freigelegten Spuren
der originalen Lüsterung

Abb. 13: Apostel Andreas, Haarlocke
über der rechten Schulter mit
Originalfassung über frei-
gelegter Kreidegrundierung

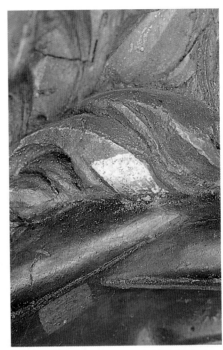

Abb. 14: Apostel Andreas, linke Hand,
freigelegte Versilberung
(unter jüngerem,
verschmutztem Schutzüberzug)

Abb. 15: Apostel Andreas, rechtes Knie,
beschädigte Polimentvergoldung

271

An den Plinthenprofilen sind durchgehend die originalen Grundierungen erhalten mit in Teilbereichen nachweisbaren Fassungsresten. Erwähnungswert ist auch, daß polimentversilberte Gewandteile Spuren von Lüsterungspigmenten zeigen (Abb. 12).

An den Haaren ist die Originalfassung sichtbar mit darunter sich befindlicher, originaler Kreidegrundierung (Abb. 13).

Versilberte Teilbereiche sind lediglich durch jüngere, verschmutzte Schutzüberzüge im Erscheinungsbild entstellt (Abb. 14).

Das Andreaskreuz weist umfangreiche Überarbeitungsspuren im Fassungsbereich auf, jedoch ist auch hier eine gotische Restfarbigkeit auszumachen, was auch für das Buch zutrifft. Die Polimentvergoldungen sind zum Teil erheblich beschädigt, aber nicht übervergoldet (Abb. 15).

Über die substanzerhaltende Konservierungsmaßnahme hinaus, die in Art und Umfang so durchgeführt wurde, wie anhand der Johannesfigur beschrieben, wurden folgende zusätzliche Restaurierungsschritte unternommen:

Zunächst wurde eine restauratorisch-technische Farbschichtenuntersuchung an allen Farbfassungsbereichen der Skulptur durchgeführt, die der Feststellung des Erhaltungszustandes der übermalten Teilbereiche sowie der Ermittlung geeigneter Freilegungs-Chemikalien dienen sollte. Die Abnahme entstellender Lasuren und Farbaufträge erfolgte dann auf chemischem und mechanischem Wege (Abb. 16), wobei partiell Zwischenfestigungen an ausgeprägten Krakelee-Bereichen der Erstfassung notwendig wurden. Die Reinigung der Metallauflagen wurde mit einem Reinigungsalkohol und begleitender Neutralisation durchgeführt. Plastische Ausbrüche an der Grundierung konnten mit Kreidegrund aufgefüllt, mit Bolus unterlegt und nachvergoldet, in den Farbbereichen durch Malschichtunterlegungen retuschiert werden (Abb. 17). Fehlstellen im Goldbereich wurden mit Pudergold verschlossen, um kompakte Block-Vergoldungserscheinungen zu

vermeiden. Alle Bereiche ohne Metallauflagen erhielten einen Abschlußfirnis zum Schutz der Malschichten und Retuschen. Auf das Überziehen der Metallauflagen wurde verzichtet, um das Erscheinungsbild auf Dauer nicht zu beeinträchtigen und unnötige Spannungen zu vermeiden.

W. K.

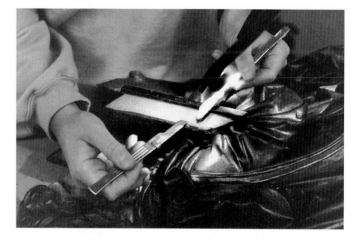

Abb. 16: Abnahme entstellender Lasuren und Farbaufträge am Apostel Andreas

Abb. 17: Retuschen am Apostel Andreas

272

Literatur: J. Baum, Martin Schongauer, Wien 1948, Abb. 48 und 49; Spätmittelalterliche Bildschnitzerei zwischen Weser und Elbe, Ausst. im Landesmuseum Hannover 1938, S. 20, Nr. 91; F. Stuttmann u. G. von der Osten, Niedersächsische Bildschnitzerkunst des späten Mittelalters, Berlin 1940, S. 42 f., Nr. 26, Tf. 36–38; A. Zeller, Die Kunstdenkmale der Provinz Hannover. Die Kunstdenkmale des Landkreises Hildesheim, Hannover 1938, S. 141 f., Tf. 51.

BILDNACHWEIS

Bildarchiv Foto Marburg:
S. 87, Abb. 3; S. 140, Abb. 9; S. 185, Abb. 3; S. 188, Abb. 7; S. 208, Abb. 2.

Jutta Brüdern, Braunschweig:
S. 209, Abb. 3.

Michaela Burek, Stuttgart:
S. 247, Abb. 5; S. 248, Abb. 6; S. 249, Abb. 7, 8; S. 250, Abb. 9; S. 252, Abb. 13–15; S. 253, Abb. 17; S. 260, Abb. 29; S. 261, Abb. 33, 34; S. 262, Abb. 35; S. 263, Abb. 37.

Cleveland Museum of Art, Cleveland:
S. 137, Abb. 2.

Diözesankonservator Hildesheim:
S. 87, Abb. 2; S. 89, Abb. 5; S. 101, Abb. 20; S. 102, Abb. 21; S. 103, Abb. 22 a, b, 23 a, b.

Dombibliothek Hildesheim:
S. 29, Abb. 12; S. 132, Abb. 10.

Hans Drescher, Hamburg:
S. 212, Abb. 6–7; S. 214, Abb. 10, 11; S. 219, Abb. 17; S. 232, Abb. 34, 35; S. 234–35, Abb. 36, 1–8.

Klaus Endemann, München:
S. 46, Abb. 14; S. 57, Abb. 32, 33; S. 59, Abb. 35, 36.

Herzog-August-Bibliothek, Wolfenbüttel:
S. 137, Abb. 3; S. 187, Abb. 6.

Kunsthistorisches Institut der Freien Universität Berlin:
S. 188, Abb. 7.

Landesdenkmalamt Westfalen-Lippe, Münster (A. Brückner):
S. 38, Abb. 1; S. 39, Abb. 2; S. 40, Abb. 3; S. 41, Abb. 4, 5; S. 42, Abb. 6, 7; S. 43, Abb. 8, 9; S. 44, Abb. 10; S. 45, Abb. 11, 12; S. 46, Abb. 13, 15; S. 47, Abb. 16, 17; S. 48, Abb. 18, 19; S. 49, Abb. 20, 21; S. 52, Abb. 24, 25; S. 53, Abb. 26, 27; S. 55, Abb. 28, 29; S. 56, Abb. 31; S. 58, Abb. 34; S. 69, Abb. 47; S. 71, Abb. 50, 51; S. 73, Abb. 48, 49; S. 75, Abb. 55.

Niedersächsisches Landesmuseum, Landesgalerie Hannover (Nölter):
S. 50, Abb. 22; S. 51, Abb. 23.

Niedersächsisches Landesverwaltungsamt, Institut für Denkmalpflege, Hannover:
S. 88, Abb. 4; S. 93, Abb. 10; S. 94, Abb. 11; S. 95, Abb. 12, 13; S. 96, Abb. 14; S. 97, Abb. 15; S. 98, Abb. 16; S. 99, Abb. 17, 18; S. 100, Abb. 19; S. 265, Abb. 1.

Reproduktionen nach Buchvorlage:
S. 13, Abb. 5; S. 14, Abb. 6; S. 23, Abb. 4; S. 146, Abb. 19; S. 186, Abb. 4, 5.

Regula Schorta, Wabern:
S. 127, Abb. 4; S. 162, Abb. 2; S. 166, Abb. 5; S. 181, Abb. 30.

Staatl. Museen Preuß. Kulturbesitz, Berlin:
S. 112, Abb. 9; S. 123, Abb. 9; S. 201, Abb. 23, 25.

Universitätsbibliothek Heidelberg:
S. 161, Abb. 1.

Victoria and Albert Museum, London:
S. 117, Abb. 20, 21.

Hermann Wehmeyer, Hildesheim:
S. 17, Abb. 11; S. 27, Abb. 10; S. 56, Abb. 30; S. 67, Abb. 44, 45; S. 87, Abb. 1; S. 90, Abb. 7; S. 93, Abb. 9; S. 146, Abb. 16; S. 189, Abb. 8.

Alle anderen: Diözesanmuseum Hildesheim